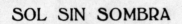

SOL SIN SOMBRA

MANUEL POMBO ANGULO

PREMIO NACIONAL DE LITERATURA

SOL SIN SOMBRA

NOVELA

EDITORIAL PLANETA

BARCELONA

COLECCIÓN «AUTORES ESPAÑOLES CONTEMPORÁNEOS»

PRIMERA EDICIÓN:

ENERO DE 1954

Imprenta Pulcra. - San Luis, 72

AVISO DEL EDITOR

Para mejor comprender los acontecimientos de esta novela, es conveniente leer EL AGUA AMARGA, del mismo autor y publicada por esta misma Editorial, que viene a constituir su primera parte.

91139

———

LA CIUDAD ANTIGUA

PRIMERA PARTE

LA CIUDAD ANTIGUA

I

Lo primero que alcanzan mis recuerdos son las sombras del Palacio. No su fachada, de piedra, hermosa en su sencillez, excepto en la parte superior, donde el gusto de la época amontonó una abigarrada teoría de torrecillas, aleros y rosetas; tampoco sus salones, de grandes muebles dorados, con tantos inútiles adornos como la parte superior de la fachada; ni siquiera las habitaciones posteriores, que daban a una calle estrecha, pero de mucha luz. Las sombras del Palacio acechaban, agazapadas, en los rincones, en las vueltas de la escalera, en los cortinajes que plisaban los balcones, en las bohardillas, silenciosas, repletas de sillas rotas, maniquíes de mimbre, baúles, consolas y espejos quebrados. Allí acechaban, como un ejército que aguardase ocasión para la emboscada, y, apenas comenzaba a caer el día, cuando ya entraban, decididas, en acción.

No lo hacían a solas, sino con la complicidad de infinitos aliados. El más poderoso de todos era el viento. Nunca quedó quieto el viento en nuestra ciudad, y, si lo intentaba, en seguida el mar le advertía lo inútil de tal molicie. Pero, durante el día, casi no le escuchábamos, confundido con los restantes ruidos de la población; con los gritos del mercado, los pregones de las pescadoras, el afanarse de las gentes, el saltarín rumor de los coches, el chocar de los cascos, y, a lo lejos, el ir y venir de las vagonetas desde la mina del Pico, el zumbar de la fundición de los Quejada y el chirriar de las sierras de Enrique del Real, al cortar la madera. Todo esto no se percibía aislado, naturalmente, sino como un gran rumor, vivo y poderoso, como un fondo de orquesta, sobre el que resaltaban otras notas ya individualizadas: una voz que gritaba, la campana de un barco, la iglesia de los Carmelitas, que lanzaba el Angelus hasta más allá de la bahía... El viento formaba parte de este rumor y pasaba tan inadvertido, y, al mismo tiempo, estaba tan presente como todo él. Si, atravesando la calle trasera al Palacio, llegabais al Muelle, entonces el viento os daba de cara y las aguas de la mar cambiaban de color, según el punto desde donde soplase. Pero ni aun entonces se percibía su sonido, como si fuese mudo, y sí, solamente, su caricia. Era con la venida de las sombras con la que el viento recuperaba su voz. La luz comenzaba a disminuir tras los montes de la otra orilla y el cielo perdía su azul, como si se destiñese poco a poco; también el agua de la mar se volvía gris, pálidamente gris, y pensaríase que hubiese envejecido. Toda la ciudad tomaba, de pronto, este tono gris, y solamente los miradores que daban al mar, y los balcones de las últimas casas, que trepaban ya colina arriba, hacia el Alta, refulgían dorados, verdes, azules y bermellones. Después, el cielo se arrebolaba, la puesta del sol encendía el paisaje, y, cuando ya la noche se imponía, aún, tras los más altos picos, continuaba luciendo una franja naranja, viva y cálida, como si muy lejos se consumiesen los últimos rescoldos de un bosque incendiado.

Esto sucedía así los días de cielo claro; los días de otoño y primavera, cuando el aire de la ciudad se volvía especialmente límpido, el mar era azul, la arena dorada y la yerba de muy diferentes verdes; verde oscuro, verde más claro, amarillo casi, color de oro. El agua transparentaba en los regatos, saltaba entre las piedras y se estancaba en los valles, festoneándose de una espuma verdusca y espesa; el nordeste rizaba el mar libre.

Eran muy bellos estos días, llenos de calma, como si un niño se hubiese dormido bajo la luz del sol. Pero si el cielo se aborrascaba, las nubes descendían, plomizas, hasta casi tocar la superficie del agua, y sobre la mina del Pico, y sobre las crestas de los montes, avanzaba despacio la niebla, el panorama cambiaba radicalmente, se oscurecía, y la ciudad se disponía a soportar la lluvia, los ramalazos del Sur, la humedad y la monotonía. El invierno volvía repentinamente oscura a la

ciudad. Pero no en su luz ni en su atuendo. Era su misma
entraña la que oscurecía, sus mismas piedras, el humo de sus
chimeneas y los troncos de sus árboles, que orillaban las alamedas y se apretaban en los pinares de las afueras, junto a las
playas solitarias y largas.

Mas con sol o con lluvia, calmo de bonanza o encrespado
de borrasca, nadie paraba en el son del viento durante el día.
Era de noche cuando el viento recuperaba su voz y comenzaba
a construir un mundo nuevo y temeroso entre las sombras del
Palacio. Todo cambia en la oscuridad y el decir del viento,
también. Las estatuas de la escalera semejaban gigantescos
guerreros dispuestos a degollar cuanto inocente encontrasen
a su paso; los espejos reflejaban confusas siluetas de fantasmas
y aparecidos; los cortinajes se movían como puede moverse un
ahorcado. El primer rellano estaba ocupado por un gran tapiz,
que representaba una batalla. La luz de la claraboya le daba
de plano y todas sus figuras cobraban vida apenas la noche llegaba; cobraban vida y me miraban a mí. Me miraba el joven
guerrero, y el venerable jefe, herido de mal hachazo, y la redonda y no demasiado cubierta jovencita, que parecía la cau-
sante de todo aquello y de la que nunca pude saber por qué
especial concesión había conseguido llegar hasta el campo de
batalla, y, sobre todo, permanecer en él. También me miraba
un caballo, grande y excesivo de ancas, y un paje que, entre
tanto duelo y confusión, sólo se preocupaba de sostener una
bandeja. Si soplaba el viento, las figuras se movían, y, lo que
era peor, hablaban con su voz.

El viento podía cambiar a voluntad esta voz y hacerla decir
las cosas más diversas y con los más diversos acentos. Podía
simular pisadas de ladrones en las bohardillas, y mantenerme
despierto en la cama, con el embozo subido hasta la barbilla y los dedos engarfiados en él. Podía gritar como un
marinero que se ahoga, y traer este grito hasta mí, junto con
el rumor de las olas, los remolinos de las Quebrantas y la campana loca del faro pequeño, que sonaba en el temporal como
si la agitasen almas en pena. Podía transformarse en un
blando susurro de palabras, mientras la luz se escapaba bajo

la puerta del cuarto de mis padres. También podía aullar, como
aúllan los perros cuando alguien muere, o reir sin alegría, como
"Veneno" dice que ríe el Holandés, condenado a vagar en su
barco pintado de negro.

El Palacio era muy grande y por eso el viento podía hablar
con varias voces en él. Mi padre le mandó edificar cuando
casó, en segundas nupcias, con la que había de ser mi
madre y la madre de Esperanza, mi hermana mayor, y de
Rosina, mi hermana pequeña. Del primer matrimonio nacieron
tres hijos; Juan, mi hermanastro, y las dos gemelas, Marta y
María. Juan era ancho, fuerte y moreno; no tenía miedo a la
voz del viento, y aun estoy por afirmar que nunca la escuchó;
las dos gemelas sí, sobre todo Marta, que siempre andaba asustada y temblando por todo. Mi madre no quería a las gemelas,
y, en cambio, se llevaba muy bien con Juan: diríase que la
fuerza y la sencillez del muchacho la seducían, dejándola rendida ante él. A mí me parecía vulgar, zafio y descontento de
todo, como si estuviese juzgándonos sin cesar. Esperanza no
le quería, aunque tampoco le dejase de querer; peleaba con él,
y, cuando se pegaban, parecían dos muchachos, más fina y
esbelta Esperanza, muy ágil de movimientos y tan delgada
como un grumete de los que, en un dos por tres, se encarama-
ban a lo más alto de los palos, en los barcos que cabeceaban
junto a las machinas.

Mi padre edificó el Palacio poco antes de casarse por segunda vez. Mandó rellenar para ello un trozo de mar, cuadrado y
prisionero de muros, que allí había, transformándolo en una
plaza. Este trozo de mar comunicaba con la bahía a través de
un agujero, por el que el agua se precipitaba, rugiente y temerosa. Cuando se decretó el relleno, para ganar terrenos y construir el nuevo paseo del Muelle, mi padre hizo por su cuenta el
del cuadrado y sólo pidió, a cambio, que le cediesen espacio para
construir su casa. En la plaza se plantarían árboles bajos, a fin
de no privarle de vista. Aun hoy, cuando tantas cosas han crecido, y tantas han muerto en la ciudad, los árboles continúan
sin atreverse a erguirse más arriba de los primeros balcones, y,
apenas una rama inexperta alcanza su altura, cuando ya la

cizalla del jardinero municipal se apresta a cercenar su osadía.
Así, pues, el Palacio se alzó, grande, poderoso y sólido, frente
a una plaza robada al mar, en la que los árboles se agostaban,
sin llegar a prender, como si aun quedase sal entre la tierra.
Pero mi padre era terco y poco acostumbrado a rendirse; por
añadidura, disponía de una gran fortuna. Los árboles no tuvieron más remedio que echar raíces primero y hojas después.
Hoy cubren toda la plaza. Sus hojas son grandes y las ramas
se extienden a lo ancho, porque, como ya he dicho, se tiene
buen cuidado de no dejarlas crecer hacia arriba.

Contrariamente a lo que pudiera creerse por mi descripción,
el Palacio no carecía de gusto, y, desde luego, asombró a la
ciudad cuando se construyó. La ciudad estaba acostumbrada
a las edificaciones modernas, como las que levantaron los Quejada para albergar a los capataces y a los obreros distinguidos de
la fundición, más prácticas que ostentosas, o a las viejas, nobles
y sombrías casonas, como la de los Velasco en Villacorrida, o la
de los Ponte en Santifría, citadas, con méritos sobrados, en
todas las guías de la provincia. Los Ponte eran mis abuelos
por parte de madre. No conocí a mi abuela, pero me agradaba
un retrato suyo, que había en el salón de la casona de Santifría,
fino, un poco triste, con unos ojos negros, muy grandes, que
parecían querer decirme algo. Eran los ojos de mi madre, y, a
veces, cuando los sentía posarse sobre mí, me parecía que también mi madre quisiera decirme algo, comunicarme un secreto
que le costó mucho trabajo descubrir, pero que no se atrevía
por miedo a que no la comprendiese.

Esta duda sobre mi capacidad, que yo adiviné desde un
principio en mi madre, y que me hizo sufrir mucho, la percibía
cada vez que tío Juan, el tío abuelo Juan, me contemplaba,
entre pensativo y escéptico. Apenas crecí un poco, tío abuelo
Juan se transformó en un personaje casi legendario para mí,
pese a que no le veía casi nunca; pero a trozos, como traídas
también por el viento, me llegaban retazos de conversaciones,
confidencias cortadas de pronto, que me lo fueron mostrando
como un personaje atrevido, cínico y de singular éxito con las
mujeres. Esto debía, por fuerza, resultar atractivo incluso para

un niño. Así como mi abuelo — al que sí vi mucho en Santifría, hasta que un día me llevaron junto a la caja en que descansaba, bajo las bóvedas de la capilla familiar, vestido de hábito pardo, con las manos cruzadas y un rosario y una boina roja entre ellas — era un hombre dulcemente triste, con una mirada bondadosa, un cuerpo alto y un aire de cazador cargado de blasones, tío abuelo Juan, más joven que él, impresionaba por su físico, y, sobre todo, por su vitalidad. Solía llevar un bastón con puño de oro, muy fino, una chistera alta y un pantalón gris claro, delicado de color. Si sonreía, se le formaban muchas arrugas en torno a los ojos, que brillaban al fondo, con una luz viva e inquieta.

Entre mis primeros recuerdos figura el del día que le vi, al pie de las escalinatas que llevan a la Catedral. En tiempos no muy lejanos el mar se adentró allí entre las casas y un puente — el Puente — unía sus dos orillas; desde él la población presenciaba los desfiles y la procesión de la Virgen del Carmen, en la que los barcos se engalanaban con fervorosa competencia, y los de vapor hacían sonar sus sirenas, mientras los de vela batían toda suerte de cazuelas y peroles a fin de no quedarse atrás en el bullicio. Después, el mar se rellenó, pero aún el Puente seguía allí, curvado sobre las gentes, los coches y las bestias que bajo él pasaban. La escalinata de la Catedral arrancaba prácticamente de él, y, en su primer peldaño, estaba el tío abuelo Juan, muy terne y erguido, viendo avanzar a las dos mujeres. Tenía un aire entre divertido y desafiante; las mujeres caminaban, pegadas a las casas, una detrás de la otra. Aun me parece verlas, como si no hubiese pasado el tiempo; gorda y reteñida la de atrás; morena, muy joven y delicadamente hermosa la de delante. En seguida mi infancia torna a sumirse en una laguna negra, donde ningún hecho destaca, pero la imagen de aquella mañana se conserva viva y distinta. Fué la primera vez que tuve conciencia de algo relacionado con el misterioso mundo que me cercaba y quizá por eso mi vida empiece realmente con dos mujeres que caminaban, pegadas a las casas, y con tío abuelo Juan mirándolas, como un capitán que otea el campo de batalla, pero no para luchar, sino para rendirse, gustoso, al enemigo.

Yo iba con ama Josefa; con mi ama Josefa. Insisto en el posesivo porque nada en la ciudad iguala en importancia a un ama. Dicen que los romanos medían sus riquezas por el número de esclavos que poseían; en nuestra ciudad sucedía lo mismo con las amas, sólo que al revés, porque nunca hubo esclavitud semejante a la exigida por ellas. Terciopelos, encajes, bordados, pendientes de plata, alfileres, zapatos de charol, faldas plisadas, lazos de raso apretando las macizas trenzas... las amas vestían como unas imágenes antiguas y bárbaras a las que se debía calmar cubriéndolas de presentes. En nuestra casa disponíamos de cuatro, capitaneadas por la veterana e indiscutible tiranía de ama Toñuca, la de mi hermanastro Juan. Ama Rosaura lo fué de las gemelas, y, ya en activo, mientras que las otras habían, dignamente, pasado a la reserva, ama Joaquina se cuidaba de Esperanza y ama Josefa de mí. Cuando salían juntas, lentas y dignas, vestidas de colores encontrados, con sus grandes cofias y sus trenzas balanceándose a la espalda, parecían sacerdotisas de una singular procesión en la que se rogase por el futuro de los críos encomendados a su custodia.

Yo contemplaba a tío abuelo Juan y a las dos mujeres, cuando oí gritar a ama Josefa:

— ¡No mires, niño! ¡Te he dicho que no mires!

Fué la prohibición lo que me hizo fijarme en un hecho que, sin ella, quizás hubiese pasado inadvertido para mí. Las mujeres que salían de la iglesia atravesaban la calzada para no encontrarse con las dos que venían por la acera; las siete Velasco se persignaron, ostentosamente, como si pretendieran herirlas con ello; otras se paraban, para comentar entre sí, mirándolas y haciendo muchos gestos. Las dos mujeres avanzaban solas, y el vacío continuaba haciéndose ante ellas, aunque no pareciera importarles demasiado. La más vieja y repintada caminaba despacio, moviendo mucho las caderas, y jadeante, como si se fatigase; la más joven lo hacía de prisa, adelantada a su compañera y con una gracia especial. La recuerdo muy bella y atractiva, mas, cuando pretendo materializar sus rasgos, se desvanecen. Pero recuerdo perfectamente la sensación de abandono y soledad que las acompañaba. Hasta la misma ama Josefa parecía escandalizada y su cofia temblaba con virtuosa y profesional indignación.

— ¡Pécoras! — la oí murmurar —. ¡Y ni siquiera tienen rapaces! ¡Ye!...

Tío abuelo Juan miró en torno. Ahora sé que, en el fondo, le divertía tanta escandalizada pudibundez, pero entonces sólo le vi sonreir. Sonreía con mucha intención, como si se burlase. Después, se volvió hacia las dos mujeres y levantó su chistera. La más vieja se detuvo, sorprendida; la más joven le devolvió una cómica reverencia, y después, cuando doblaba ya la esquina, le sacó la lengua, sonriente, mientras el grupo de enmantilladas devotas, con las siete Velasco a la cabeza, huía, derrotado, hacia el Puente. La campana de la Catedral sonó grave: tan...

Pero tío abuelo Juan no puede ya saludar a nadie ni tampoco ama Josefa se escandaliza porque suba hacia la Catedral, morena y jugosa, Isabel, la Cubana, seguida por Raquel, la dueña. El tiempo se llevó unas cosas y cambió otras, hizo subir y bajar los muñecos y prestó distinto argumento a las funciones. Solamente la voz del viento continúa igual, llena de infinitas posibilidades de terror. Cada vez que se me presenta un problema, torno a escucharla, y, en mi interior, me arrebujo como cuando, de niño, subía el embozo de la cama para defenderme de los mil fantasmas que avanzaban, cautelosos, por los salones y los pasillos del Palacio.

A pesar de todo, yo me obligaba a recorrerlo y la servidumbre se asombraba de encontrarme en los más lejanos e impensados lugares. Yo conocía rincones del Palacio que nadie conoció nunca, donde las palabras resonaban, aumentadas, como en las salas de los secretos de los castillos, y donde el silencio era absoluto, ahogado y espeso, cubierto de polvo; donde se abrían los patios, y donde los tejados mostraban sus pequeñas ventanas, como claraboyas de barco. La casa estaba llena de inéditas sorpresas, que se renovaban cada día, y que me hacían detenerme, con el corazón palpitante, presa de un irremediable terror. Si estaba solo, huía, cada vez más de prisa, y terminaba por correr; si algún criado me veía, atemperaba mi paso, enderezaba mi espalda y ponía ese gesto helado y distante que me ha valido fama de orgulloso.

—Parece un príncipe...—decían los criados.

Un príncipe he sido siempre; un príncipe al que, desde niño, atemorizó la voz del viento, y al que esta voz le decía algunas veces, como las brujas a Machbeth: "Tú serás rey." Entre todos mis miedos, ninguno como éste de reinar algún día, de heredar el imperio de mi padre y el cetro que a él parecía costarle tan poco manejar. A mi padre la riqueza no sólo no le asustaba, sino que no parecía importarle en absoluto. Era un hombre sólido, bajo, fuerte, mal vestido siempre y con aire de resolver las cosas por su cuenta. Daba una gran impresión de poder, de no admitir obstáculos, o, mejor dicho, de ignorarlos. Sentía una gran adoración por mi madre, a la que llevaba muchos años. Para mí, el contraste resultaba todavía mayor, porque madre me pareció siempre una chiquilla. Era muy alegre, pícara y juguetona; tenía el genio vivo y la lengua fácil de soltar. Si hubo alguna vez una mujer bonita, fué ella, y aun ahora, sosegada ya y tranquila, como una señorona, asombra verla, tan pura de perfil, con sus ojos oscuros, su cutis fino y su largo pelo negro. Suele sentarse en el mirador de la otra casa, la que se edificó entre los pinos de las afueras, para hablar con Enrique del Real, que acude todas las tardes a visitarla. Enrique es hombre cano ya y entristecido. A veces mi madre, en el curso de alguna conversación, deja caer su mano sobre las de él, como si quisiera hacer callar a un niño que desvaría. Después marchan juntos hacia villa "María Rosa", atravesando la pradera. En realidad, ésta es nuestra casa, y no el Palacio, ni siquiera la casona de Santifría. Pero, cuando yo era niño, villa "María Rosa" no se había construído aún y a Santifría íbamos poco, porque a mi padre no le gustaba la Casona. Mi padre era un poco extraño, y, a veces, pasaba temporadas sin hablar con madre, y otras le oía jadear en su cuarto, como si luchase con ella. Todo el Palacio dormía, pero yo escuchaba, despierto y tembloroso, aquellos jadeos que me traía el viento, aquellos silencios en los que parecía estar sucediendo algo tremendo, aquellas explosiones de palabras y rumores. Después, todo volvía al silencio. Y, poco a poco, otros rumores nacían de la oscuridad, las tinieblas se espesaban en torno, y los rayos de la luna lucían, lejos, como espadas.

Entre todo esto iba creciendo, solitario. Juan era mayor que yo, con las gemelas no se podía contar, Rosina no llegaba ni a rapaza y Esperanza poseía demasiada vitalidad para mí, siempre con sus juegos de muchacho y con sus brusquedades. En ocasiones tomaba un extraño cariño hacia alguna amiga; otras rompía con ella inexplicablemente. Yo me movía casi a ciegas en este mundo, asustado y muy triste a veces, entre unos hermanos que parecían ignorarme, un padre serio y lejano y una madre de sonrisa blanca, ojos muy bellos y carácter tornadizo, a la que padre, la Cabuca, Curro, el cochero, el viejo y querido Max, los criados y las gentes todas llamaban entre ellos **Niña Rosa.**

A mí, en cambio, nadie me llamó de otra manera que por mi nombre. Me llamo Arturo Pardo y de Ponte, y llevo, desde hace años, el título de marqués de Pardo. En realidad, es inútil que me presente, porque me conoce toda la provincia. No lo haría si no fuese porque voy a morir.

Cuando se va a morir interesa dejar las cosas fijas y claras, lo más claras posibles. Es curioso qué sencillas y desprovistas de adornos accesorios aparecen las cosas cuando se va a morir. Casi todo lo que hasta entonces tuvo importancia va disminuyendo, disminuyendo, hasta que desaparece entre el polvo. Esto no nos asombra, como si, en el fondo, conociésemos ya su escasa importancia; pero sólo al enfrentarnos con la gran verdad de la muerte aceptamos este conocimiento. La vida queda entonces reducida a unos cuantos hechos fundamentales; el futuro de los pequeños y la gran pena que nos invade al pensar en ellos y verlos, no como son ahora, sino como eran a los tres o cuatro años, cuando jugaban por la pradera y Arturo se empeñaba en montar el poney sin silla, como hacen los indios. Siempre fué valiente y decidido Arturo, y, además, muy fantasioso. Sus hermanas le contemplaban con ojos admirados, y Cati, su madre, oscilaba entre el terror y el éxtasis. También da pena pensar en Cati; pena y un poco de remordimiento. De pronto la figura de Cati crece, tan chiquita como fué siempre, hasta ocupar todo el cuadro de mi vida. Cati, con su pelo rubio, su mirada tranquila y su silencioso afecto; Cati, de la que muchas veces me olvidaba, como nos olvidamos del perro que se tiende a nuestros pies para hacernos compañía. De pronto nos sentimos inquietos, y es que la compañía nos falta; nos falta la nota de color, el aleteo de la respiración, el tono claro de sus ojos, que no se ensombreció jamás. Y los pausados ademanes de sus manos, y el balanceo de la cuna de los niños, de aquí para allá, llevada por ellas.

La conocí... desde siempre. Cuando aun era niño y las sombras del Palacio me asustaban, ya Cati estaba junto a mí, aunque no me diese cuenta de ello. En realidad, esta desatención merece mayor disculpa que las que la siguieron, porque Cati era entonces, tan sólo, un montoncito de carne dormilona en brazos de su ama Elvira. Cuando despertaba, era para reclamar con tal estruendo sus particulares servicios, que tampoco podía considerársela desde otro punto de vista que el de su extraordinaria facilidad para los agudos. Además, cuando Cati penetró en nuestro círculo, yo era ya un mocito de doce años muy poco dado a entablar relaciones con la infancia. Cati era la hija única de los Ceballos, parientes de la vieja Solano y gentes de blasones, si las hay. Tía abuela Anita, marquesa de Villarreal — La Marquesa por antonomasia para toda la provincia — solía decir:

— Tienen deudas por los títulos, cuando debían tener Títulos de la Deuda.

Pero tía abuela Anita hubiera vendido su alma al diablo con tal de hacer una frase. Aun la recuerdo, con su bastón, su espalda encorvada y sus muchos gestos. Parecía un pequeño monito, y, como tal, era viva y graciosa. Pertenece a esa parte romántica y casi legendaria de la ciudad que se ha ido ya, y a la cual mi padre y Max pertenecieron también, y hasta mi madre, pese a ser tan joven. Muchas veces pienso que, respecto a la ciudad, entre nuestros padres y nosotros se produjo una diferencia radical; que nuestros padres crearon la ciudad y que nos la entregaron desvalida, sí, pero, al tiempo, tan llena de promesas como una criatura. Nosotros debíamos llevarla hasta su madurez y a ello nos aplicamos con empeño. Si no lo conseguimos, no fué por falta de afán. Pero sí, conseguirlo, desde luego lo hemos conseguido. No hay más que mirarla y decirse que valía la pena; que hemos podido ser traidores a muchas cosas, pero no a la ciudad.

Yo la miro desde aquí, desde el cuarto donde mi padre gustaba de recluirse, en lo alto de villa "María Rosa", y que rebosa todos sus recuerdos. Me parece que cada uno de ellos forma también parte de la ciudad, de sus barrios y rincones. La lubina que pescó el padre Damián es del mar libre, pez de ola, que se pesca sobre las rocas cuando el agua se estrella contra ellas; el retrato de marco de madera que representa a mi padre y a su primera mujer, corresponde a los barrios del Pico, allí donde se asienta el viejo almacén que no utilizamos ya, la fundición de los Quejada y la mina. Precisamente acabo de venderles la mina a los Quejada. Les debía tanto, que, en realidad, la mina era ya suya, y, como dije, en esta última hora se desea dejar las cosas claras.

La primera mujer de mi padre no era ni hermosa ni distinguida; era fuerte y algo oscura, como las cargadoras de carbón, que lo bajan en hilera desde los barcos a los depósitos del muelle. El Muelle se ha extendido y llega casi hasta los antiguos astilleros, que no construyen barcos ya, o, por lo menos, los construyen muy pequeños. Parecen un gigantesco animal fosilizado, y el mar golpea sus pilares con un ruido seco y breve. Es un paseo que realizo con frecuencia y que me agrada. El coche bordea el Pico y toma carretera adelante. La mar le sigue, mientras, a lo lejos, quedan los montes, con sus casitas y sus coronas de nubes. Los cascos del caballo cantan — cataplit, cataplat —, su cuello se enarca y su crin flamea al viento; yo sostengo, apenas, las riendas. Son muy bellos los caballos y yo los quiero y los entiendo. Cuando galopan, en las praderas de villa "María Rosa", parecen figuras de algún cuadro, entre italiano y primitivo, como los que Patinir pintara. Aunque ya los automóviles corren por la carretera, con su estruendo y su peste a gasolina, yo continúo fiel a los caballos, a las altas y silenciosas ruedas de los coches, y al charol de las cajas, que brilla como una noche lluviosa.

El coche se desliza, suave, bajo los árboles, junto a los sembrados de maíz y los prados, de leve ondulación, donde pastan vacas pintas, vacas negras o vacas canelas, que mueven la cola como un péndulo. En la misma esquina, allí donde se bifurcan las carreteras, se alza la casona de los Ceballos. Tiene una portalada de piedra y un mirador de madera; detrás se extiende la huerta. Su dueño, Ezequiel Ceballos, come de la huerta, se asoma al mirador y jamás atravesó la portalada. Es el abuelo de Cati, un viejo demonio, fuerte y entero aún, lo único respetable de la familia, acaso porque es el único que cree auténticamente en ella.

Aquí, según mi padre me contó, se detuvo antes de entrar en la ciudad. A mi padre le gustaba alardear de esto, aunque yo no acabé de creerle jamás, porque me parece demasiada la fortuna que consiguió para arrancar de una tan absoluta pobreza como supone llegar, con la única compañía de un burro, pasito a paso y dando funciones por las posadas. Sí, decididamente, creo que padre y Max exageraban, y que, a fuerza de hablar de su Austerlitz, acabaron creyéndose cada cual otro Napoleón. Sin embargo, en la habitación donde padre almacenó sus recuerdos está el teatrillo, viejo y desportillado, y las dos pistolas que Max, según él mismo afirma, llevó durante el viaje; dos pistolas antiguas, de un solo cañón, como las que se usaban en la guerra carlista. Están sobre la chimenea, junto a dos negritos de porcelana, de los que la luz arranca reflejos azulados. Las ventanas dan al mar, y, a lo lejos, se ve a un velero luchar contra el viento. Siempre hay un velero en este paisaje, que ni viene ni va, como si el viento sólo quisiera entretenerse jugando con él.

La primera vez que vi a Cati, el viento jugaba con el borlón que remataba la lazada con que habían atado su gorrito. También el borlón iba de aquí para allá, como una pequeña bola que rodase. Cati era una niña gordezuela y escasamente interesante, salvo en la facultad que poseía de llorar, y, al tiempo, hacer las muecas más cómicas que recuerdo. Era imposible contemplar a Cati en aquellos momentos sin romper a reir. Todos lo hacíamos, y el corro de las amas — ama Rosaura, ama Joaquina, ama Josefa y ama Elvira — reía también, agitando las cofias y los lazos de las trenzas. Después, ama Elvira, presa de súbito remordimiento, apretaba a la niña contra sí.

—¡Ay, hijuca, corazón, que se ríen de la mi niña!

Y, para compensarla, sin duda, mojaba el dedo en saliva y se aprestaba a enrollar en su torno el desvaído montón de pelo que asomaba bajo el gorrito de Cati.

Ezequiel Ceballos abuelo tuvo un solo hijo y siete hijas. El hijo se casó y las muchachas permanecieron solteras. Como se ve, Ezequiel Ceballos poseía algún motivo para no desear salir de su casona.

Ezequiel Ceballos, padre, se casó también y tuvo solamente a Cati; pero sus hermanas se fueron a vivir con él. Era un hombre bueno y justificadamente abrumado. Poseía un pequeño e insuficiente haber y un número ilimitado de blasones; casi tantos como hermanas.

Sus últimas economías se emplearon, sin embargo, en alhajar al ama de Cati. Ama Elvira, además, poseía algo que colmaba la envidia de sus congéneres: un escudo en cada botón y en cada cabeza de alfiler. Aunque sus terciopelos variasen menos y sus puntillas calasen más modestos arabescos, los escudos lo compensaban todo. Como compensaban la soltería de las siete Ceballos, que, todas las mañanas, por riguroso turno, se dirigían, en hilera y vestidas de negro, para oír misa en una iglesia diferente.

Los sábados lo hacían en la de la Compañía, a fin de confesarse con el padre Larrea. El padre Larrea las miraba, un poco asustado, cuando, terminadas sus devociones, se reunían en torno a la pila; alguna vez, aunque lo negase, temió que rompiesen a volar. Las gentes, al verlas cruzar, decían:

—Ahí van los siete pecados veniales.

Porque, como las gentes sabían muy bien, a fuerza de ser pobres, ni siquiera en el pecado poseían capital las siete Ceballos.

Pero eran amigas de madre, y aun algo parientas; por eso entró Cati en nuestra vida. Los niños solíamos reunirnos a jugar en los pinares de las afueras; los niños acomodados, se entiende. A Cati la llevábamos de prestado en uno de nuestros coches. La carretera se extendía, llana, hasta el promontorio que cerraba la bahía; a partir de allí era poco más que un camino vecinal. Pero, una vez remontada la curva, se veía ya la gran mancha de los pinares, las playas, largas y doradas, el cabo al fondo, y el mar, inmenso, abombado y jadeante, como si siempre descansase de alguna carrera. Las olas eran muy pequeñas, a veces, como festones bordados; otras, en cambio, eran grandes y rabiosas, arrastraban la arena al retirarse y formaban remolinos peligrosos. Los niños solíamos esperar el romper de las olas para correr delante de ellas, evitando que nos alcanzasen. Casi nunca lo conseguimos y acabábamos calados hasta los huesos. El conclave de las amas se alborotaba.

— ¡Ven acá, condenado, que te voy a eslomar! ¡Ay, y cómo se me ha puesto el maldito! ¡Así te lleve el Malo! ¡Jesús, José y María!

A veces yo me cansaba de correr y me quedaba quieto, esperando el romper de la ola. Ama Josefa suspiraba:

— ¡Miradle! ¡Parece un principuco!

Mi hermanastro Juan, Esperanza, Rosina y las dos gemelas venían también con nosotros. Juan realizaba largas excursiones, escalando las rocas y metiéndose entre ellas, hasta los agujeros en cuyo fondo brilla el agua. Los bordes eran húmedos, verduscos y resbaladizos. A veces Juan regresaba con algún pez que había apresado, con algún cangrejo grande, o con un pulpo, de largos tentáculos, que pendían hasta rozar el suelo. Juan le traía, colgado del bichero, como una bandera. Yo me acercaba, atemorizado, a él:

— ¿Le cogiste solo?

— ¡Pues claro! ¡Mira! ¿Quién había de ayudarme?

— ¿Y no te picó?

— No, porque le mordí entre los ojos.

Yo sentía en los dientes la carne del pulpo, áspera, coriácea, y el sabor de su sangre, viscosa y salada. Sacaba el pecho, y, trompicando, amoldaba mi paso al de mi hermanastro. Cuando lo conseguía, marchaba junto a él, con el pulpo en medio, como en un desfile militar.

Esperanza se nos acercaba para pasar sus dedos a lo largo

de los tentáculos. De pronto retiraba la mano, como si algo la
hubiera pinchado o hecho daño.

Las gemelas se acercaban también y Juan se detenía para
que pudiesen admirar a gusto su presa. Cogidas de la mano,
Marta y María daban vueltas en torno al pulpo, con pasos menudos, entreabiertas las bocas, en un gesto que mezclaba el
temor y la admiración. Eran tan parecidas como una concha
a otra; como dos conchas blancas con el interior suave y color
de carne. Después corrían hasta la orilla, donde construían unas
cuidadas y prodigiosas arquitecturas; castillos, barcos, jardines,
murallas, casitas y trenes. Marta comenzaba por un extremo
y María por el otro; poco a poco, la construcción avanzaba,
hasta que terminaba por unirse, exactamente, como los dos
ramales de un túnel. Diríase que una misma mano la hubiese
dirigido. Si el agua llegaba hasta ellas, cogiéndolas despreve-
nidas, las dos gritaban al tiempo, y, al tiempo, corrían, arre-
mangándose las faldas, rematadas por puntillas. Rosina se reía
siempre que veía correr a las dos gemelas.

Eran encantadoras, tan bondadosas, y todavía no he conseguido comprender por qué madre no las quería. Había algo
extraño y subterráneo que regía la vida de mis padres, y que
iba llegando hasta mí, poco a poco, a trozos, como un espejo
que se quebró y que intentamos en vano componer. Este espejo
me devolvía una imagen fragmentaria, o deformada, o varias
imágenes al tiempo, todas diciendo lo mismo y haciendo los
mismos gestos. Entre los rumores de la noche, no era el menos
sobrecogedor el que nacía del cuarto de mis padres, sin salir
nunca de él, como si le guardasen prisionero. La luz del cuarto
tardaba mucho en apagarse algunas noches; otras, lo hacía en
seguida, y el corredor quedaba oscuro, iluminado tan sólo,
al final, por la claridad que se filtraba a través de la ventana.
Yo dormía casi enfrente de ellos, y, dejando la puerta abierta,
podía divisar desde mi cama la del cuarto de mis padres,
con su picaporte dorado y los grandes cuarterones, pintados
de blanco. Si la luz se escapaba bajo ella, la madera del suelo
resplandecía, en una breve extensión, como resplandece el amanecer.

Del cuarto de mis padres surgían susurros, suspiros, palabras musitadas en voz baja, y, sobre todo, silencios; pero no silencios vacíos, sino silencios vivos, llenos de pasiones desconocidas y misteriosos sucesos. Al fin, la luz se extendía y la silueta de mi padre aparecía en el vano de la puerta. Yo la veía al contraluz, ancha, fuerte y temblona. Mi padre se volvía y quedaba mirando hacia dentro, fijo y sin hablar. Tampoco se escuchaba la voz de madre. Después, mi padre cerraba la puerta y se alejaba con pasos curiosamente leves, que ni siquiera hacían crujir la madera. Solía llegarse hasta la ventana del final del pasillo, para apoyar la frente en los cristales y quedar quieto mucho tiempo.

Fuera caía la lluvia con un son igual y manso. Salvo los meses de verano y otoño, en los que, como dije, podíamos jugar al aire libre, la ciudad vivía prisionera de la lluvia. Llovía durante largas temporadas, con una constancia igual e inalterable, como una costumbre. El cielo amanecía gris, sin un resquicio al azul o a la claridad; gris se ponía y gris tornaba a amanecer, mientras las hojas de los árboles lucían, brillantes, el suelo se charolaba, de los tejados resbalaban diminutas cataratas, y, en los caminos pendientes, el agua, como en una torrentera, arrastraba la tierra y dejaba las piedras cada vez más desnudas, hasta que terminaban por rodar. Las fachadas tenían manchas verdes, marcadas por el resbalar del agua, y la ciudad olía a lluvia, y sonaba a lluvia, con un son macizo, igual y pequeño, de muchas pisadas, o de muchos dedos repiqueteando suavemente en un cristal. El agua de la bahía se salpicaba con el caer de la lluvia. Si arreciaba en turbión, parecía que hirviese.

Las veladas eran largas, y para nosotros, los niños, tediosas y tristes. Madre solía recibir a sus amistades; padre la acompañaba, o, si no, discutía con el tío Max de sucesos pasados. Tío Max era muy divertido y se hacía querer. Tenía una naricilla respingona, como la de los payasos del circo, que variaba constantemente de color: tan pronto era blanca, tan pronto rosa, tan pronto rojo oscuro, color de sangre. Estaba muy calvo, y, aunque alto, era tan desgarbado que ni lo pa-

recía. Cuidaba poco el vestir, en lo que se asemejaba a padre, que siempre, pese a sus éxitos y fortuna, tuvo aspecto
de campesino. Algunas tardes, tío Max tomaba a las gemelas
en sus rodillas, una sobre cada una, y comenzaba a contar
historias de su país. Sabía muchas, a cual más fantástica.

—Había una vez, en medio de una gran selva a la que
llaman Schwarzewald...

La Selva Negra se volvía, de pronto, impensadamente atractiva. En sus relojes cantaban pequeños pajaritos de madera,
que daban la bienvenida a los leñadores, y el agua de sus
molinos despertaba músicas sencillas y antiguas. Las cigüeñas
cruzaban, a la busca de nuevos campanarios, y las golondrinas
volaban en círculo, como cuando arrancaron las espinas de la
frente del Señor. Y, en los claros de luna, los duendecillos se
sentaban sobre los pequeños hongos y tocaban cornamusas
diminutas y flautas de cinco agujeros fabricadas con las cañas
de la orilla del río. Tocaban así...

Tío Max, entonces, silbaba la canción. Era una canción
alegre y saltarina, como hecha para ser cantada de camino.
Si padre estaba en casa, no tardaba en acompañarle, por ale-
jado que se encontrase. Su silbido nos iba llegando, más distinto a medida que se aproximaba, y todos nos uníamos a él.
Las gemelas aprendieron a silbarla a dos voces, y lo hacían
muy bien y muy graciosas; Rosina llevaba el son con las pal-
mas. Formábamos, al fin, una buena algarabía, y tío Max y
padre sonreían como si se hubiesen quitado años. A madre, en
cambio, no le gustaba oírnos silbar. Cuando menos lo pensába-
mos, aparecía en la puerta, con los ojos brillantes y la boca
prieta.

—¿Otra vez? —decía, y en su voz, no sé por qué, me parecía adivinar una pena contenida—. ¿Otra vez, Juan?

Todos callábamos. Ella, tras mirar fija a padre, se marchaba, con una vuelta brusca, que hacía revolear sus faldas.
Al fin, Max rompía el silencio con unas palabras que, aparentemente, nada tenían que ver con lo que estaba ocurriendo:

—¡Pobre María!

III

Tío Max habitaba en la mina, en una casita que se había hecho construir en las laderas del Pico. Ahora, después de años, se han interrumpido por primera vez los trabajos del Pico; mejor dicho, por segunda, porque la primera, según me contaron, lo fué el día de la muerte de Jorge Ruiz. Jorge Ruiz fué el primer propietario de la mina, hombre muy rico y nacido en Santifría. Frente a la casona de los abuelos Ponte se alza la suya, reconstruída y mejorada, según decretó en su testamento. Jorge Ruiz, al morir, legó todos sus bienes a la primera mujer de mi padre, que le cuidó durante su enfermedad, y a la que quería muy sinceramente; pero dejó indicado en su testamento que reparasen su casa de Santifría, a entendimiento y gusto de los arquitectos, con tal que su tejado no pasase la altura de las ventanas a las que solía asomarse Elisa Ponte. Tía Trinidad se indignó mucho al conocer tan irreverente pretensión.

— ¡Mira que fijarse en tus ventanas! ¡Habráse visto el desvergonzado! ¡Y fué criado del abuelo!

Pero en tía Elisa la indignación fué mucho menos sincera. Y hasta entornó los ojos y anduvo algunos días más silenciosa que de costumbre.

Tía Trinidad era alta, seca y dura; tía Elisa blanca, suave y muy femenina. Las dos han envejecido ya, tras cumplir, prolijamente, el precepto que ordena el crecimiento y la multiplicación de la especie. No sé si pusieron mucho ardor ni mucha ilusión en el cumplimiento, pero los resultados permiten, por lo menos, suponerlo. Cuando, con la primavera, se despejaba el cielo, los primos nos reuníamos en Santifría; los de tío Arturo, los de tía Elisa, los de tía Trinidad y nosotros, veintiséis ramas de la familia Ponte, con algún injerto conyugal. Porque Santifría, cuna y santuario de la familia Ponte, continuaba sin reconocer a los esposos, o esposas, de sus miembros otro papel que el meramente complementario. Y, así, los hijos eran de tío Arturo Ponte, de tía Elisa Ponte, de tía Trinidad Ponte, y de Niña Rosa, mi madre, Rosa de Ponte, casada con un hombre de fortuna, pero de ninguna clase. Además estaban "los otros". Los "otros" eran, naturalmente, Juan, mi hermanastro, y las dos gemelitas.

Pese a todo, nos divertíamos las veces que íbamos a Santifría, y yo guardo un grato recuerdo de ella; de la Casona, blasonada, con pocas ventanas y mucho interior; del jardín, donde el aire levantaba entre las ramas de los árboles un rumor suave y seguido; del magnolio, blanco de flores, que esparcía un perfume denso y caliente en torno y bajo el cual a mi madre le gustaba tanto descansar; de Curro, el cochero, y de su esposa, la Cabuca. La Cabuca estaba iniciada en una misteriosa ciencia, tan antigua como las montañas, como el agua de la lluvia o como la del mar, que cantaba, a lo lejos, una canción ronca y repetida. El mar se estrellaba, día y noche, contra los acantilados de la Playa de los Locos. Era una playa sumida y salvaje, situada a poca distancia de la Villa. Cuando la Villa dormía, el rumor de las olas se enseñoreaba de ella, el viento arreciaba y las campanas de la Colegiata sonaban, espaciadas, como si sólo tuviesen voz para dar un grito.

La Cabuca era seria, callada y misteriosa; adoraba a mi madre y a mi hermana Esperanza; odiaba a mi padre y sentía hacia mi persona una mezcla de cariño y desdén que muchas veces llegó a deprimirme. A la atardecida, cuando había dado fin a sus faenas, yo solía llegarme hasta ella, y, acurrucándome a sus pies, le pedía:

— Cuéntame, Cabuca.

— ¿Contarte? ¿Y el qué, príncipe?

— Lo que quieras, Cabuca. Tú lo sabes.

Siempre me llamó príncipe. Pero, así como ama Josefa ponía

una rendida admiración en la palabra, la Cabuca la envolvía
en tristeza, como si supiese qué escasas posibilidades de pasar
con honor a la historia tenía el príncipe de los Ponte. Y no me
extrañaría que, de verdad, lo supiera, porque la Cabuca parecía conocer el futuro, entendía de hechizos y era dueña de
cuatro o cinco fórmulas milagrosas que curaban enfermedades
malignas y amores enconados. Si alguna bestia enfermaba, la
Cabuca mezclaba con el pienso las yerbas oportunas para que
se le pasase el mal; si alguna muchacha sufría amores con-
trariados, la Cabuca la daba el brebaje para que se le acabase
le melancolía, y anduviera, otra vez, más lozana que una rosa.
Algunas noches podía vérsela buscando entre los prados, porque la medicina debía ser cogida a una hora determinada y de
determinada manera. La luna asomaba sobre los árboles e iluminaba su figura encorvada, sus rasgos agudos, y sus ojos, fijos
y hundidos, que brillaban a veces, y a veces parecían no ver
aquello que estaban mirando.

    Yo la temía, aunque nunca supe resistir su imperio. Era
como un pajarillo que se siente atraído por algo oscuro e
indefinible. Sospecho que semejante influencia la ejerció la
Cabuca sobre todos los que la rodeaban, y especialmente sobre
Curro, su marido. Según confesión propia, Curro, el cochero,
tenía tres grandes amores, entre los cuales, por cierto, no contaba a su mujer: "Lucero", "Canelo" y la botella. O, mejor
dicho, por guardar un auténtico orden de prelación, la botella,
"Lucero" y "Canelo". "Lucero" y "Canelo" habían envejecido
y apenas salían de las cuadras; el coche que arrastraron se
enmohecía a la izquierda del pajar. Por la botella de Curro,
en cambio, no pasaban los años. Quizás ello se debiera a que
Curro no la dejó descansar. Estos saludables efectos del ejer-
cicio no alcanzaron a "Lucero" y "Canelo", porque el abuelo
Ponte salió muy poco de la casona a partir de la muerte de su
hijo Juan Carlos. A Juan Carlos le mataron en la guerra, de-
fendiendo las banderas de Carlos VII. Llevó cien mozos a los
batallones de Cantabria de Yoldi. Cuando el abuelo Ponte murió, tenía su boina entre las manos, como si fuera un relicario.

    "Lucero" y "Canelo" envejecieron y engordaron, desde en-

tonces, en las cuadras, acompañados de "Blanquillo", el borri-
co. Eran dos animales cansinos y filosóficos, que apenas si os
miraban con el rabillo del ojo cuando atravesabais la puerta,
pero en tiempos debieron de ser briosos y lucidos. Curro solía
sentarse entre ellos, con la cabeza rozando casi el pesebre, y la
botella cerca, almohadillada en la paja. Si me veía entrar, se
hacía a un lado.

—Pasa, rapaz. ¿Quieres?

Me alargaba la botella, como si me ofreciese un brindis,
pero yo no acepté nunca su ofrecimiento, porque aquel frasco
sucio, marcado por las huellas de sus dedos, y aquel vino oscuro, me daban, a la vez, repugnancia y miedo. Curro se me
quedaba mirando, como si dudase entre el insulto o el castigo;
al fin, con gesto resignado, optaba por trasegar la parte de
ración que me había, generosamente, cedido. Sé que me admiraba de modo casi absoluto. Tan sólo mi repugnancia hacia la
botella le impedía concederme por completo su admiración.

Al principio quedaba callado, junto a mí. La cuadra iba
aclarando su penumbra a medida que mis ojos se acostumbra-
ban a ella, y yo distinguía las vigas del techo, gruesas y cruzadas, en las que las arañas tejían sus telas y las golondrinas
asentaban sus nidos resecos; el montón de paja, del que faltaban grandes trozos, como si le hubiesen mordido; los arco-
nes, que guardaban el grano, carcomidos, pero de nogal, con
herrajes como los del Palacio... "Lucero" y "Canelo" se movían
muy poco, lo necesario para espantar las moscas; "Blanquillo",
en el fondo, relucía como un cuajarón de nieve. La cuadra tenía un olor caliente y animal que me agradaba; también Curro
olía así, a heno, a estiércol, a piel de "Lucero" y "Canelo", a
botella y a pantalón de pana. Cuando no vestía el uniforme,
Curro usaba siempre este pantalón, ceñido por la faja, caído
y gastado de culera, salpicado de barro en los bordes, rozado
por la madera de las almadreñas. El uniforme se reservaba para
los días de gala, cuando el abuelo Ponte bajaba a algún oficio
en la capital, a la reunión de la Junta Carlista, o a la función
de gala del teatro Principal, para la que seguía abonando palco; pero, desde que murió tío Juan Carlos, todo esto pasó a la

historia, y el uniforme también. Era muy majo y ostentoso, con sus botas de media caña, sus pantalones blancos, su levita y su chistera, con una escarapela como la de los franceses. Curro le guardaba en un arcón de su casa.

— ¡Habías de verme, rapaz, cuando íbamos con el señor a las fiestas de abajo!

Siempre rompía el silencio con estas palabras. Echaba un trago, suspiraba, y tornaba a beber; a medida que se animaba hablando, se olvidaba de suspirar. Al conjuro de su voz iba surgiendo una ciudad desconocida, antigua y noble; la ciudad de los veleros anclados en la bahía; del comercio con Ultramar: de las caravanas que llegaban, en carros y galeras, para traer el grano y las mercancías del interior; de las familias con escudos tan antiguos como las villas en que asentaban sus casonas; del mar, corriendo Atarazanas adentro; de las guerras por el rey Carlos y de los grandes pinares de las afueras, solitarios y llenos de un hondo rumor. La ciudad sin ferrocarril ni electricidad, con la diligencia detenida en la plaza, y los caballos sudorosos, cubiertos por una espuma como la que, con la mar tranquila, se adhiere a los pilares de los muelles. Ésta era la ciudad a la que llegó mi padre y en la que la familia de mi madre vivía desde qué sé yo el tiempo; desde que la primera nube, quizá, roció las praderas y los arcos románicos de Santifría.

Curro enlazaba con estos tiempos; era el puente que unía mi infancia con la época de mis padres, mis abuelos y los abuelos de mis abuelos. Curro, desde luego, no estaba por las novedades y no aceptaba todo eso de explotar las entrañas del Pico, ni mucho menos que un señor como Enrique del Real se asociase con un tonelero como Arturo Gómez para afanar dineros, aunque se hicieran más ricos que el mismo Mirachichas. Mirachichas era avaro y rijoso, sí; pero muy adinerado. Enrique del Real y su asociado ganaban también dinero de firme. Ellos amueblaron el Palacio, porque padre apreciaba mucho al antiguo tonelero y mi madre sentía particular devoción por Enrique del Real.

—Loco estuvo por ella el señorito Enrique —me contaba

Curro —. Majareta de verdad. ¡Te digo que teníale sorbidos los cabales!

A mí me parecía una irreverencia que mi madre hubiese podido tener pasiones como los demás mortales, haber querido a alguien, o... A medida que fuí creciendo y que los amigos, y, sobre todo, la naturaleza de Santifría, me desvelaron los misterios de la procreación, el pensar en mi padre y en mi madre me turbaba más. Poco a poco me di cuenta de que entre ellos estaba entablada una lucha sorda, llena de deseo, que motivaba todos sus actos y daba razón a todos sus días. Desde entonces la barra luminosa que escapaba bajo la puerta de su habitación tuvo el significado de una señal, me dió el parte de aquella empeñada pasión que los tenía presos y los llevaba y los traía, como llevan y traen las mareas. A veces padre parecía como enloquecido, huía de todos, se iba al Pico para hablar con Max, y no regresaba en toda la noche; la barra de luz permanecía, en vano, encendida hasta la madrugada, y a lo último se apagaba, como si hubiera cerrado, cansada, los ojos. Otras, sin embargo, padre se acercaba a ella, despacio, como si temiese prevenirla. Al día siguiente tenía la cara gris y las ojeras hondas.

—Padece por la otra — me explicó Curro —. Quería ya a la Niña cuando ella murió.

"La otra" era su primera mujer, como Juan y las gemelas son "los otros"; a ella, sin embargo, la llaman de común "la Primera".

"La Niña" es mi madre: la Niña Rosa. Una vez al año mi madre nos reunía en su cuarto del Palacio, nos vestía con mucho cuidado, mandaba enganchar el coche, y nos llevaba hasta el cementerio de la colina, que está abierto al viento por los cuatro costados y desde el que se divisa mucha mar y un hueco a lo lejos, que llaman el Puente del Diablo. El viento sopla entre los cipreses, y el cementerio huele a sal y a yodo. Es un cementerio alegre y limpio, que recuerda un bergantín. Sus senderos están cubiertos de arena, como la de la playa. Al llegar junto al mausoleo, Juan y yo nos adelantábamos; madre quedaba atrás, con Esperanza, Rosina y las dos gemelas. Juan debía iniciar las oraciones, pero yo tenía derecho a estar a su lado, porque era el primogénito de la otra rama. Juan sufría por esto, que le parecía una profanación, y de buena gana la hubiese emprendido a puñetazos conmigo; pero, como madre lo había dispuesto así, no se atrevía a protestar. Juan quería a madre, y, sobre todo, admitía su superioridad; a veces se le veía deseoso de acercarse a ella y pedirle un poco de cariño. En seguida reaccionaba, quizá porque pensase en su madre y aquello le pareciese una traición. Cuando pasó el tiempo, comprendí la semejanza que existía entre su problema y el de padre; más carnal, más obsesionante el de padre; más tierno, más melancólico, y también más abandonado, el de Juan.

—¿Cómo llamas a tu madre? — me preguntó un día.

—Pues madre — contesté, extrañado —. Naturalmente, madre.

—Creo que a la mía la llamábamos Ma — dijo Juan, y, por primera vez, le sentí muy cerca —. Creo... ¿sabes?...

En seguida se alejó. También padre huía a veces de madre y se estaba tiempo sin hablarla.

Juan no gozaba las simpatías de Curro; tampoco las dos gemelitas. Curro no quería más que a la rama de Niña Rosa, aunque frente a Esperanza mantuviese una actitud expectante, como quien no acaba de comprender. A mí me admiraba rendidamente, como ya dije, excepto en lo de negarme a colaborar en el trasiego de la botella. Por Max también sentía simpatía.

—Habló toda una noche con el señorito Juan Carlos — decía —. Fué allí, en los pasos (1).

Parece que Max y padre, cuando su legendario viaje, toparon con tío Juan Carlos y con su gente, que iba para unirse a la facción; después, tío Juan Carlos murió, en el sitio de Bilbao, en brazos casi de padre, que había acudido, en un bárco de los de Jorge Ruiz, para llevar víveres a los liberales. Un misterioso destino unió así estos individuos y estas familias; tío Juan Carlos, soñador y romántico, como un príncipe que

(1) Ver EL AGUA AMARGA, del mismo autor y publicada por la misma Editorial.

se fuese a las Cruzadas, y mi padre, materialista, comerciante y preocupado tan sólo de lo que le pagarían por el riesgo y los víveres, todo sumado, si conseguía llevarlos a Bilbao; la familia de los Ponte, linajuda, orgullosa y voluntariamente negada al progreso, y la de los Pardo, de tierras de Torrellana, campesinos y sin más sentido del tiempo que el que marcan las cosechas. Todo ello parecía absurdo, incluso para la abierta filosofía de Curro.

— Pero los hombres son así, rapaz — suspiraba —. ¡Mejor que yo, a solas y con los caballos! ¡Pues busquéme compañía, y ya me ves, al garete y sin ancla!

Y no es que Curro no quisiese a la Cabuca; lo que le sucedía era que, cada vez que se acercaba a ella para rendirle su tributo de amor, le hacía el efecto de que le hubiese dado un bebedizo. No tuvieron hijos, y esto los distanció. A lo último, Curro, eliminando accesorias sugestiones, decidió que la única felicidad posible era la embotellada. No sé si tuvo razón o no, pero, desde luego, tuvo botella. Incluso, cuando se le vaciaba, la misma Cabuca se apresuraba a llenársela, sin que la viese, naturalmente, para no perder derecho a la protesta. Cuando Curro, cercano a la melancolía, miraba su botella llena otra vez, caía en accesos de tierno sentimentalismo:

— ¡Cabuca! ¡Santiña! ¡Ven, que eres más guapa que moza en aprieto! ¡Ven, cariñuco!

Y hasta intentaba abrazarla, y, aunque la Cabuca le gritaba, otra le quedaba dentro, y reía entre dientes, contenta y halagada.

Cuando se lo rogaba mucho, Curro accedía a montarme en "Canelo", que era el más manso de los dos caballos, y a darme una vuelta por el parque. "Blanquillo" nos miraba marchar, con su mirada legañosa, como si los años le hubiesen puesto telarañas sobre los ojos. Los días de mi cumpleaños, Curro enganchaba el coche, y trotábamos un buen trecho, por la carretera, hasta la Playa de los Locos y más allá. Las ancas de los caballos subían y bajaban; atrás quedaba un polvo leve, como el que levantan los rebaños.

El día que cumplí los diez años, Curro hizo algo más. Enganchó el coche y le llevó hasta la puerta de la casona que daba al jardín. Cuando bajé, le vi esperándome. Vestía el viejo uniforme, limpio y brillante. Al ponerme el estribo, se quitó la chistera, y me hizo una reverencia, como si fuese un gran señor.

IV

El Instituto era un viejo edificio al que se ascendía por una gran escalinata. Cuando me acerqué a él, los muchos escalones me parecieron difíciles de remontar; después los bajaba de cuatro en cuatro, perdido ya el respeto a su profusión. La calle que llevaba al Instituto era muy pina. Arrancaba de la plaza, donde asentaba el palacio de tía abuela, la Marquesa, y terminaba en una cuesta, más pendiente aún, que daba fin en la colina del Alta; por esta cuesta bajaban los burros, cargados de verduras y cántaras de leche, con sus dueñas a grupas, muy sueltas de lengua y reidoras. Mientras esperábamos la primera clase, los veíamos pasar, con su mercancía aún cubierta de rocío, y con los cántaros golpeándose, que producían un son grave, parecido al de las campanas. Hacía mucho frío y nos arrebujábamos en nuestros abrigos, mientras Ildefonso, el bedel, mataba el gusanillo con una copa de aguardiente en la taberna de Colás, más conocido por "Vasuco".

—Querrás un vasuco, ¿ye? — decía Colás, apenas un cliente trasponía las puertas de su establecimiento.

Ildefonso no se negó jamás a tan sugestiva presunción. Era un hombre seco, pequeño, de pelo escaso y facciones correctas; pulcro y cuidado, parecía un hidalgo que creció poco. Guardaba un secreto rencor contra la vida, como si hubiese firmado algún trato con ella, que la vida no cumplió.

—Te digo que la vida es perra — nos decía —. Perra y traidora.

Solía hacer sus comentarios en la taberna de Colás, sin duda porque el ambiente le incitaba a la confidencia, y no por ninguna otra bastarda razón. También podía vérsele en la pastelería de Gogó, trasegando un vaso de Málaga o de moscatel.

Gogó, le miraba beber con sus grandes ojos, oscuros y tristes. Siempre me impresionaron los ojos de Gogó, como los de un animal hermoso, un ciervo, quizá, que sufriese. Ildefonso, el bedel, hablaba y hablaba. Gogó parecía no oirle, apoyado en el mostrador. La luz penetraba por la puerta, proyectando la joroba de Gogó contra la pared. Apenas si alcanzaba el mostrador y parecía como cortado por él. Ildefonso peroraba.

—La vida no te ofrece nada hermoso. ¿Las mujeres dices? Sí, lo son, ye. Pero, después, te casas con ellas. ¿Qué dices de esto? ¿Qué me dices?

Gogó no decía nada, e Ildefonso, el bedel, callaba de pronto, llevándose una mano a la boca, como si quisiera impedir que se le escapasen más palabras. ¡Aquella facilidad suya para la expresión! Porque uno de los reproches que Ildefonso hacía a la vida era que sus dotes oratorias se hubiesen visto constreñidas a exhibirse teniendo a Colás o a Gogó como único auditorio. Y Colás, por lo menos, hacía algún comentario, demostrando que le escuchaba; Gogó no decía nada, con la mirada perdida y el rostro en sombra. Si, como siempre ocurría, Ildefonso hablaba de faldas, parpadeaba muy rápidamente, pero ningún otro gesto demostraba su emoción. Tenía unas pestañas largas y apretadas, como de mujer.

En tiempos fué divertido gritarle cantos y dichos alusivos a su joroba y a su bonita esposa, la Carlota, una morena alegre de cascos, a la que el Mirlo ponía los puntos, y que, según Ildefonso llenaba la calle de luz sólo con pisarla. Gogó, furioso, perseguía a los chavales, entre denuestos y bufidos. Era el mejor pastelero de la ciudad y toda casa que se preciase se surtía de su horno. Después, la mujer de Gogó desapareció. Cuando padre, que apreciaba mucho al jorobado, se atrevió a preguntarle por ella, Gogó repuso sencillamente:

—Se fué.

Parecía un niño al que dejan solo. Cambió por completo y, cuando los rapaces le rodeaban, gritando:

"Gogó, azúcar y pastel,
unta la joroba en miel",

ya no corría tras ellos ni vomitaba la más completa y divertida colección de insultos que la ciudad recuerda, sino que permanecía quieto, como si aquello no fuese con él. Cierta vez,
uno de los muchachos, intrigado, se atrevió a llegar, gritando,
hasta el mostrador. Gogó se inclinó hacia él.

— Toma — le dijo.

Le ofreció un pastel; un suculento pastel de nata y hojal-
dre. El muchacho le tomó, atemorizado.

— Toma — volvió a decir Gogó.

Le sirvió un vaso de Málaga. Su voz era apagada y sus
ademanes suaves. El muchacho bebió el vaso. Un sudor frío
le perlaba la frente y unos espasmódicos temblores le recorrían
la columna vertebral. Gogó no se movía. La tienda era oscura,
enlutada; el rostro de Gogó tenía el color de la tienda.

El muchacho llegó a su casa con fiebre y estuvo largo tiempo en cama, con un mal que ni la misma sabiduría de los
Solís, padre e hijo, acertó a diagnosticar. La ciudad dijo que
Gogó le había hecho mal de ojo. Poco a poco la clientela abandonó al pastelero, pero no pareció importarle. Cuidaba su
tienda con mucha atención y todos los días cambiaba los
pasteles del escaparate y los mostradores por otros, blandos y
crujientes, que volvían la boca agua con sólo mirarlos. Si le
preguntaban por su mujer, contestaba, como a padre:

— Se fué.

Sólo que, pasado algún tiempo, añadía ya:

— Con su madre, ¿saben? Estaba... delicada.

Las gentes no aman lo triste, y, por eso, se apartaron de
Gogó. En cambio, permanecieron fieles al Mirlo, porque el Mirlo
era alegre como unas castañuelas, o, mejor aún, como su guitarra. Algunas veces le veíamos cruzar frente al Instituto.
Arrastraba los pies y los muchachos sabíamos que no se había
acostado todavía; también sabíamos que Carlota, la mujer de
Gogó, corría descaradamente tras él, y que Isabel, la Cubana,
sólo podía escuchar su música cuando el cuerpo le pedía movimiento. Era un hombre moreno, con aspecto de gitano, y una
sonrisa muy blanca, que relucía de pronto, como si relampa-
gueáse. Yo no le tenía simpatía. Había en él algo furtivo y

rapaz, como un zorro que salta en la noche; algo turbio y muy fuerte a la vez, que formaba una de las personalidades más potentes y sugestivas que recuerdo. El Mirlo pertenece también a esa época indecisa, casi legendaria, de la ciudad, de la que nunca se sabe qué es verdad y qué mentira, hasta qué punto alcanza la realidad y dónde comienza la fantasía. Llegó con padre y vivía a salto de mata, con su guitarra y su afición por las malas mujeres, la juerga y la bronca. Pero era muy fiel a padre, a Max y a todo lo que se relacionase con su antigua historia. Cuando murió "Blanquillo", se estuvo toda la mañana a su lado, y le hablaba de vez en cuando, como si el animal pudiera comprenderle.

"Blanquillo" murió cuando yo no contaba diez años todavía. Como ya os dije, "Blanquillo" vivía en Santifría una vida, plácida y aburrida, de conquistador retirado. Mordisqueaba la yerba, trituraba con displicencia el grano, era esquilado en el verano, y en el invierno dejaba crecer una pelambre blanca y lacia. Curro no disimulaba su desdén hacia él.

—Es un burro de carga—decía—. Un animal esclavo y sin sangre.

Pero no se atrevía a tocar ni una siquiera de las crines que remataban su cola, porque padre quería mucho a "Blanquillo" y a todo lo que "Blanquillo" significaba. Siempre que venía a Santifría se llegaba a las cuadras para ver cómo le iba al rucio. "Blanquillo" le alargaba la cabeza y padre le rascaba, suave y seguido, entre las orejas. La cola de "Blanquillo" iba disminuyendo su vaivén, hasta quedar quieta. Si Max visitaba la casona, también se iba, derecho, al pesebre de "Blanquillo". A veces, junto a él, Max y padre silbaban la melodía saltarina que tanto molestaba a madre. En una ocasión vino el Mirlo con ellos. Yo andaba por la huerta, cuando oí música en las cuadras. Me acerqué despacio. El Mirlo tocaba sentado en el suelo, y Max le silbaba por lo bajo; parecían una tribu de gitanos, con el burro al fondo, como en los Nacimientos.

A "Blanquillo" le enterraron en el jardín de Santifría, bajo un cedro grande cuyas ramas se vencían hasta casi tocar el suelo. Los niños le olvidamos y Curro quedó tranquilo, con su imperio libre de extraños invasores. Se limitó a decir:

—Bueno, ya tendrá su cebada en su nube.

Porque, según Curro, cada cual, si no era sujeto de condenación, tenía, allí arriba, una nube esperándole, con lo que más le agradó en el mundo, pero libre, para siempre, de mal. En esto no hacía diferencias entre hombres y bestias, porque Curro concebía el cielo un poco al estilo del Paraíso Terrenal. Así, "Blanquillo" tendría su nube con su cebada; Ildefonso, el bedel, su nube con su aguardiente; Max, su nube con su canción y la Cabuca su nube con sus yerbas y sus brebajes. En cuanto a él, se reservaba una, modesta y sencilla, con un poco de paja y la botella almohadillada entre las briznas.

Algunas mañanas, en el Instituto, me gustaba imaginar qué nube correspondía a cada uno de mis profesores y compañeros. En cuanto a mí, no me preocupaba; la mía sería una nube especial, dorada y mullida, como aquel vagón del ferrocarril en el que me dijeron que viajaban los reyes. Era un vagón grande, recargado, con mucho acolchado y mucha araña de cristal, que me recordó los muebles del salón del Palacio. Mi nube sería también así, aunque quizás un poco menos lujosa, porque yo no era rey, sino príncipe. La conciencia de mi superioridad me prendió por completo durante mi estancia en el Instituto; me creí superior de origen divino, y tanto profesores como compañeros contribuyeron a ello. Padre debía de ser muy poderoso para lograr tan rendida sumisión.

Yo no lo comprendí entonces, pero padre poseía la varita mágica que todo lo puede: el dinero. Todas las empresas prósperas de la provincia estaban controladas por él o por tío Max. Era curioso que yo llamase a Max, Max a secas cuando pensaba en él, y tío Max cuando pensaba en su fortuna. Mas, sea lo que sea, lo cierto es que, entre padre y él, habían acaparado las riquezas de la ciudad: el banco, la mina, los barcos, el negocio de los granos y las tierras del interior, las grandes fincas de Torrellana, donde hasta el último aliento de la cosecha se empleaba en beneficiarlos.

Sí, padre y Max eran los hombres más ricos de la provincia...

exceptuando a Mirachichas. Muchas veces pensé si Mirachichas disfrutaría también su nube... Aunque no, Mirachichas debía ir derecho al infierno, por avaro, libidinoso y malo. Tenía mucho dinero y le prestaba al interés más elevado posible. Uno de sus ojos se le iba y se contaban de él historias a cual más repugnante. Pero apaleaba el oro, no cabe duda, y por eso pertenecía al Círculo, y miraba, a través de sus ventanales, como un pulpo que acecha su presa. Padre y Max no le trataron nunca, como tampoco Pedro Quejada ni Enrique del Real. Pero otros, que le debían dinero, andaban todo el día haciéndole la rosca para que no les apretase en lo de los pagos.

Lo mejor del caso es que ni padre ni tío Max parecían dar importancia a su fortuna. Y madre menos. Si hubo alguna vez una mujer que confundiese las monedas con divertidas y frágiles pompas de jabón, ésta fué mi madre.

— Toma, hijo — me decía antes de salir para el Instituto.

Y me llenaba los bolsillos de pesetas, dos reales, realines y pequeñas monedas de céntimo, amarillas como el oro viejo. En el Instituto, este tesoro era pródigamente repartido. Ildefonso, el bedel, acortó mucho el camino hacia su nube merced a las facilidades que mis monedas le dieron para entrar en repetido contacto con los productos destilados de Cazalla y Chinchón.

Pero no era Ildefonso el único en rendirme pleitesía, por este o por otro motivo; los profesores me trataban también con especial consideración. Cuando me preguntaban, componían la voz.

— A ver, Arturo Pardo.

— A ver, Arturo Pardo y de Ponte.

Según citasen o no mi segundo apellido, se podía conocer su filiación. Los conservadores, amigos de Santa María el cintero, de Pradilla el escritor, de Velasco y demás carlistas, pronunciaban el De Ponte casi con reverencia; los liberales, de la tertulia de Praduco, dueño de la tienda de papeles y cuadros de la calle de los Comerciantes; de Casaseca, el notario, y de Alberdi, el de la armería, se limitaban a pronunciar el Pardo, pero con idéntica reverencia, como si pretendiesen demostrar que a ellos les importaban poco los blasones y mucho el mérito personal. Estaba en moda entonces ese liberalismo ilustrado, que se lo debía todo a sí mismo y que caía bien en la ciudad, donde las gentes embarcaban, en un dos por tres, sin más que lo puesto, para labrarse una fortuna en las Américas. Después volvían, a lucir sus dineros, a levantar sus casonas, a crear sus fundaciones, y a calmar la nostalgia de los prados, de la lluvia y el mar, que formaron, con su añoranza, el ideal del retorno. La provincia estaba vacía de hijos que se fueron y llena de hijos que volvían y que miraban en torno, con ojos húmedos y maravillados, como si hasta entonces no se hubieran dado cuenta de cuán grande era la mar, cuán quietas las rías y los árboles cuán altos, verdes de hojas y rectos de tronco, como si se empinasen para crecer más.

Esta raza hecha a debérselo todo a sí misma, a jugárselo todo al cara o cruz de la emigración, se inclinaba, decidida, a favor del liberalismo. La tertulia de Santa María se veía reducida, día tras día, a la nostalgia y al anacronismo. Santa María era un comerciante en telas, muy querido en la ciudad, que le llamaba "Ora pro nobis" por su mucha devoción. Pequeño, bondadoso y afable, era difícil no encariñarse con él. Algunas veces, cuando cruzaba ante su tienda con mi madre, salía, para ofrecerla alguna cinta de raso o terciopelo.

—Tómala, Niña Rosa — decía —. Acaba de llegar de París.

Era en lo único que transigía con la liberal y corrompida Francia. En lo demás, ni siquiera a los niños hubiese admitido de ser verdad que, como las cintas, venían de la pervertida capital.

Cuando las gentes como Santa María, como Praduco, como Pradilla, el escritor, como la Cabuca, o como Curro, llamaban Niña Rosa a madre, me parecía que se alzase la punta de un velo que ocultaba algún fascinante y turbador secreto. Pronto me di cuenta de que mi madre era muy joven y que lo parecía aún más. Cuando cruzaba ante la armería, donde se albergaba otra tertulia, de tono bastante menos moderado que la Santa María, sus componentes se precipitaban hacia el escaparate para verla cruzar. Algo semejante sucedía en el Círculo, donde los representantes de las mejores familias de la ciudad no daban abasto para abrir los ojos cuando madre cruzaba ante los grandes ventanales que una directiva revolucionaria había mandado abrir hacia poco. Madre se erguía, acentuando el vaivén de su caminar. Alguna vez la vi sonreir, divertida.

Mi padre se empeñó en que asistiese al Instituto, aunque los chicos de "buena familia" solían ir a los "Corazonistas", que habían abierto colegio en una finca grande y umbrosa, vecina de la de tío abuelo Juan, y mi madre no le llevó la contraria. Creo que fué Max quien más decisivamente influyó en este sentido, porque Max andaba siempre a vueltas con la nostalgia de sus épocas de Liceo, de sus estudios en Heidelberg, y de no sé qué diablos de jaleos y trifulcas en que, por aquellas épocas, se metió. Había que oirle hablar de ello.

—Heidelberg era muy bello, con su río y el castillo de Lisa Lota, que puso a su perro el nombre del mariscal francés. ¡Ji, ji, ji!

Y Max se reía, y su naricilla iba para arriba y para abajo, como si fuera de corcho pintado y tirasen de ella con un cordel.

Tuve varios compañeros en el Instituto; unos se perdieron por la vida; otros están aquí, todavía junto a mí, pero es lo mismo que si se encontraran muy lejos, tan lejos como queráis, pese a que nos vemos, y hasta nos saludamos, yo con mi gesto medido, ellos hurtando la vista en seguida, como si tuviesen algo que ocultarme. Sólo dos amigos de aquella época permanecen a mi lado, aunque de uno, por lo menos, no puede decirse que lo continúe siendo. El primero es Gerardo Séjournant, el francesito, como por su apellido le decíamos; el otro, Gregorio del Olmo, Goyo, el Negro, para todos. Gerardo cayó a mi lado en el segundo curso, y a mi lado sigue, recto, bondadoso, con su mirada clara y su frente alta, que el tiempo ha desguarnecido ya; Goyo, el Negro, se colocó junto a mí en el tercero. Era un muchacho moreno, con el pelo tenazmente tupido y un modo de mirar extraño, que resbalaba tras sus cejas como si acechase un descuido de su interlocutor. Ancho, fuerte y peludo, daba la sensación de un orangután joven y torpe aún. Era muy amable, y hasta rastrero, aunque yo no lo percibí al

principio. No había reparado en él, ni Gerardo tampoco, cuando
nos lo encontramos de compañero de banco en la clase de
literatura.

Gerardo agradó a mi madre, como agradaba a todos, y ello
contribuyó a que nos hiciéramos más amigos. Sus padres eran
parientes lejanos de los Huntington, los ingenieros ingleses de
la mina y la fundición. Así como los Huntington eran un poco
estrafalarios, o, por lo menos, pintorescos, con su pelo como
las panojas de maíz, su cuerpo desgarbado y su mirada azul,
los Séjournant eran muy distinguidos, vestidos siempre a la
última, con telas que les mandaban de Francia y que hacían
palidecer de envidia al resto de la población. Ella era una
mujer alta y dulce, con el cutis muy blanco, que se cuidaba
mucho. Siempre que recuerdo a Anne Marie Séjournant, la recuerdo bajo su sombrilla, breve y reducida, con la caña muy
larga, algo doblada en el extremo, según de donde viniese el
sol. Tenía el pelo rubio y las manos finas; su palidez encarnaba
el ideal de aquella época, en la que un cutis tostado constituía
casi pecado carnal.

Al principio los Séjournant fueron recibidos con recelo. Los
Huntington se los presentaron a padre y juntos establecieron
una pequeña línea de barcos que navegaban hasta Marsella.
Eran unos barcos limpios, modernos y muy rápidos, que, entre
otros beneficios, aportaron el de abarrotar la ciudad de vino,
champán y coñac francés. Esto predispuso a los hombres en
favor de Séjournant y no le enemistó con las mujeres, porque
las mujeres de la ciudad sólo se mostraban decididamente ene-
migas de los excesos que tuviesen relación, próxima o lejana,
con su propio sexo. Un hombre podía emborracharse hasta
morir, a condición de que lo hiciese a solas, o en compañía escrupulosamente masculina; pero si tomaba una sola copa en la
Casa Rosa — la casa nefanda, que controlaba Raquel y donde
la Cubana hacía las delicias de tío abuelo Juan — una tan sólo,
entonces era condenado a exilio social, como acabó por ocu-
rrirle al tío abuelo, a cuyo paso todas las señoras volvían el
rostro, aunque, después, no se hartasen de mirarle con el rabillo del ojo. Cuando se supo, además, que Anne Marie era

confesada del padre Larrea, la ciudad abrió sus puertas y engalanó sus balcones para recibir, jubilosa, a los Séjournant.

Ya casi parece que hubiesen pertenecido a ella desde muy antiguo; que sus abuelos hubiesen mandado colocar su escudo — el escudo de los Séjournant, con sus flores de lis, su castillo y una nave diminuta — en alguna pared de piedra; que sus padres hubiesen contribuído al relleno del Muelle y a que el ferrocarril no se quedase en Alar. Y que se hubiesen acercado, cuando la noche velaba todas las ventanas, a las siempre encendidas de la Casa Rosa, hubiesen pisado las gastadas piedras de la plazuela y escuchado las músicas del Mirlo, la voz pastosa de Isabel, la Cubana, y la grave y burlona de tío abuelo Juan, de tío Juan el réprobo, que moriría al fin, en su quinta del Alta, pidiendo al padre Augusto que le casase con su querida.

El padre Augusto vaciló y por eso tío abuelo Juan hubo de morir triste, con una mirada llena de ansiedad, que partía el alma. El padre Damián no hubiera vacilado. El padre Damián hubiera sujetado su teja, remangado sus hábitos y corrido cuesta abajo, dejando atrás la calle de los Comerciantes, el Puente y la Catedral; hubiera seguido hasta la plazuela, atravesado la puerta de la casa pintada de rosa, subido la escalera blanca y dorada, y penetrado, como un alud, en la alcoba de Isabel, para tomarla, sin miramientos, por un brazo, y sacudirla fuerte, gritándola al tiempo:

— ¡Déjate de llorar, leñe! ¡Llorar por los pecados y no porque se muera un hombre! A todos ha de llegarnos la hora. Y a ti te ha llegado la de casarte. ¡Corre, leñe, que si tardas nos la expira sin recibir bendición!

Sí, hubiera sido un magnífico espectáculo ver a la Cubana y al padre Damián correr de nuevo, cuesta arriba, hasta la finca de tío abuelo Juan, acercarse al lecho — con sus guerreros dorados y su gran dosel — y rematar así una vida poco ejemplar, sin duda, pero que, por lo menos, mereció tener buen final. ¡Lástima que el padre Damián precediera al tío abuelo algunos años en el último camino! Un día, las campanas de la ermita del Pico no doblaron para llamar a Misa. La ciudad extrañó esta falta, miró hacia el Pico y esperó atenta; cuando se convenció de que las campanas no sonaban, supo que el padre Damián había muerto.

Aún recuerdo su entierro. Gerardo Séjournant y yo nos unimos a él poco antes del Puente. El gentío invadía las aceras, desbordaba la calzada y se extendía a lo lejos, hasta los árboles de las Alamedas y más allá. Un profundo y extraño silencio invadía la ciudad y hasta el rumor del mar parecía haberse callado, y el del viento, y el de las gentes que iban y venían.

Un grupo de mineros llevaba a hombros el féretro del padre Damián; un féretro pequeño y sencillo, como un madero. Detrás caminaban los pescadores, que se turnaban en el transporte. El padre Damián ejerció su apostolado en el barrio pescador antes de trasladarse a la mina del Pico. Le gustaba mucho pescar y por eso le llamaban el padre Pancho. Era un ser bondadoso, agrio, pintoresco y con una infinita capacidad de sacrificio, de la que ni él mismo se daba cuenta. No concedía importancia a nada, ni siquiera a los pecados de los hombres.

— ¿Que tienes pecados grandes? — gruñía — ¡Bah! ¡Orgullo es lo que tienes, mucho orgullo! ¿Pecados? De palangre los tendrás, si acaso... ¡Palangre, te digo, palangre! ¡No cae un pez gordo en mi red ni para un apuro! ¡Vamos a ver, vamos a ver!

El padre Augusto, de los Carmelitas, controlaba el Ropero; el padre Larrea, de la Compañía, la Junta de Damas; el padre Damián era un cura popular, de los que casan como pueden y bautizan a salto de pila. Fué la primera mujer de padre — "la Primera", como se la llamaba de común — la que le convenció de que se trasladara al Pico para realizar allí su labor de apostolado. A los pies del Pico se extendía un barrio pobre y turbulento, desecho o escoria de la ciudad. Asentaba en unos campos secos y llanos, por los que el viento corría libre, silbando entre los cardos. Allí tenía el Cacheta su taberna, nido de contrabando y cama de mozas fáciles, y allí vivían, en cabañas y cuevas, gitanos, mujerzuelas, vagos y maleantes. Los campos acababan en el mar y las olas rompían, cansinas, en un fango oscuro y sucio. Cuando la mina se explotó, los mineros vivieron en torno a ella, en unas casas construidas por

Max, intermedias entre los campos y el Pico. Allí asentaban también el almacén que alquiló mi padre a su entrada en la ciudad, y que conservamos, vacío y ruinoso, como puede conservarse una reliquia, la primitiva herrería de los Quejada, la carpintería de Arturo, el socio de Enrique del Real, transformada en unas grandes naves, repletas a rebosar de troncos, planchas y tablones, y otros seis o siete edificios, la mayoría de cuyos dueños han prosperado y los conservan, casi por inercia. En seguida comienzan los campos, y las pequeñas casucas, de latas y adobes, las cuevas, con su hoguera a la puerta, encendida entre dos piedras, su interior sin aire ni luz, sus mujeres raidas y sus hombres miserables. Esta gente vivía, se amaba, dormía, se emborrachaba, robaba y volvía a dormir, a lo largo de los campos, en una promiscuidad que sólo admitía comparación con su ignorancia. Ninguno sabía de dónde venía, ni siquiera dónde nació. Atendían por nombres extraños, cuyo sonido, por lo común, respondía bastante exactamente al físico del que le disfrutaba: "el Vencejo", "el Cachón", "el Raba", Hermógenes, "el de oro"... Hermógenes era ciego y solía pedir a las puertas de la Compañía. Tenía un mechón albino, que le cortaba la pelambre, y el cutis extrañamente blanco, como si bajo él corriese leche. Presumía de mal genio y con razón. Pese a ser ciego, sabía hacerse respetar, volteando su cachava, y arreglándoselas, a fuerza de oído, para acertar con las espaldas de su enemigo. El barrio se prestaba a toda suerte en tratos e indecencias. Algunas noches dicen que se vió a Mirachichas entrar en alguna de las cuevas, y salir después, receloso, como un hurón. Lo dicen y, por mi parte, lo creo.

Entre toda esta gente ejerció su ministerio el padre Damián. Él y "la Primera" levantaron la ermita, costearon la cantina e interesaron por igual al Ropero y a la Junta de Damas en una empresa que acabó por conmover a la ciudad. No es que transformaran la mina, y menos los campos, en una Arcadia, pero algo consiguieron, y aún mucho, si se tienen en cuenta las dificultades de la empresa. El padre Damián iba y venía, se arrastraba por las cuevas, arrebataba críos, increpaba a hombres y mujeres.

—Pero ¿no os da vergüenza vivir así? ¡Sois peores que chones, leñe! ¡A callar y para arriba! ¡Ale!

"Arriba" estaba la pequeña ermita, con su atrio, su sacristía, su cantina, sus clases, sus bancos de madera y sus paredes blancas y sencillas. Y con su campaña madrugadora, que avisaba a la ciudad que Dios había amanecido también para los campos, los yerbajos, las mujerzuelas, los niños y los hombres.

Cuando la campana calló, la ciudad quedó quieta, como si no pudiera creerlo. Se había acostumbrado a su sonido, sin percibirlo, igual que nos acostumbramos al pulso y al latir del corazón. Durante unos momentos la ciudad permaneció desconcertada; puede decirse que su vida se detuvo, y que los pescadores de Puerto Pequeño, y los comerciantes de la calle de San Bernardo, y las viejucas que acudían a la misa del padre Augusto, y las confesadas del padre Larrea, las gentes de los campos y las mujeres soñolientas que asomaban a los balcones de la Casa Rosa, estuvieron algún tiempo sin saber qué hacer, con el ademán suspenso y la atención pendiente de la pequeña campana del Pico. Después, alguien se acercó a la vivienda del padre Damián, golpeó tímidamente la puerta, y, al no recibir contestación, la empujó. La puerta se abrió, sin ruido y con mucha suavidad. El padre Damián yacía en su lecho, inmóvil y con los ojos cerrados, como si, por una vez, se hubiera permitido prolongar su descanso. Pero en cuanto le tocaron, vieron que estaba frío; su color era más blanco de lo común también, transparente y amarillento.

Cuando corrió la noticia de su muerte, la ciudad se precipitó para decirle adiós. Le colocaron cuatro cirios, a la cabecera y a los pies, como si le diesen guardia, y las gentes pasaban junto a él, silenciosas; otras le hablaban, como si, debido a lo inesperado de su muerte, les hubiese quedado algo por decirle. Muchas rozaban su frente con crucifijos, medallas y hasta trozos de tela, que se llevaban después a los labios, besándolos con mucha devoción. Yo fuí también, con Gerardo y Goyo, el Negro. El padre Damián parecía un viejecito dormido bajo un árbol; sí, eso parecía y que fuese muy feliz en su sueño.

Cuando le enterraron dieron asueto en el Instituto y todos

corrimos en tropel, por la calle abajo, hasta el Muelle; allí nos detuvo la multitud. Nos apretamos contra las casas, y, empinándonos, pudimos verle al fin. El féretro era muy pequeño; si le pintan de blanco, hubiera parecido el de un niño.

Cruzó cerca de nosotros y oí como Gerardo Séjournant murmuraba:

—Pidámosle algo. Era un santo.

—Pero ¿no sería mejor rezar por él?

—¿Por él? No hombre. Él se ha ganado ya su puesto.

Era un día claro y el nordeste cantaba en las hojas de los chopos, por las Alamedas y en la colina del Alta. Una nube, blanca y baja, pasó, rozando la mar. Yo imaginé al padre Damián sobre ella, pequeño y sonriente, con su aparejo tendido, y, a su lado, una fabulosa colección de bocartes, panchos, doradas, salmonetes y julias.

V

Los Séjournant fueron de los primeros en edificar en los pinares, a la vera de nuestra casa, junto a las playas del otro lado, frente al mar abierto. Padre les cedió el terreno, porque había adquirido mucha extensión, sin ningún fin concreto, movido más bien por una razón sentimental. Parece ser que, cuando padre y su primera esposa llegaron a la ciudad, se detuvieron, para contemplarla, en uno de estos altozanos. "Blanquillo", indiferente a la trascendencia del momento, mordisqueaba unos yerbajos, porque "Blanquillo" los acompañó desde Torrellana, la aldea de padre, y por eso era considerado como algo intocable, profundamente enraizado con nuestra historia; "Babieca" no significó más para los Vivar que "Blanquillo" para los Pardo.

El caso es que padre y su mujer vieron la ciudad desde aquí, pegada al mar, pequeña y blanca, como son todas las ciudades marineras. Después creció, pero entonces parecía un caserío, estrecha y estirada, porque nuestra ciudad apenas si encuentra hueco entre la bahía y la colina del Alta. Cuando surge de este cerco, se expande, bulliciosa, como un rebaño que abandona el redil. Por eso entre los pinares se ven ahora muchas villas, y jardines, y flores, que cuajan los macizos y trepan, en enredaderas, sobre los tapiales, para asomarse al camino.

Creo que padre tuvo, desde un principio, la idea de edificar villa "María Rosa" en el altozano donde se detuvo, y que, si la fué demorando, se debió a muy diversas razones. Hoy nadie reconocería la soledad antigua de los campos, donde la villa de los Séjournant aparecía tan perdida como una cabaña de leñadores. Los jardines se aprietan unos contra otros, las casas hacen desfilar su varia, y no siempre acertada, arquitectura, los bañistas cuajan la playa y el casino alza sus dos torreones, pintados de blanco y muy franceses, como corresponde a la frivolidad del juego. Entonces, apenas si unas cuantas casetas de madera aparecían, tímidas, en la playa, cuando el verano apuntaba para los que, presumiendo de originales, desdeñaban el baño plácido de la bahía por este otro, bronco y de mucha ola, que dejaba, a la par, cansado y lleno de una joven excitación. En cuanto al casino, todavía ni se habían soñado sus cimientos. Los que gustaban de tirar de la oreja a Jorge lo hacían privadamente, en los salones traseros del Círculo, o en la Armería, donde, entre cartuchos y escopetas de dos cañones, más de un contertulio dejó, carta tras carta, buena parte de su hacienda.

Los Séjournant fueron, en realidad, unos precursores. Les siguieron los Huntington, quizá por aquello del parentesco y de la extranjería, que edificaron una casa pequeña, baja y de un solo piso, que causó revolución en el tradicional concepto arquitectónico de la ciudad. Y, en seguida, como engarzadas por el hilo de la moda, otra familia, y otra, hasta que el barrio actual comenzó a iniciarse en torno a villa "María Rosa. Villa "María Rosa" fué una casa edificada bajo el signo de la felicidad, y toda ella la respiraba por cada una de sus tejas, sus ventanas y sus chimeneas. Era sencilla, armoniosa de líneas, grande, pero tan proporcionada que no lo parecía. Frente a ella se extendía una pradera, que terminaba en un mirador; desde el mirador se divisaba el mar como desde ningún otro punto de la costa. Los árboles crecieron pronto en su torno y la cubrieron de sombra; las enredaderas de verde, rosa y azul. Madre tenía especial cuidado en mantenerlas vivas, y, avanzada la primavera, daba gusto ver a villa "María Rosa" esmaltada de campanillas, rosas enanas y glicinos. La yerba era muy verde, yerba inglesa, regada veces y veces; los árboles frondosos; los pinos, prietos y oscuros. Las orugas se arrastraban entre sus agujas, trepaban por los troncos, construían nidos amarillentos, cubiertos de una suave pelusa. El jardín ofrecía siempre rincones desconocidos, quebradas nuevas, malezas tupidas como una pequeña floresta. Detrás de la casa estaban las cuadras y las habitaciones de la servidumbre. Delante, sobre la pradera, madre mandó plantar macizos de hortensias, que prendieron en seguida. Hoy han crecido mucho, pero todavía, al contemplarlos, siento la misma impresión que cuando niño; la impresión de que, con sus tonos rosa pálido y azul pálido, estuviesen enfermas, fatigadas, y sólo mediante un gran esfuerzo se aprestasen a permanecer allí, sobre la pradera, alegrándonos la vista.

Villa "María Rosa" fué cuidada como un cristal que no brilla ni se empaña. Yo la cuidé también, y, entre todos, conseguimos hacer de ella algo bello, aunque efímero. Desde el cuarto donde padre almacenaba sus recuerdos, y en el que solía encerrarse horas y horas, solitario y silencioso, yo miro ahora el jardín, la pradera, las hortensias y las flores del campo. Miro los árboles, que se han hecho añosos ya, como padre, madre y yo mismo; los álamos, los cedros, los castaños y los pinos, siempre los pinos. Todo esto se mantiene así merced a cuidados incesantes. Si se agosta un rosal, se le repone; si se apolilla un madero, se le sustituye. Hasta la yerba es una yerba especial, fina y urbana; yerba de viejos parques británicos, de largas praderas que cuentan siglos en su abolengo. Y las enredaderas, y los boj del parterre, y el grijo de los senderos, las gardenias y los gladiolos, son también fruto de un trabajo constante y de una constante vigilancia. Cuando las gentes de fuera llegan a villa "María Rosa", quedan encantadas, pero tardan en apreciar en qué consiste su encanto. Todo en villa "María Rosa" armoniza una sinfonía suave, que cala muy dentro. Como dije, fué una casa edificada en la felicidad, y todos la hemos cuidado como se cuida la felicidad, sacrificándonos por ella, con miedo de perderla, y, en el fondo, fatalistamente seguros de que esto sucederá algún día.

Quizá fuera yo el único en experimentar tal sensación. Quizá mi padre y mi madre la construyeran sin preocuparse de su futuro, como albergue de un presente, que, por fin, habían sabido hacer suyo. Villa "María Rosa" comenzó a construirse después de "aquel carnaval". Todavía, cuando se habla de "el carnaval" por antonomasia, la ciudad se refiere al de aquel año, cuando Juan se fué y Gogó asesinó al Mirlo, a la vista de todos, y sin que, en realidad, se supiera por qué, aunque motivos sí tenía, o, mejor dicho, tuvo.

Hasta entonces villa "María Rosa" no pasó de ser un indeciso proyecto en la mente de mi padre. Años después, cuando los campos se poblaron, los padres de Goyo, el Negro, edificaron también su chalet, con muchas torrecillas y guirnaldas de escayola abrazando la fachada. Era un edificio un poco sombrío, pintado de gris, con ventanas espaciadas y muy estrechas, que recordaba un castillo. Los Del Olmo comerciaban en carbón y hacían buenos negocios. Su comercio radicaba en la antigua calle de Atarazanas, por donde antaño corrió la mar; una calle bulliciosa y abigarrada, donde, una puerta sí y otra no, se abría un almacén de granos, una casa de contratación, un local de coloniales o la covacha de un memorialista. Los memorialistas eran gente culta, que lo mismo redactaba un contrato que escribía una carta de amor al que, con el corazón inflamado, se encontraba en apuros de pluma. Han desaparecido ya, o, mejor dicho, se han circunscrito a las sirvientas de aldea y a las clases bajas del ejército, pero, en tiempos, trabajaron bien y a fondo, muchas veces hasta que se les agotaba la luz y tenían que encender el candil que pendía sobre su tablero como una estrella que se hubiese detenido.

El almacén de Goyo era hondo y sombrío: el carbón le llegó en barcazas primero, y en grandes carros después, tirados por caballos de crin rubia, pesados y fuertes, con cascos como peñas. A mi madre no le gustaba la amistad de Goyo, pero no había manera de evitarla; el almacén, además, ejercía una especial atracción sobre Gerardo y sobre mí. No tenía casi luz, y los sacos se amontonaban a uno y otro lado; entre ellos quedaba un espacio estrecho, por el que nos movíamos; los trozos de carbón brillaban con un reflejo metálico, como el azabache. El almacén se prolongaba mucho hacia el interior, y, con tantas vueltas y revueltas, parecía un laberinto. A veces Goyo nos acompañaba en nuestras visitas; a veces salía a recibirnos, y, tan oscuro como era, diríase que nació entre carbón también, que aquél era su mundo y que nos abría sus puertas. Sentados al fondo, entre sacos que dejaban pasar polvillo de antracita, Goyo nos hablaba de sus experiencias. Tenía muchas más que nosotros, sobre todo en lo que a mujeres se refiere. A los quince años, ni Gerardo ni yo habíamos pasado del terreno puramente especulativo. De mí, particularmente, sé decir que, apenas cerraba los ojos, veía a Aneli, la hermana mayor de Gerardo, con su pelo rubio, su boca fresca y su modo especial de echarse hacia atrás, curvando la blusa. Gerardo se mostraba reservado, pero sospecho que era mi hermana Esperanza la que aparecía apenas dejaba caer los párpados. Los dos éramos muy sensitivos, con gran imaginación y, por lo visto, con gran tendencia a enamorarnos de muchachas mayores que nosotros. Creo que Aneli lo sabía y que le divertía en el fondo. Estaba llena de gracia y era audaz y un poco provocativa: si me miraba fijo, yo bajaba los ojos y enrojecía, sin poderlo remediar.

Goyo, en cambio, concretaba más sus sueños. En primer lugar, Goyo era un par de años, por lo menos, mayor que nosotros; en segundo, poseía una fuerza del instinto muy marcada y poderosa; en tercero, le gustaba aquello, la vida mala y estarse quieto, en un rincón de la Casa Rosa, mientras los maquinistas del "Alcón" o del "Nuevo Astillero" —los dos barcos de los Séjournant— bebían, cantaban, o se inclinaban sobre las mujeres como si quisieran decirles algo que sólo ellas podían escuchar. Goyo no se movía y terminaban por olvidarle. Al día siguiente nos contaba su aventura. Bajaba la voz y los dos nos acercábamos a él para escucharle mejor. El almacén estaba muy oscuro; a lo lejos, se divisaba la puerta. Los rumores de la calle nos llegaban de un modo especial, como si no pudieran atravesarla.

—Entonces Domi se acercó a ella y con la mano toda abierta...

Domi —Domiciano Revuelta, para servirles— era piloto en el "Alcón". Si el almacén no nos atraía, pese a su misterio, su oscuridad y sus historias en voz baja, los tres amigos nos acercábamos a cualquiera de los barcos que aguardaban la carga. El "Alcón" y el "Nuevo Astillero" se turnaban y casi siempre había alguno de ellos en el puerto, bien amarrado a las machinas, bien anclado en medio de la bahía y revirándose hacia proa o hacia popa, según subiera o bajase la corriente. Muy blancos y limpios, me hacían pensar en Aneli. Siempre, en el fondo de mi amor por las mujeres, hubo un recuerdo marinero; un gracioso recuerdo tan intacto como la espuma, las gaviotas cuando vuelan y los barcos de Séjournant. También el olor de la bahía — olor a sal, a prado y a eucalipto — es algo que permanece en mí y que no se borra jamás. Si los barcos estaban atracados, subíamos a ellos por la escalerilla; si fondeaban lejos, nos acercábamos en una chalupa de las muchas que había, amarradas a los pilares o a las maromas, ciando con un solo remo, hincado a popa. Éramos muy hábiles en ello, y, aunque cabeceamos más de una vez, jamás tuvimos percance serio. Los barcos eran de vapor, altos de chimenea y muy esbeltos, con perfil de cuchillo; pero, para ayudarse en el viaje, llevaban vela también, y los palos se extendían en lo alto, como cruces delgadas. A nosotros nos gustaba trepar por las escaleras, subir a las crucetas, asirnos al extremo del mástil y gritar.

— ¡Ohe! ¡Ohe!...

Desde lo alto se veía el agua más transparente, la sombra de las machinas, el arenal, la corriente, y el blanco festón de las Quebrantas, donde se estrellan los navíos los días de temporal; se veía la barra, con su isla en medio, y la Horadada, una roca con un agujero por el que pasa el mar y por el que, según la leyenda, pasaron también las dos cabezas de los Santos Mártires, patronos de la ciudad. Los Santos Mártires llegaron hasta ella navegando sobre una piedra en la que, previamente cortadas, se colocaron sus cabezas, esperando, con bastante lógica, desde luego, que la piedra se hundiese y arrastrara los despojos. Pero la piedra flotó, y, navegando, navegando, llegó a la bahía y chocó contra la Horadada. Entonces se abrió el agujero y las cabezas de los mártires pudieron terminar, felizmente, su milagrosa singladura.

Junto a la Horadada se alza otra roca mayor, a la que se

podía llegar nadando. Gerardo y yo nadábamos muy bien; Goyo de un modo tosco, pero seguro. Cuando salíamos del agua, le resbalaba por el vello, rizándosele todo. Se tumbaba al sol y nos decía:

—La Clavel canta, cuando bebe, una canción así.

Y cantaba una canción de un mozo que se fué a la guerra, como tío Juan Carlos. Al parecer, la Clavel era legitimista, condición que se da en el gremio más de lo que pudiera pensarse. Zafio, torpe y repulsivo como un ballenato negro, Goyo poseía, sin embargo, cierto sentido musical; creo que esto fué lo que me hizo apreciarle, porque me gusta mucho la música, en contra de lo que le sucede a Esperanza, mi hermana, para la que los tres enemigos del hombre son Beethoven, Bach y Chopin. Cuando Sedó, el organista de la catedral, venía para darla clase, era yo el que la recibía, por gusto, mientras Esperanza descansaba en el sofá, con las piernas cruzadas, como un chicote. Aprendí a tocar y lo agradezco. En muchas ocasiones, cuando la vida se me puso triste, el piano me consoló. Nadie puede saber lo que significa una música si no le canta dentro desde pequeño. A Hermine le gustaba también la música, y la tarareaba, entornando los ojos:

—¿Cómo era? La-ra-la...la ¿No recuerdas?

La música llena el aire como muchos pájaros que volasen; si se posa en vosotros, podéis decir que os ha elegido.

Goyo cantaba bien, y, sobre todo, prestaba a sus cantos una cadencia especial. Ahora que le conozco por completo, cuando el tiempo le envejeció, tampoco espera nada, y, por lo tanto, puede mostrarse tal como es, sin preocuparse de simular, pienso que en Goyo, pese a todo, existía algo fuera de lo vulgar e incluso extraordinario. Cuando cantaba resultaba muy atractivo, y Gerardo y yo quedábamos escuchándole; las canciones de Goyo me hicieron pensar siempre en cosas muy diferentes de las que decían.

Goyo era de los que gozaban riéndose del pastelero y de sus desgracias amorosas. Le imitaba muy bien.

—¡Gogó! —gritaba— ¡Gogó!

Porque Gogó, al terminar sus frases, hacía un ruido gutural, como el de las palomas. Por eso le pusieron el apodo.

La vida nos creció así, sin darnos mucha cuenta de ello, entre los barcos, el almacén, las temporadas en Santifría y los inviernos en el Palacio. En el Instituto, Gerardo y yo remontábamos con facilidad los estudios. A la salida de las clases solíamos detenernos en la taberna de Colás, o paseábamos por el Muelle, con los libros bajo el brazo. Goyo se volvía para mirar a las mujeres.

—Es la criada de los Quejada — decía —. Una hembra dura, si las hay. ¡Ajú!

No podía decirse que el gesto ni el relincho le favoreciesen demasiado. No, no podía decirse, pero Rosina, la criada de los Quejada, se volvió hacia él y le sonrió, entre pícara y complacida.

VI

San Arturo es un buen santo. Hubo también un rey que se llamaba así y que se hizo célebre en los libros de caballerías. En todo caso, yo le tengo cariño al nombre, quizá porque como le he llevado desde tan pequeño...

Cada día de San Arturo se organizaba una fiesta en casa; una fiesta en mi honor. Apenas clareaba el día, mamá se acercaba a mi cama para besarme, deteniendo los labios sobre mi mejilla, en una caricia muy personal y llena de dulzura. Tenía los ojos oscuros, como he dicho, pero le brillaban con mil lucecitas. Padre añadía un nuevo regalo a mi colección y me acariciaba con aquella mano suya, tan grande y tan torpe, que parecía tener miedo de tocarme. Tío Max charlaba largamente conmigo, y, a veces, montaba el viejo teatrillo de los títeres y me representaba la función. No sé si os he hablado de ella, pero llenó toda nuestra infancia; la de Esperanza, la de Rosina, la de las dos gemelas y la de Juan, mi hermanastro mayor. Juan era serio y siempre me inspiró respeto. A veces parecía como si supiera algo que podía causar daño de ser revelado, y que por eso andaba así, tan retraído y encerrado en sí mismo. Guardaba un inexplicable rencor contra padre, y, en cambio, se llevaba muy bien con mamá, pese a que, en realidad, nada tuviese que ver con ella. Adoraba a tío Max y gozaba mucho con la función y con las historias que tío Max contaba, todas de una tierra lejana, donde había muchos árboles, y relojes a los que asomaban pajarillos que cantaban las horas, y una liebre que, por Pascua, traía a los niños huevos de chocolate.

Tío Max era incansable contando estas historias, que nosotros escuchábamos, en la parte de atrás del Palacio. Juan, mi hermanastro, le solía insistir, cuando daba comienzo a algunas de sus narraciones.

—¡El héroe, tío Max! ¡Dinos como se llamaba el héroe!

—El héroe se llamaba Jurgen.

Tío Max decía esto con una voz especial que, sin saber por qué, me recordaba las sensaciones que experimentaba cuando, despierto en mi cama, sentía los pasos de padre aproximarse a la alcoba de mamá.

Conforme fuí creciendo, el tono de la fiesta cambió, Juan se mostró menos a gusto en ella y Esperanza se quedaba abstraída, como si pensase en otra cosa. Pero madre, como siempre, dejaba quietos sus labios sobre mí y las dos gemelas me saludaban.

—¡Felicidades, Arturo! ¡Muchas felicidades!

Eran muy buenas Marta y María, buenas como la brisa, como la yerba o las flores del campo. María casó ya, con el hijo de Santa María, y Marta es una monjita tímida, que se asusta de los dineros que la entrego para su colegio de los Sagrados Corazones, y que suspira, con un hilo de voz:

—¡Que Dios te lo pague, Arturo! ¡Eres generoso como un príncipe!

También la Cabuca me llamaba príncipe, cuando acudía a felicitarme. Se estaba quieta, mirándome, y sus pupilas se iban oscureciendo más y más.

—¡Felicidades, príncipe! ¡Que el San Arturo vele por ti!

Pese a que me daba miedo, yo la quería mucho; de verdad que quería mucho a la Cabuca y comprendía su rendida admiración por madre.

—Niña, no salgas sin chal —la decía la Cabuca—. Tomarás frío del relente.

Y echaba el chal sobre sus hombros, como quien cubre una imagen muy bella; una de esas imágenes levantinas bajo cuya pintura parece correr una sangre llena de sol.

Como digo, todos fueron variando su modo de conducirse según fuí creciendo, y hasta tío Max acabó por dejar quieto su teatrillo y sus historias. Cuando cumplí los doce años, padre me tendió unas monedas.

— Toma — me dijo —. Ya has llegado a la edad de comprarte tú mismo tus regalos.

A madre la entristeció aquello: se lo noté en como me miraba.

Los dineros de padre aumentaron al compás de mis aniversarios. El dieciséis estrené mi primer pantalón largo. Apenas pude librarme de visitas y parientes, corrí al encuentro de Gerardo para que me admirase. Habíamos celebrado el acontecimiento brindando por mi felicidad y tenía la cabeza alegre y los pies ligeros. Bajé corriendo las escaleras del Palacio, crucé bajo los árboles de la plaza, que ya cerraban sus ramas, y para podar las cuales de modo que no cegasen los balcones padre había mandado traer un jardinero de París, y desemboqué en el Muelle. Iba más contento que unas pascuas y la cosa no era para menos. ¡Estrenaba mi primer pantalón largo!

El hecho merece destacarse porque marca una etapa en mi vida, y porque, en mi opinión, se hizo esperar bastante. Hasta entonces había llevado mis piernas mal cubiertas por las medias, mi pantalón corto, hasta más allá de la rodilla, mi chaqueta de "sport" y mi camisa de cuello, porque los Pardo éramos gente fina y no podíamos renunciar a la etiqueta. Si algunas veces usé pantalón largo, fué vestido de marinero, y entonces parecía más niño todavía. Soy muy alto, y aquel atuendo infantil me avergonzaba. Además, Goyo vestía de largo iba ya para dos años, y nos daba reparo salir con él. Cuando Gerardo estrenó también su primer pantalón, decidí poner las cosas en claro.

— Bueno, papá — dije, muy serio, a padre —. ¿Cuándo piensas que termine esto?

— Que termine ¿qué?

Creo que padre pensaba en otra cosa; él y Max habían estado hablando del movimiento obrero, que, allá en Alemania, se las tenía tiesas con Bismarck y que preocupaba mucho a Max, por más que no dejase de sentir cierto entusiasmo por él.

— Es lo mismo que nosotros queríamos — solía decir —, pero sin odio. Claro que el emperador no lo entiende, no lo puede entender.

Gerardo y yo admirábamos mucho al emperador Guillermo, que conocíamos por la reproducción de un retrato de Menzel. Pero, no; padre no pensaba en el emperador. Tenía en las manos un número de "El Atlántico", el periódico de Polancuco, con las reformas que Romero Robledo había implantado en Cuba.

— ¿Qué es lo que va a terminar? — le contesté, amoscado —. Esto.

Me señalé el pantalón y padre pareció no comprender al principio: después se echó a reír.

— ¡Ah, vamos! — dijo —. Conque ¿tú también quieres emanciparte? El ejemplo de las colonias es contagioso. Bueno, allá tú con tu madre.

Mamá resultó más dura de pelar, pero, al fin, conquisté mi pantalón. Era satisfactoriamente largo, hasta cubrirme las botas, muy estrecho, y casi modelaba mi pantorrilla. La chaqueta llevaba grandes bolsillos, pegados, muy deportivos, y me tocaba con un sombrero ligero, de los que entonces llamábamos americanos; el cuello era alto y duro. Todo tal como yo había pedido. Sólo con la corbata no transigió madre, y me la arregló a su manera, de modo que me diese un aire menos serio. Yo sé que mi nuevo vestido la entristecía, pero, por mi parte, estaba más contento que unas castañuelas. Mi pantalón largo causó sensación. A espaldas de Goyo, Gerardo y yo decidimos que ya éramos dos hombres... y que debíamos portarnos como tales. Cuando el día de mi santo llegó, padre se mostró más que generoso en su regalo. Creo que pensaba también que, ya que vestía como un hombre, debía serlo de veras, y que el dinero me ayudaría a ello. A veces padre me parece muy extraño y todavía no acabo de comprenderle del todo. Pero, reflexiones aparte, lo cierto es que disponía de más dinero que el que jamás pude soñar para festejar mi San Arturo, y que estaba deseando compartirlo con mis amigos.

Gerardo no estaba en casa. Le esperaba en la salita, cuando Aneli apareció en la puerta. Vaciló un momento, se llegó hasta mí, y quedó mirándome. Pensé que su extrañeza se debía a que aún no me había visto de pantalón largo, y, azo-

rado, di unos pasos hacia ella. Le aventajaba ya dos o tres
dedos de estatura, porque últimamente había espigado mucho.
Sin saber lo que hacía, le tomé una mano, y la acerqué, de
modo que casi nos tocábamos. Aneli estuvo inmóvil unos instantes; después se separó de mí, con la mirada seria y pensativa.

— No hagas eso — me dijo. Y después —: Felicidades, Arturo.

La salita tenía unos muebles rectos, con la tapicería a rayas; unas porcelanas blancas posaban sobre el piano del rincón; las cortinas se remataban con unos volantes rizados,
como las tocas de las monjitas de los Sagrados Corazones.

No me atreví a moverme. Todavía, cuando recuerdo aquel
instante, veo a Aneli Séjournant, con la mirada seria y el
pequeño temblor de sus labios, que se entreabrían un poco. Y
escucho su voz, de tono grave; una voz distinta a la suya,
ronca, muy íntima, como si dijese un secreto. Aneli tenía, por
lo común, una voz clara y cantarina; solamente cuando se
emocionaba enronquecía su voz. Esto lo supe después, como
después supe también otras muchas cosas de Aneli.

Entonces sólo pude mirarla, mientras la sangre zumbaba en
mis oídos y todos los sonidos disminuían en torno. De pronto
me acordé de Goyo, el Negro.

Gerardo nos sorprendió así y su voz rompió el encanta-
miento. Me abrazó muy fuerte y yo me sentí seguro, como si
necesitase su compañía para guardarme de algún peligro.

— ¡Felicidades! — gritó —. Creí que nos habías olvidado.

Aquel día supe, por primera vez, que nunca podría olvidar a los Séjournant; ni a Gerardo, fiel y leal, ni a Aneli, que
volvió la cabeza hacia mí antes de irse y cuyo pelo clareaba
a contraluz. Nunca he podido olvidarlos, en efecto, porque se
hallan profunda y misteriosamente enraizados en mi existencia. Como no puedo olvidar a Goyo, el Negro, ni a Cati, la
dulce Cati, que permaneció siempre a mi lado, pero a la que
no vi, como no vemos la sombra que nos sigue cuando nos
deslumbra el sol.

El sol pareció deslumbrar también a Goyo al contemplar

los dineros que mi padre me había entregado. Frunció los labios y después los adelantó, como si quisiera besar algo.

— ¡Dios! — comentó —. A tu padre se le fué la mano. Hay — miró las monedas y después me miró a mí, como quien calcula —, hay para armar una buena. ¿Vamos a echar un trago?

— ¿Aquí? — protesté.

— ¿Quién habla de aquí? — repuso Goyo —. ¿Quién habla de aquí, con ese capital? Vamos a...

Se detuvo; parecía esperar que dijésemos algo, pero ni Gerardo ni yo acertábamos con lo que quería. Impaciente, tiró por la calle de en medio.

— Vamos a donde Colás; después decidiremos.

Colás nos recibió con su invariable muletilla.

— ¿Queréis un vasuco, ye? — nos dijo. Y, después que nos lo hubo servido, agregó confidencial —: ¿Vieron las mujeres que desembarcaron del "Esperanza"? ¡Buena la habrá hoy en la Casa Rosa!

El "Esperanza" era un vapor de diez mil toneladas que llegaba de las Américas. Había traído el cargamento usual, amén — si es que el amén puede aplicarse en este caso — de varias mujeres, pintadas y provocativas, que se reían mucho asomadas a la borda y que pasmaban el trabajo de los marineros y los cargadores. No eran raros semejantes envíos, y la ciudad se disputaba sus primicias, porque, antes de repartirse por tierra adentro, las mujeres hacían sus primeras armas en ella. Yo evoqué otros desembarcos semejantes, y sentí un calor interno, y después frío, pero no malo, sino agradable y fortificante, como cuando se toma un baño. Y, cosa curiosa, la imagen del agua chocando contra las amuras del barco se mezclaba con la de las mujeres, y era provocativa y muy sensual, como si las espumas fuesen puntillas.

— Sí que la habrá — oí decir a Goyo —. ¡Quién pudiera!...

En aquel momento se decidió nuestro destino. En aquel momento tanto Gerardo como yo supimos lo que Goyo quería, y, la verdad, no nos pareció mal. Solamente, por lo que a mí se refiere, volví a sentir temor, y, para combatirlo, apuré el vaso de golpe, pidiendo en seguida otro. Gerardo me siguió, animado. A la cuarta o quinta ronda, Goyo rompió a cantar.

Ya dije que lo hacía muy bien. Aquella tarde, sin embargo, descubrí algo impensado en su voz; descubrí que su voz se parecía a la de Aneli. Es curioso lo intuitivos que somos de jóvenes y como adivinamos cosas muy profundas y unidas a otras, de las que, todavía, no sabemos nada en absoluto. Sólo cuando el tiempo pasó sobre mí, y cuando, en realidad, de nada me servía saberlo o no, comprendí que lo que igualaba las voces, tan distintas, de Aneli y Goyo, era el deseo. Aquella tarde escuché la canción de Goyo pensando en la hermana de Gerardo. Y cuando me tomó del brazo, me estremecí, y me apreté contra él, un poco jadeante, dominado por un extraño sentimiento, nuevo en mí, y que, no sabía por qué, me llenaba de rubor.

Así, con las últimas luces, llegamos a las puertas de la Casa Rosa, atravesamos su zaguán y subimos la escalera. Raquel, a la que ya conocía — ¿quién no la conocía en la ciudad? — nos cortó el paso:

— No, aquí no, niños — dijo —. Uno a uno, bueno, pero juntos, y así, ¡no! Iros, nenes. No quiero disgustos con vuestros padres.

No era muy alta pero parecía ocupar toda la escalera. Estaba muy pintada, más por costumbre que por coquetería. Hacía tiempo que Raquel había renunciado a eso.

— Iros — repitió. Y yo noté su mano empujarme, a la altura del pecho. Entonces no sé qué sentí, ira, desprecio, asco, y, sobre todo, una terrible humillación de que aquella mano hubiese podido posarse sobre mí, empujándome como se empuja a un perro. La miré de arriba abajo.

— ¡Apártese! — dije.

La tiré unas monedas y comencé a subir los escalones, sin mirarla, decidido a todo si se oponía. Raquel vaciló un momento. Después se inclinó, yo creí que para iniciar una reverencia.

— Perdona, Pardo — dijo —. Tienes razón. Ésta es la casa de todo el que paga.

Se inclinó más y comenzó a recoger las monedas. En un momento se pegó a la baranda, y yo recordé el día que la vi, acompañando a la Cubana, camino de la Catedral, mientras tio Juan Ponte las saludaba y las beatas huían, escandalizadas.

— ¡Moler con el niño! — la oí decir —. ¡Presumes más que un!...

Pero, pese a todo, en su voz había respeto. Y, vista desde arriba, parecía que nos despidiese doblando la cerviz.

Cuando nos detuvimos ante la puerta, maquinalmente, me arreglé la corbata, mirándome en uno de los múltiples espejitos. Gerardo me contempló, asombrado de mi serenidad. Abajo escuché rezongar a Raquel algo así como "de casta le viene al galgo"...

Siempre que recuerdo aquel día, siento que me invade una gran ternura por el muchacho que llegó a la Casa Rosa, con unas cuantas copas de más, unas monedas entregadas por su santo, un pantalón largo, y un cuello alto y duro, que le rozaba la barbilla. Cosa extraña, me parece como si aquel muchacho no fuese yo mismo, sino alguien muy próximo a mí y muy querido, pero cuyos actos puedo juzgar con curiosa serenidad. Y me da pena ese muchacho que quiere hacerse el valiente, pero que, en el fondo, tiembla como cuando el viento le traía los rumores del Palacio y en el cuarto de sus padres no acaba de apagarse la luz.

Una vez arriba, Raquel, ya suavizada, llamó a tres mujeres y Goyo pidió manzanilla a una criada con mucho bigote y cara de pasmo. Parecía estar al tanto de lo que debía hacerse y palmoteó a una de las mujeres en la espalda, que la llevaba desnuda, con la piel áspera y erizada, como si tuviese frío. A la mujer le temblaba la carne con las palmadas, se reía, y un poco de vino le caía por la comisura de los labios. Tenía los ojos enrojecidos y casi sin pestañas. Goyo parecía hacerle mucha gracia, y, de vez en cuando, le daba empujones con el codo y volvía a reir.

— ¡Buen golfo estás hecho, niño! — le decía —. ¡Anda, que lo que no sepas tú! ¡Quieto, estáte quieto, te digo!

Rió de nuevo y atrajo a Goyo junto a sí. Yo miré azorado

en torno. Gerardo había cogido la mano a la segunda mujer, y la tenía muy delicadamente, como puede tenerse un guante. La mujer miraba de vez en cuando a sus compañeras y apretaba los labios para no reir.

La tercera se volvió hacia mí.

—¿No bebes?—me preguntó. Después, tras haber volcado la botella, suspiró con desaliento—: ¡Esto se ha acabado! ¿Traes más parné?

—¿Parné?

—Claro, hijo. ¡No pretenderás divertirte de capricho! ¿O es que nos vas a tener toda la noche haciendo comedor?

No entendía una palabra y Gerardo tampoco. Goyo, desentendido de todo, forcejeaba con la mujer de la espalda desnuda, que le sujetaba las manos, al tiempo que repetía:

—¡Quieto, estáte quieto, demonio! ¡Eso no, no!... ¡Cómo eres ya, y apenas si has nacido!

Su voz bajaba, cada vez más, de tono. Se había despeinado con los forcejeos, y el pelo le lucía brillante y pegajoso. No era guapa, pero tenía unos labios gruesos y atractivos, y unas formas llenas, que se le agitaban con los esfuerzos, como si bailase. Gerardo me dirigió una mirada llena de apuro. Yo no sabía qué hacer. Cogí la botella y volví a dejarla sobre la mesa, al ver que, en efecto, estaba vacía.

—¡Champán!—pedí, como último recurso. Sonaba bien aquello de pedir champán.

Tuve un gran éxito. Las mujeres gritaron alborozadas y la que estaba junto a mí se hizo un poco atrás, guiñando los ojos.

—¡Caray, Príncipe!—me dijo—. ¿Habéis asaltado el correo?

El champán hace ruido al descorcharse; hace ruido y el vino se escapa, blanco. Al beberse, cosquillea en la garganta, pero es muy agradable, frío, y se toma sin sentir. Cuando vacié la tercera copa, todo me parecía más fácil y ni la angustiada mirada de Gerardo bastaba a disuadirme de tal parecer.

—¡Bebe, hombre!—le insté.

Gerardo apuró su copa de golpe, con una mano, sin soltar la de la mujer, que continuaba teniendo asida. La mujer le sirvió más bebida, pasándole el brazo por detrás del cuello. De pronto le apretó contra ella, inclinó, brusca, la cabeza, y yo vi como el rostro de Gerardo desaparecía, oculto por una gran masa de cabellos rojizos. Dos peinetas de suave tono azul destacaban en ellos. La copa de Gerardo rodó, osciló un breve espacio de tiempo, y después quedó quieta sobre la mesa, mientras el champán se extendía, lento y festoneado por un leve remate de burbujas.

—¿Qué haces? — oí que me preguntaba mi compañera —. ¡Vamos, Príncipe! ¿No ves a tus amigos?

A través del pelo de la mujer brillaba la luz; su boca se abría y yo pensaba si aún quedaría champán en ella, si aquella mujer no sería una barrica donde habrían ido arrojando los restos de todas las copas que se vertieron sobre la mesa. Intenté retirar la mano, y sentí como me la sujetaba, introduciéndola más en su regazo. La boca de aquella mujer sabía a tabaco, a sudor, y, cosa extraña, a mineral; a mineral como el del Pico.

Cuando me separé de ella, quedó quieta, inclinada hacia adelante, con las manos apoyadas en las rodillas, como si estuviese a cuatro patas. Su mirar se había vuelto más claro de repente, casi diría que maravillado.

—¡Qué jóvenes sois! — susurró —. ¡Sois unos niños!

Yo retrocedí hasta apoyarme en la pared. Os reiréis, pero, en aquel momento, me acordé de ama Josefa; de la digna, inalterable y segura ama Josefa. La mujer se levantó, y, después de servirse más champán, avanzó hacia mí. Oí como Goyo decía:

—Vamos, Clavel, deja a ésos. Vámonos... ya sabes.

La puerta sonó, como la botella de champán cuando se descorcha. Gerardo estaba sentado junto a la otra mujer, de la que sólo continuaba viendo la cabellera roja. Sentí en mi boca un frescor muy grato y el champán me cosquilleó de nuevo la garganta. Pensé con terror que mi boca sabría a mineral si la mujer continuaba acercándose.

—¡No! — grité —. ¡Déjame solo! ¡Quiero estar solo!

—¿Solo? — rió la mujer —. ¿Pues no dice que solo? ¡Si nos

habrá salido chirle con lo bonito que es! ¡Anda, niño, déjate
de tonterías, que no has venido para eso!

Su gesto era duro y en su voz había amenaza. De pronto
se me presentó como mucho mayor, vieja, encanallada, y me
pareció que me odiase. Le tenía miedo y retrocedí, mordiéndome
los labios. Al chocar contra la pared sentí un ruido mate.

Ya la tenía muy cerca. y cerré los ojos. Con los ojos cerrados todo cambia, la vida parece menos fea, y, sobre todo, menos angustiosa. La atmósfera se transforma y toma un tono
delicado; se perfuma. Sí, aunque no lo creáis, se perfuma y
huele a canela como los barcos. Y, si tocáis una piel, es suave,
blanda, caliente, y os excita como si llevara fuego en su interior.

Me diréis que esto lo hace el champán, porque una mujer
como la que avanzaba hacia mí no puede transformarse de tal
manera por el hecho de que se cierren los ojos. Pero no; esto
no lo puede hacer el champán.

No lo hacía. Cuando los abrí, la mujer había retrocedido y
se apoyaba en la mesa con un gesto entre desafiante y asustado. Yo continuaba manteniendo la copa entre las manos.
A mi lado otra mujer, alta y morena, me sujetaba el brazo,
mientras la increpaba

—¡Déjale, te digo! ¡Déjale, Bilbaína, o te pesará! Es de
dulce el niño para que le manosees. De dulce y azúcar, ¡ye!

A pesar del final, a pesar del tono desgarrado y ronco, la
frase tenía una dulce cadencia. La Cubana soltó mi brazo y
avanzó hacia la mesa. Vestía una falda blanca, con muchos
volantes, y llevaba las piernas desnudas. Los zapatos eran muy
altos de tacón. Y, desde la pared, podía ver su perfil, de nariz
breve y boca muy brillante, jugosa, como si algún almíbar la
mojara.

—¿Por qué no puedo estar con él, Cubana? —oí decir a la
otra mujer—. ¿Es que quieres toda la familia para ti?

Su voz era humilde y sonaba como una queja. La Cubana
saltó hacia adelante y comenzó a abofetearla. La mujer se
dejó caer de rodillas, y no se movía, ni siquiera cerraba los
ojos, sino que contemplaba a su rival como hipnotizada.

Di unos pasos para separarlas y toda la habitación comenzó a oscilar. Se movía, como los barcos cuando sopla el sur, y, en medio de ella, distinguía a la Cubana, y a la mujer, a sus pies que parecía pedirle perdón. Cuando llegué junto a ellas extendí una mano y sentí otra vez el suave roce de la piel. La habitación continuaba dando vueltas, pero había más luz, todo era más luminoso, sobre todo la piel de la Cubana. Se volvió hacia mí, y vi que sus ojos, como los de madre, despedían una lluvia dorada.

—Ven — me dijo —. Ven, pequeño.

Abrazados, salimos de la habitación. El pasillo era largo y de poca luz. La Cubana abrió la puerta de su final y se detuvo en el quicio.

—Eres su sobrino, ¿verdad? — me preguntó.

—¿El sobrino de quién?

—Su sobrino. El de Juan, de don Juan de Ponte.

—Sí, lo soy.

—Así debía de ser él a tus años; así de bueno.

Todo lo que aquella mujer decía parecía encerrar un oculto sentido. Se quitó los zapatos e hizo una cruz en el suelo, con los pies descalzos.

—Esto trae suerte — aseguró —. Ahuyenta los malos recuerdos.

Me tomó de la mano, y, como dos niños que tienen miedo, penetramos en la habitación. Había anochecido, y, a través de la ventana, se veían las estrellas. Las nubes corrían, rasgadas.

—Tienes el cuerpo esbelto — susurró la Cubana —. Tienes el cuerpo como él debió de tenerlo, cuando todavía no estaba cansado y era doncel como tú.

VII

Tío Juan Manuel murió algún tiempo después de mi encuentro con la Cubana. Su muerte me espantó, llenándome de remordimientos, como si hubiese suplantado su personalidad, pero no estando vivo, sino ya muerto.

Ahora que yo también voy a morir, la muerte se me aparece mucho más sencilla, acaso porque me ofrezca una solución, pero entonces la muerte era algo incomprensible para mí. Y, no obstante, cuando repaso mis recuerdos, veo que la vida no es más que una sucesión de muertes, y que, en torno nuestro, se espesan cada vez más los fantasmas de aquellos que se fueron, y que los que quedan, como Cati y los pequeños, nos parecen fantasmas también, seres lejanos que se mueven, vanamente, por un mundo al que, en realidad, ya no pertenecemos.

Tío Juan Manuel llevaba meses enfermo cuando ocurrió mi aventura con Isabel. Nadie sabía qué mal le mataba y los dos Solís, padre e hijo, consultaban en vano sus libros de Patología. Si le preguntaban, tío Juan se limitaba a responder:

— ¡Estoy muy cansado!

— Pero ¿te duele algo? ¿Qué sientes?

— No me duele nada. No siento nada... casi nada.

Su enfermedad le comenzó de pronto, cuando apuntaba la primavera; como la Cabuca hubiese dicho, parecía que se la hubiese traído la estación. Llegó a su quinta del Alta y se acostó sin cenar. No era cosa nueva en él y todos pensaron que se habría excedido en la bebida, y no le dieron importancia, porque tío abuelo Juan jamás se ahorró excesos. Vivía casi solo,

con una criada más vieja que él, y con Floro, el cochero, que
le era fiel en extremo y al que nunca se lograba sacar dos palabras del cuerpo sobre las aventuras de su amo. Si Floro hubiese hablado, de cierto que la biografía de la ciudad se hubiera
enriquecido con multitud de anécdotas, no muy edificantes, la
verdad, aunque sí llenas de interés. Pero Floro supo guardar
el secreto, y tampoco tío Juan, pese a ser fácil conversador, se
fué jamás de la lengua. La historia sentimental de la ciudad
perdió con ello, pero muchos corazones pudieron guardar un
grato y picante recuerdo de Juan de Ponte, y decir de él, como
Floro decía:

—El señor es... un señor.

Sí, lo era tío abuelo Juan, con su figura alta y un poco vencida, sus ojos burlones, sus suaves maneras, y aquel especial
cuidado suyo en el atavío, que no se notaba, pero que no le
permitía pasar inadvertido en ninguna parte. Hasta el final
se conservó muy joven, como si el tiempo no corriese para él,
o como si poseyera el don de eternizarle. Gustaba escandali-
zar a la ciudad, que tampoco necesitaba demasiado para ello,
y admiraba a mamá con una admiración un poco ofensiva,
pero que parecía encantarla. Esta fué una de las cualidades
más sobresalientes en tío abuelo Juan; ofender a los hombres
y encantar a las mujeres. Venía pocas veces a casa, pero nunca
olvidaba decir a madre:

—Eres admirable, sobrina; como una diosa de mármol.
Ese... marido tuyo ¿entiende de esculturas?

A padre no le era simpático, pero madre parecía quererle
mucho. Cierto día, mientras tío Juan esperaba en el jardín,
antes de bajar a encontrarle, la vi arreglarse rápidamente ante
un espejo. No sé por qué lo haría.

La permanente juventud de tío abuelo Juan irritaba a la
ciudad casi tanto como sus relaciones amorosas. Cuando se conocieron las que le unían con Isabel, la Cubana, el escándalo
subió de punto.

—¡Habráse visto! ¡Una negra! — fué el comentario general.

La ciudad, por lo visto, se declaraba partidaria de los estados del Sur.

Tío Juan se limitó a sonreir. Pero su coche paró cada vez más frecuentemente a la puerta de la Casa Rosa y pronto se supo que la Cubana no admitía otro cortejo que el suyo. Pasado el tiempo, esta historia sentimental de tío abuelo Juan se transformó casi en leyenda. Si la Cubana bajaba las escaleras del Puente, las gentes la miraban como a un ser aparte; un extraño y pecaminoso ser que llenaba de delicias la vida de Juan de Ponte. Y si el coche de Juan de Ponte dejaba pasar más de una semana sin montar guardia a las puertas de la Casa Rosa, las gentes se agitaban, curiosas, primero, e inquietas, después, por la suerte de aquel idilio. Creo que el Ayuntamiento hubiera intervenido, si, de verdad, llegan a reñir algún día.

Pero no riñeron. Cuando pienso en tío abuelo Juan, pienso siempre, con esa especial comprensión que dan los años, que tuvo mala suerte; que en él había algo capaz de ser fiel, algo capaz de ternura y lealtad, y que tampoco Isabel, la Cubana, se vió muy favorecida por la fortuna. Tío abuelo Juan se hacía querer de todos, y murió sin un cariño, y su bastón de puño de marfil quedó apoyado en la silla de la entrada, tal como le dejó el día que se sintió enfermo y Floro, el cochero, hubo de ayudarle a entrar en su quinta del Alta. Porque aquel bastón, como todo en su vida, no era más que un adorno y no le pudo servir de apoyo.

Como digo, nadie supo exactamente en qué consistía su dolencia. Floro le depositó en el gran lecho de hierro, con guerreros dorados a los pies y a la cabecera, y le desvistió. Tío abuelo Juan se dejaba hacer, con la cabeza reclinada en la almohada y los ojos cerrados. Cuando Floro quiso apagar la luz, rogó.

—Déjala. Quiero pensar esta noche; quiero ver claro...

Floro salió de puntillas de la habitación, y las estrellas asomaron sobre la mar, y más tarde, la luz de la aurora alumbró las aguas y el cabo. Y Floro despertó, en el sofá donde había montado guardia, al escuchar la voz de su amo que le llamaba.

Cuando acudimos a verle, no le reconocimos. Vimos, tan sólo, un viejécito de pelo blanco, rasgos caídos, y unas manos color de cera, que no se movían sobre el embozo. De repente, toda la juvenil gallardía de tío abuelo Juan desapareció, como si se

hubiese cansado de llevar una careta y se nos mostrase tal
como era. Creo que incluso disminuyó de corpulencia, porque
parecía muy chiquito en aquel lecho inmenso, que ocupó su
alcoba en Santifría, y que se trajo consigo cuando bajó a vivir
a la ciudad. Tía Elisa y tía Trinidad se hicieron cargo de él;
también madre pasaba casi todo el día a su lado. Cuando tía
Trinidad se escandalizaba ante el hallazgo de cualquier recuerdo sentimental, a los ojos de tío abuelo Juan asomaba una
luz divertida, que, por unos momentos, hacía recordar al antiguo Juan de Ponte.

—¡Jesús, tira eso! —gritaba tía Trinidad—. ¡Quémalo!
¡Quémalo!

La chimenea de la quinta —la gran chimenea de mármol
y morillos dorados— vió arder así recuerdo tras recuerdo; viejas fotografías amarillentas; cartas cuya letra se había des-
leído, como si hubiese llovido sobre ella; programas de antiguas
fiestas; invitaciones firmadas, en un ángulo, como puede fir-
marse un abanico... Fué un expurgo a fondo, que dejó indiferente a tío Juan. Parecía que nada le importase ya, y tenía un
aire bondadoso, lleno de arrugas, con la boca sumida y los
párpados bajos, sin fuerzas para levantarlos. Cada día que pasaba aumentaba esta decrepitud de tío abuelo Juan, hasta el
punto que, a veces, parecía que fuera a desaparecer. No sé si
conseguiré explicarme, pero daba la sensación de que fuese
un gran muñeco de nieve, de los que parecen eternos mientras el frío los ayuda a soportar los rayos del sol, pero que,
apenas empiezan a fundirse, lo hacen con mayor rapidez cada
vez, hasta que, al final, sólo queda de ellos un poco de humedad sobre la tierra.

No sé si esta humedad quedará, siquiera, sobre la tierra
que cubre el cuerpo de tío abuelo Juan. No sé si los que le
lloramos conseguiremos mantener esta humedad sobre su tierra, porque la tierra es mucha y el olvido llega en seguida.

Yo, literalmente aterrorizado, miraba morir a tío Juan. Me
hubiera gustado decirle:

—¡Perdóname!... Ella me habló de ti hasta el último momento.

Porque ya entonces, pese a ser tan joven, supe que si yo no hubiera tenido en mi figura algo de la gracia y la distinción de tío Juan, si mi juventud no hubiera evocado en Isabel, la Cubana, aquella otra que nunca conoció, pero que la atraía morbosamente por eso, nunca se hubiese llegado hasta mí ni mi iniciación en el amor hubiera conocido el camino de sus brazos. Cuando miraba aquel anciano que se moría poco a poco y evocaba el caer de las ropas de Isabel, temblaba como un condenado. No me separaba de tío abuelo Juan, por eso, y siempre esperé escuchar alguna palabra, recibir alguna indicación. Pero él no me decía nada. Moría en silencio, mansamente, como cuando deja de llover.

Sólo una vez, cerca ya de su final, le oí hablar de Isabel. Madre estaba junto a su cama y yo en un rincón del cuarto, tan quieto que no se me sentía. Tía Trinidad y tía Elisa se habían ido a descansar. Era mediodía y los prados relucían verdes. Por el jardín cruzó Floro, mirando a las ventanas.

—¡Oye, tío Juan! —escuché decir a madre. Hablaba en voz baja, y miraba, recelosa, en torno—. Tío Juan, ¿me oyes?

Tío abuelo Juan movió la cabeza. Su pelo se le pegaba a unas sienes hundidas. Abrió los ojos y quedó esperando.

—Tienes que ponerte a bien con Dios —prosiguió madre—. Que confesar y...

Los ojos de tío abuelo no se separaban de ella. Madre tomó aire antes de continuar.

—Y esa chica... lo de esa chica. ¿Qué va a ser de ella?

—¿Hablas de... Isabel?

—Sí, de Isabel... Has pecado con ella... ¡Dios nos perdone! ¡Tío Juan, tienes que ponerte a bien con Dios!

—Y ¿cómo... sobrina?

Madre miró otra vez en torno: diríase que temiera la aparición de cien mil enemigos.

—¡Tienes que casarte con ella!...

Yo no sabía si estaba despierto o dormido; si aquello era una realidad o una pesadilla!... ¡Tío Juan y la Cubana! ¡La familia Ponte enlazada con una ramera! ¡Y era mi madre la que lo aconsejaba!

Pero aún me quedaba mucho por saber de aquellos extraños y apasionados seres que eran los Ponte. Tío abuelo Juan entornó los ojos y suspiró, como si se tratase de pedir la mano de una princesa.

—¿Crees que ella querrá?

—No sé, tío Juan — contestó madre —. Siendo por ti...

Una gran expresión de felicidad invadió el rostro del tío abuelo; una gran calma, como si, al fin, hubiese encontrado algo que buscó toda la vila. Visto desde mi rincón, parecía un apóstol.

El padre Augusto le confesó. Al terminar se dirigió a la familia, que esperaba reunida en un rincón de la sala. Parecía profundamente desconcertado, y, al tiempo, que algo le maravillase. Era un hombre alto y grueso, con un cuello de luchador y una cabeza rapada, que le daba aspecto infantil. El cíngulo le ceñía un vientre no demasiado ascético. Pero era bueno como el pan y todos le queríamos mucho. Le gustaba que acudiéramos a él para besarle el cordón y pedirle.

—Una estampita, padre Augusto. Una estampita de la Virgen del Carmen.

Porque era en los Carmelitas donde el padre Augusto profesó, por su mucha devoción a la Virgen.

En medio de la sala, el padre Augusto retorcía su cordón como si se dispusiera a ahorcarse con él.

—Mirad, hijos — dijo por último, y su mirada no se separaba de tía Elisa y tía Trinidad. Cerró los ojos y después los abrió mucho —. Le he confesado. Es bueno, más bueno de lo que pensaba. Y quiere... quiere casarse.

—¡Casarse! ¡No!

El padre Augusto recuperó la serenidad, dejó quieto su cordón y hasta se permitió el lujo de sonreir, con una boca ancha, que le llegaba de oreja a oreja.

—Sí, casarse. Es natural que se case, si pecó.

—Pero casarse ¿con quién? ¿Con... ésa?

—Con ésa, desde luego. No vamos a buscarle novia a estas alturas.

Era una respuesta propia del Padre Damián. Sólo que el

padre Damián no se hubiera detenido a responder. El padre Damián se hubiera arremangado los hábitos, corrido. cuesta abajo, hasta el Puente, y traído a Isabel, la Cubana, cogida de una oreja... o de donde fuese. El padre Augusto no eran tan directo...

—Los caminos del Señor son inescrutables... y llenos de sorpresas — prosiguió —. Juan Ponte casi me ha edificado con su confesión. Nunca sabemos de cuánta desgracia son capaces los hombres.

Tía Trinidad le interrumpió.

— ¡Pero, pero... en nuestra familia! ¡Eso... en nuestra familia! ¡Dormir bajo el techo de los Ponte... eso!

— ¡Con un Ponte ha dormido ya! —interrumpió, amoscado, el padre Augusto, y yo escuché la voz sofocada de tía Trinidad repetir su invariable ¡Jesús, José y María! — ¿Qué es una familia al lado de un alma que se entrega a Dios? ¡Vamos!

De seguir así, hubiera triunfado. Si llega a dejarse llevar de su impulso, Juan de Ponte, tío abuelo Juan, no hubiera muerto llamando a su querida, ni Isabel, la Cubana, hubiera envejecido en la Casa Rosa, con la botella en las manos, cada vez más dura, más salvajemente hermosa. La ciudad se hubiera escandalizado una vez más, pero todo hubiera sido mejor y más bueno. Isabel hubiera llevado la recatada existencia de una viuda, y, sobre la lápida de tío abuelo, hubiera podido escribirse, como sobre las de los otros Ponte: "Querido Juan, tu esposa no te olvida".

Pero no siguió. Se detuvo, indeciso, y aun cayó en la debilidad de seguir discutiendo con tía Trinidad, que defendía sus últimas trincheras con el desesperado heroísmo de nuestros voluntarios de Ultramar. Yo los escuchaba, desde el pasillo, donde aguardaba con Juan, mi hermanastro, las dos gemelas, Esperanza y Rosina, amén de los demás primos y primas, últimos retoños de la familia Ponte, que llegaron, asustados y silenciosos, con cara de lástima. Tío Arturo fué de los últimos en hacerlo y discutía también con el padre Augusto, lejanamente apoyado por Alfonso del Real, el marido de tía Elisa, y por Eduardo Torre, que lo era de tía Trinidad. El Padre Augusto parecía muy impaciente, pero no se atrevía a dejarle con la palabra en la boca.

—No digas eso, hijo—protestaba—. Más pecó María Magdalena.

A través de la puerta de enfrente yo veía la alcoba de tío abuelo; mi padre, inmóvil junto a la ventana, y mi madre, que se había acercado al lecho de tío Juan y le secaba la frente. Padre tenía el ceño fruncido y el aspecto sombrío. Madre miraba impaciente al grupo que discutía en la sala y después al pobre tío abuelo, al que los labios se le habían agrietado, cubriéndosele de una costra blanquecina. De pronto, decidida, se dirigió a la otra habitación y, sin ningún miramiento, cortó los argumentos de tío Arturo.

—¡Vaya!—gritó al padre Augusto—. ¡Vaya, hombre!... ¿No ve que se va a morir? ¿Qué hace aquí discutiendo con estas antiguallas? ¡Se va a morir, le digo!

El padre Augusto la miró; después, corrió escaleras abajo. Así hubiera corrido el padre Damián, pero mucho antes. Al pasar, gritó a tío Arturo:

—¡Cogeré tu coche!...

Tío Arturo quedó sin habla unos momentos. Después la recuperó con creces. Se volvió hacia madre.

—¡Intolerable!—gritó—. ¡Una... mocosa interviniendo en esto! ¡Una mocosa y una desvergonzada! ¡Una desvergonzada digo!

—¡Sí, eso es! ¡Una desvergonzada! ¡Una sinvergüenza!

La voz de tía Trinidad sonaba agria; sobre la huerta de Santifría cruzaban pájaros negros, que graznaban así. Tenía el rostro arrebatado y las manos le temblaban; su boca se contraía y diríase que la costase lanzar cada palabra, como si se le atragantase.

—¡Una sinvergüenza! ¿Qué te importa que hayan pecado, si tú misma deseaste pecar? ¿Crees que no lo sabemos, crees que no te conocemos desde el principio? ¡Tú, con tus piernas desnudas, escondiéndote con Enrique del Real en los desvanes! ¡Tú, citándote con... ése, cuando aún vivía su mujer! ¡Y los artistas locos por ti! ¡Y el cartel del baile! ¡Desnuda aparecías en él! ¡Desnuda! (1).

Los primos habíamos retrocedido en el pasillo, apretándonos unos contra otros; tía Elisa se sentó, emitiendo un sonido ahogado, y Esperanza, mi hermana, dió dos pasos hacia adelante con los ojos brillantes de excitación.

—¡Dejarla entrar en nuestra familia! —gritaba tía Trinidad—. ¡Dejarla entrar y que salga con la Niña de paseo! ¡La Niña Rosa! ¡Mirarla! ¡Si hasta tiene nombre de carne!

Madre había quedado muy pálida. Miraba los gestos de tía Trinidad, el temblor de sus manos, y escuchaba sus palabras, con una especie de doloroso estupor, como si estuviese descubriendo algo cuyo descubrimiento no la sorprendiera. Tía Trinidad gritaba:

—¡Mientras estábamos en casa, sin atrevernos a descubrir un pie, tú corrías por la villa y te bañabas en el agua! ¡Te bañabas sin nada, mientras nosotras vestíamos trajes cerrados hasta el cuello! ¡Y luego te casaste, cuando todos hablaban de ti, y todos te adularon porque tenías dinero! ¡La señora de Pardo! ¡Doña Rosa de Ponte y de Pardo! ¡Y construiste un palacio, y estrenaste un traje cada fiesta, cuando nosotras teníamos que rompernos las manos para reformar los nuestros! ¡Y todos decían que eras muy hermosa y te miraban con ojos que pecaban al mirar! ¡Pecado! ¡Toda tu vida es pecado! ¡Y quieres traer esa otra aquí, porque es como tú! ¡Como tú!

Temblaba, y su voz tenía extrañas subidas y bajadas. Madre se le acercó y le dijo muy bajo:

—¡Cuánto me odias! ¡Nunca supe que me odiaras así!

—Sí —repuso tía Trinidad, y también su voz se transformó en un susurro—. Te odio, Niña Rosa.

Se echó hacia atrás, y los ojos se le volvieron, hasta dejar ver el blanco. Pero, cuando todos esperábamos que cayese al suelo, se repuso, y, con pasos menudos, salió de la habitación. Cruzó junto a nosotros y Juan le lanzó una mirada aviesa. Tía Trinidad, sin hacerle caso, fué hasta una silla, situada en

_____

(1) Ver EL AGUA AMARGA, del mismo autor y publicada por la misma Editorial.

el rincón, y se sentó. muy arrugada, con las manos juntas, lo mismo que cuando ocupaba su reclinatorio en la Catedral.

El tiempo pasaba lentamente. La agonía de tío Juan nos distrajo del incidente, y, al mismo tiempo, este incidente nos borró, por un momento, la idea de que tío abuelo Juan iba a morir. Pero, en seguida, la idea de la muerte se adueñó otra vez de todos, mezclándose con una extraña ansiedad, que nos hacía mirar hacia las ventanas entornadas, a través de las cuales se filtraba la luz.

Alguien comenzó a rezar en la alcoba, y todos les contestaron al tiempo. Los rezos formaban un ruido arrastrado; cuándo cesaban, aún se oían las eses, y, después, la voz de tía Elisa, que dirigía la plegaria. Era una voz singularmente grave. Como atraído por ella, me adelanté hasta la puerta: todos éstaban de rodillas, menos padre, que seguía en pie, con una mano de madre entre las suyas.

El gran lecho de hierro se alzaba junto a ellos. Los guerreros se volvían un poco, presos bajo su casco y su coraza. La colcha era muy blanca, y, bajo ella, tío abuelo Juan no alzaba apenas. Sus rasgos se habían afilado, pero no había nada estremecedor en ellos, sino que seguían pareciendo cada vez más bondadosos. La luz que penetraba por la ventana corría lentamente el suelo y se iba aproximando a la cama.

Yo sé que todos miraban esta luz. Que en tanto las Avemarías contestaban a las Avemarías; en tanto los Padrenuestros pedían perdón por las deudas, que, a lo largo de su vida, contrajo, como un pobre pecador, tío abuelo Juan; en tanto la Gloria del Padre, del Hijo y del Espíritu Santo aguardaba su alma arrepentida, los tíos Ponte, los primos Ponte, mi padre, aquel Pardo advenedizo, y mi madre, a la que tía Trinidad acababa de acusar de culpas de carne, miraban el avanzar de la luz, despacioso y regular, como el del tiempo. En realidad, el drama de aquella habitación estaba reducido a una lucha entre la respiración de tío abuelo Juan y la progresión del haz de luz hacia su cama. La respiración de tío Juan era muy tenue, pero, pese a todo, se la escuchaba sobre las plegarias, en los silencios, y en el coro de las respuestas; el haz de luz, naturalmente, no producía ruido al avanzar, pero no se hubiera hecho notar más si llega a hacerlo con el estruendo de un torrente.

Estaba muy próximo a la colcha, cuando tío abuelo Juan intentó incorporarse. Su cabeza se movió un poco, para caer rendida. Su voz hizo enmudecer a los que rezaban, y la plegaria quedó cortada. A mí me dió la sensación de que, de repente, hubiese anochecido. Todos estaban quietos y mudos, como cuando nos sorprenden las tinieblas.

—Isabel—se oyó murmurar a tío Juan—; Isabel, ven...

Se hizo otra vez el silencio. Y, en seguida, tío Juan Ponte volvió a decir:

—Una vez te dije... que todo... podía empezar. Que todo podía empezar... hasta en el último momento.

Parecía muy fatigado y estuvo largo tiempo sin hablar. Los demás callaban también. Y sólo se oía el rozar de los trajes; alguna silla que crujía; lejos, el andar del viejo reloj, cuyas pesas descendían poco a poco...

Tío abuelo Juan había abierto los ojos. Parecía esperar algo, escuchar algo, no sé; quizá el clamor de la ciudad, a través de la cual el Padre Augusto y la Cubana corrían, desalados, para llegar a tiempo; quizás algo que no era de hoy; quizás el rumor de sus recuerdos. Por último, sus ojos se posaron en madre.

—No viene—suspiró—. No viene... Niña. ¡Qué pena!

Fueron sus últimas palabras. Y no había amargura en ellas, sino dolor porque las cosas nunca pudieran ser como los hombres desean, porque la vida sea, siempre, más corta que los deseos de los hombres. Murió mirando a madre y antes que la luz alcanzase el borde de su cama.

Todos se precipitaron hacia él, pero, en seguida, quedaron parados, dominados por un terror supersticioso. Suavemente, mirando en torno como un desafío, madre le cerró los ojos. Y Floro, el cochero, se acercó llorando al que fué su amo, se secó las lágrimas con un pañuelo de cuadros grandes, y, después, le anudó bajo su barbilla para que no le quedase caída con la rigidez.

A poco tío Arturo se fué, con el pretexto de arreglar el entierro, acompañado de tía Alicia, su mujer, a la que aquel día parecían haber aumentado las pecas, y de tía Trinidad y su marido. Tía Elisa arrastró materialmente a tío Eduardo, que no acertaba a decir palabra. Se fueron los primos, y hasta Rosina, Juan, Esperanza y las dos gemelas partieron con padre. Yo me acerqué a mamá para pedirle:

—No me dejes ir. Quiero quedarme... con él.

Siempre he creído que madre posee el extraño don de ver en el interior de los que quiere. Cuando una persona no le interesa, parece como si no existiera para ella, pero, cuando la quiere, entonces puede adivinar sus penas y sus zozobras. Me miró largamente y su mirada era seria y amistosa.

—Quédate si quieres — concedió —. No tardarán.

¿Qué podía saber madre? ¿Qué podía, en realidad, adivinar con sólo mirarme de aquel modo? No podía ni pensarlo, y me estremecí al mirar a tío abuelo.

Quedamos en silencio. Madre rezaba con la cabeza baja y el rosario entre las manos. Pasado un corto rato, se levantó para abrir las ventanas; la luz penetró a raudales y todo pareció ya menos sombrío.

* * *

Al escuchar el ruido de los cascos, madre alzó la cabeza. El coche apareció a lo lejos, se fué acercando, se detuvo a la puerta. La Cubana y el Padre Augusto descendieron de él. Madre, entonces, con los ojos llenos de lágrimas, volvió a cerrar las ventanas.

VIII

Cosa extraña; al que más pareció impresionar la muerte de tío abuelo fué a mi hermanastro Juan. Pero no como a los demás, que nos entristeció, dejándonos mustios y alicaídos, sino que le irritó el ánimo, volviéndole más adusto y puntilloso que nunca. Casi no cruzaba palabra con nosotros, y menos aún con padre. Yo sabía que este modo de comportarse mi hermanastro irritaba a padre y le ponía frenético; muchas veces le vi apretar los puños, como si se quisiera lanzar sobre Juan, y las venas de la frente se le marcaron de tal modo que temí fueran a estallarle. Juan le sostenía la mirada y hasta diríase que hacía alarde de desafiarle. Y madre bajaba los ojos y no se atrevía a intervenir, pero yo estaba seguro de que sufría mucho con aquella situación. ,

Fueron unos años malos, que duraron tanto como el luto por tío abuelo Juan, y de los que sólo se libraron, en parte al menos, las dos gemelas, porque tío Max se las llevó con él a su finca del otro lado de la bahía, y, aunque a temporadas vivían con nosotros, no padecieron tan directamente la lucha que se desencadenó, los enfados de padre y la terca rebelión de Juan, que se negaba a reconocerle ningún derecho sobre él. De mí sé decir que Juan me asustaba, aunque le admirase mucho, porque por nada del mundo me hubiera atrevido a hacer lo que él. Creo que padre le admiraba también, aunque ni en el más íntimo y recóndito rincón de su ser se aviniese a reconocerlo. En aquella época todos comprendimos que padre estaba desesperado, aunque ignorábamos la causa real; lo que sí sabíamos es que su desesperación no se debía solamente a la postura de Juan. Padre gritaba como un loco en las discusiones con mi hermanastro, para quedar después más frío que el hielo, y decirle, con una voz que, pese a todo, le temblaba:

—¡Me obedecerás! ¡Me obedecerás, ¿oyes?! ¡Eres mi hijo!

Lo repetía una y otra vez y daba la extraña sensación de que deseaba convencerse de que era verdad.

Fué entonces cuando, con el pretexto de su mucho trabajo, se fué a dormir solo, al otro extremo del pasillo que daba al cuarto de madre. Trabajo sí tenía, porque las cosas andaban muy revueltas y nada podía considerarse seguro aquellos días. De creer a mis tíos Ponte, "las cosas" se fueron definitivamente al diablo el día que Don Carlos cruzó la frontera, y no quedaban esperanzas de arreglo; de creer a Santa María, era Don Carlos quien había estropeado "las cosas" al dar de lado a Nocedal. La exaltación dinástica de Santa María y compañeros mártires se había, sin duda, pasado de rosca, y les hacía ser más papistas... que el Rey. Ésta era, por lo menos, la opinión de mi padre y de tío Max, porque yo aún no tenía formada ninguna; me resultaba simpático Santa María, con su aspecto de sacristán erudito en piezas de tela, y me entregaba, sin reparos, al romanticismo carlista y a la leyenda que aureolaba la muerte de tío Juan Carlos, al que no concí, pero del que siempre escuché hablar como de un héroe antiguo, lleno de valor y hermosura.

Padre y Max eran escépticos respecto a todo esto, y, cuando hablaban del carlismo, lo hacían de otro modo; el carlismo era en ellos, solamente, el recuerdo de su juventud. Max admiraba mucho al Rey Alfonso XII por la valiente y serena postura que mantuvo a propósito de no sé qué asunto que llamaban de "Las Carolinas", unas islas en las que, al decir de Max, jamás habíamos pensado, y por las que estuvimos a punto de andar a la greña ¡nada menos que con Alemania! Recuerdo que, con aquel motivo, media España pedía la cabeza del viejo emperador Guillermo y la otra media afilaba el cuchillo para cortársela. Max enrojecía hasta la congestión.

—Pero ¿por qué? ¿Por qué? ¿Y el Rey? ¿Cómo va a aprobar el Rey esto? ¡Si es un ulano!

El año anterior, en efecto, habían nombrado al rey Alfonso coronel honorario del Regimiento de Ulanos que mandó el Príncipe Carlos, hermano del emperador, y que estaba de guarnición en Estrasburgo. Lo menos apropiado, desde luego, para agradar a los franceses, que recibieron con una señora pita a nuestro Alfonso XII en cuanto puso los pies en París. También entonces gritó Max hasta que se quedó sin aliento.

— ¡Claro! ¡Son franceses! ¡Silbar así a un rey! ¡Un rey de la estirpe de Carlos V!

Yo podía haberle dicho a tío Max que el rey Alfonso no era de la estirpe de Carlos V, sino más bien de Luis XVI, pero no lo hice porque también los franchutes me eran muy antipáticos.

Recuerdo el día que murió el rey Alfonso y cuánto nos impresionó la noticia a todos. Se celebraron solemnes funerales en la Catedral, y lo más emperifollado de la ciudad vistió luto, como si estuviera emparentado con los Borbones. El pueblo lo sintió sinceramente, porque Alfonso XII era un rey muy querido, con su leyenda aventurera, su carácter independiente, guapo y algo triste, como predestinado. Tenía mucho ingenio, y, según padre, hablaba mejor que Cánovas y con más sentido común. Era curioso el desprecio que tanto Max como padre sentían por los políticos. Max gruñía al hablar de ellos.

— ¡Bismarck! ¡Bah, Bismarck! ¡Un estúpido y orgulloso Junker! ¿Qué puede saber del pueblo?

Chupaba fuerte su pipa y el humo le envolvía. Los leños trepidaban en la chimenea, y, sobre la tierra herida del Pico, en los campos que le circundaban, hasta en la salpicada agua del mar, sentíase el ruido de la lluvia que caía y cuyas gotas resbalaban por los cristales de las ventanas, persiguiéndose unas a otras. La luz irisaba en ellas y parecía que en su extremo se hubiera encendido una estrella diminuta. Max gruñía.

— Se entendía con Disraeli. ¿No se iba a entender? Un Junker no es más que un "snob". ¡Disraeli! — y hacía un gesto de burla, muy afeminado —. Dis... ¡basura!

Después, tío Max callaba, arrebujándose en su manta. Últimamente no se desprendía de ella, y trataba todos los asuntos de la mina desde su sillón, fumando su eterna pipa, que había sustituído a sus cigarros. En todo el invierno no salía de la casita que se había mandado construir en la mina, y en la que vivía con el ascetismo de un ermitaño. Las gentes le llamaban "el avaro de la mina", pero a él le importaba un bledo. En verano se iba a su finca con las dos gemelas. Entonces era muy feliz, y cantaba como un niño o se pasaba el día silbando la canción del camino. El invierno no le gustaba a tío Max y acentuaba su mal humor, cuando no le hacía caer en accesos de escepticismo y melancolía, en los que hablaba como los libros de historia o literatura.

—No te preocupes demasiado por los negocios, Juan; la fortuna no es de quien la persigue, ni la vida de quien la guarda.

Muchas veces padre y Max quedaban mirándose. Yo adivinaba que estaban cambiando confidencias y que ninguno de los dos se reprochaba haber guardado nada de su vida. Pero, otras, Max, no sé por qué, se incorporaba, y, tras estudiar la expresión de mi padre, le decía, con la misma voz con que hablaba a las gemelas:

—Pero ¿todavía así, Juan? Anda, ven. Vamos a ver... Vamos a ver.

Padre se quejaba de sus negocios, que, como dije, eran muchos y complicados. El ferrocarril a Bilbao nunca produjo ganancias apreciables; el banco le daba cada vez más trabajo, y estaba decidido a dejar la presidencia; los terrenos de los pinares no valían la pena de cuidarlos; el Palacio le costaba un dineral, y, además, le abrumaban sus rasos y sus mármoles; los barcos no ganaban ni para calafatearse... Max sonreía, como ante un niño.

—Debes de tener un pacto con el diablo, entonces — terminaba —, porque se te calcula una renta de un millón al año.

Padre alzaba la cabeza, y después la movía tercamente, como si la golpease contra algo. Confesaba.

—No es eso, ya sabes...

Siempre, al llegar a este punto de la conversación, encontraban pretexto para hacerme salir del cuarto... Si era aún de día, yo vagaba por la mina, me asomaba a los túneles, que sostenían vigas de madera, atravesadas como cruces de San Andrés; a los pozos, estrechos y hondos, en cuyo fondo resonaba, agrandado, el eco; a los estanques, donde se lavaba el mineral, de un color rojizo, muy espeso. O hablaba con los obreros y con Julio, el capataz. O permanecía inmóvil, esperando el estallido de los barrenos, que lo hacían al fin, con un gran ruido, que huía en seguida, por los campos y la bahía. Si era anochecido, me quedaba en la biblioteca, rodeado por los libros de Max. Había muchos, tapizando las paredes y encuadrando las ventanas. Las ventanas no tenían cortinas y se veían las luces de la ciudad, unas junto a otras, y las de los barcos al fondo, más pequeñas. A retazos, algunas palabras llegaban hasta mí.

—¡No puedo!...

—¡La llevo en la sangre!...

—Pero ¡ese Enrique!...

Una vez, sólo una vez, la frase se completó.

—Pienso en María —decía mi padre— cada vez que me acerco a ella, pienso en María, y, no sé, me siento culpable... de un crimen.

Se hizo el silencio y yo escuché el crepitar de los leños en la chimenea y el caer de la lluvia, que llenaba de un rumor mate las cercanías de la mina. De repente tuve frío y me acordé de la tarde aquella, cuando dejé la Casa Rosa después de haber dormido con la Cubana, y subí hasta el Palacio, con la cabeza inclinada y la sensación de que todo el mundo podía leer la verdad en mis ojos si los miraba de frente.

Durante aquella temporada acompañé mucho a padre. Era frecuente que me llamara, me hiciera sentarme en una butaca de su despacho y quedase mirándome con un extraño interés, como si pretendiera descubrir algo en mis rasgos. Los padres no se dan cuenta de lo aprisa que crecen sus hijos, y por eso el mío se abandonaba a sus sentimientos, sin considerar que yo rozaba ya los diecisiete años, que mis estudios en el Instituto habían terminado, y que, de común acuerdo con Max, se había decidido que los prosiguiese en Alemania. Para mi padre yo continuaba siendo un niño, y —esto lo adiviné en

seguida y la adivinanza me produjo una mezcla de turbación,
dolor y curiosidad —, además, un niño nacido de madre, fruto
de sus abrazos con madre, no sé, algo a la vez repugnante
y muy espiritual. Poco a poco, yo había ido comprendiendo
la extraña lucha entablada entre mis padres, pero no de un
modo claro y completo, sino de un modo mucho más turbador,
a trozos, llena de misterio y deseo, de la misma manera, exactamente, como descubrimos las relaciones entre los dos sexos,
y el comportamiento de padre no contribuía a disminuir esta
sensación, sino que, por el contrario, la aumentaba. Muchas
veces tomaba mi cabeza entre sus manos, y se acercaba lentamente a mí, como si fuera a besarme; yo veía sus ojos,
brillantes, en los que mi imagen se reflejaba, Otras me acariciaba, y sus dedos eran muy suaves, y se detenían, como si
encontrase un placer carnal en la caricia. Pero, si le miraba,
le veía distante, pensando en otra cosa, con una expresión
concentrada.

También tenía largos silencios, frases que no completaba,
preguntas que se le quedaban sin acabar, como colgadas de
un precipicio.

— Dime, ¿viste?...

— ¿A quién?

— ¡Oh, no! ¡A nadie, a nadie!

O, muy de prisa, comiéndose casi las palabras:

— Dime, viste a Enrique del Real?

— Sí, le vi.

— ¿Estaba con mamá?

— Con mamá. ¡Claro!

Enrique del Real venía casi todas las tardes a visitar a madre. Dejaba su chistera en manos del criado, con sus guantes
crema dentro y su pequeño y delgado bastón, que recordaba un
puntero. Enrique del Real era muy petimetre y sus trajes causaban siempre sensación. En el paseo del Muelle daba gusto
verle acercarse a las señoras, con su levita oscura, su corbata
estrecha, y sus mejillas lampiñas, sobre las que destacaba el
bigote rubio; usaba abrigos muy largos y sus botines tenían un
color inimitable, que, pese a la constancia de la provincia en la

producción de lodo, jamás se ensució. Creo que todo lo que
ganaba en la fábrica de muebles que había instalado con Arturo Gómez se lo gastaba en vestir y en comprar obras de
arte. Era muy entendido en ellas, muy moderno, y su casa estaba llena de cuadros que reproducían mujeres muy vivas de
color; extraños campos, llenos de flores y hierbas; pierrots y
arlequines bajo los árboles; jóvenes en una especie de mesa,
llena de botellas de champán y frutas, de mirada muy fija,
que hacían pensar en la Casa Rosa; calles y jardines, muy
sencillos, como los que pueden verse todos los días en cualquier
ciudad. Pese a que los nombres de Manet, Clavirin, Renoir y
Corot comenzaban a llegar hasta nosotros, los gustos artísti-
cos de Enrique del Real merecían general reprobación. La ciudad estaba por Madrazo, por Gisbert y por Pradilla, cuyos fu-
silamientos del Dos de Mayo hacían casi palidecer la fama
de su tocayo, el escritor.

Los discípulos de Praduco eran escasos en la ciudad, y sus
admiradores todavía más. En su tienda de cuadros y papeles
pintados, Praduco continuaba pontificando sobre lo divino y
lo humano, con tal que, tanto lo humano como lo divino, tuviesen relación con la pintura. Vestía muy a lo artista, con
chambergo negro, chalina pomposa, pantalón descuidado y una
entre levita y abrigo, de una sola fila de botones, que le cerraba
casi hasta el cuello, donde se abría en dos solapas diminutas.
El tiempo le había blanqueado el pelo, que le asomaba bajo su
sombrero, resaltando como un relámpago de plata. Era ya vie-
jín y a nosotros nos lo parecía más. Si madre cruzaba ante su
tienda, la saludaba, quitándose el chambergo, que conservaba
siempre puesto; lo hacía gravemente y su saludo encerraba
una mezcla especial de galantería, respeto y nostalgia.

Cuando mi hermanastro Juan tuvo aquellos disgustos con
padre, comenzó a concurrir a la trastienda de Praduco, donde
seguía reuniéndose lo más revolucionario y bohemio de la capital. El célebre cartel del baile de máscaras en el Teatro Principal — aquel cartel para el que, según decían, sirvió mi madre
de modelo, o, por lo menos, de inspiradora, cuando era más joven y aún no se había casado —; la presidía, y, bajo él, conti-

nuaban declamando los vates provinciales y exponiendo sus
teorías sobre el color los Apeles. Entre verso y verso y teoría
y teoría, apuraban un vino oscuro, no malejo en verdad, que
mandaban traer de una tarberna vecina, que llevaba el bonito
nombre de "Las Siete Estrellas". Otros permanecían fieles al
coñac, que les servía un camarero muy calvo, que trabajaba
en el nuevo café que habían abierto en los bajos del palacio
de la Marquesa, donde habitaba ahora Marisa Villarreal. Marisa había tenido que ceder, por fin, alquilando la parte inferior del palacio, porque, según todos decían, la vida encarecía
por minutos. Era un café amplio y muy bonito, con divanes de
terciopelo rojo, grandes espejos y veladores de mármol, limpios y pulidos; tenía unas bolas plateadas donde los cama-
reros tiraban las servilletas sucias, quinqués en las paredes
y una gran lámpara central, de muchos brazos. De noche,
cuando se abrían sus puertas, una nube espesa escapaba por
ellas, para mezclarse con la lluvia o la niebla.

Juan fué de los que pidió coñac. Le bebía en silencio y
apenas hablaba. Pero, al final, salía tambaleante de las reuniones, y, al llegar a casa, sus altercados con padre amenazaban
derribar los muros del Palacio. Praduco acabó prohibiéndole ir
por allí.

—A tu padre no le gusta, y ya sabes... No quiero líos con
tu padre. Ya los tuve una vez y... preferiría no verte por aquí.

A consecuencia de la discusión que aquella noche mantu-
vieron mi padre y mi hermanastro, Juan fué enviado interno
al colegio de los Padres, en Villacorrida, a no muchas leguas
de la ciudad. Yo conocía el colegio, porque en Villacorrida tenían su casona los Velasco, parientes, como todo el que se es-
timase, de los Ponte y más carlistas aún que ellos. Era una
casa grande, con una escalera tallada, como una joya, y un
artesonado primoroso, que el tiempo había respetado. La fachada tenía un balcón voladizo, dos grandes escudos, y estaba
muy labrada, como la de algunas iglesias; el parque se extendía tras ella, añoso de árboles, tan húmedo y tan bello como
el de Santifría. Si se la miraba de frente, parecía un castillo,
por dos grandes torreones que se alzaban en el extremo de las

tapias, con una sola ventana, muy chica, como tronera, por la
que, sin cesar, entraban y salían las palomas.

El colegio se alzaba un poco más allá, y era moderno, frío,
grande y feo. Tenía muchos huecos en la fachada, todos iguales, y daba la impresión de una cárcel. A través de sus rejas se
veía parte del patio, gris y pelado, donde jugaban unos muchachos con delantal, y donde unos frailes, vestidos de oscuro,
iban de aquí para allá, paseando.

Madre y yo acompañamos a Juan hasta el internado. Llevaba su ropa a los pies, como un emigrante. Fué entonces
cuando caí en que mi hermanastro tenía alma de emigrante
y adiviné que estaba irremediablemente abocado a ello; que
su valor, su rebeldía, su fortaleza y aquella especie de humilde
tenacidad que le caracterizaban, eran los mismos que llevaban
los mozos al otro lado del mar, los hacían trabajar, de la
mañana a la noche, en los más humildes menesteres, y los
empujaban, poco a poco, hacia la fortuna. Y, aunque mi padre no quisiese, aquello se debía en gran parte a él, que emigró
también de su tierra, y que se quedó, a la orilla de acá, como
si alguien le hubiera sujetado al dar el salto. Por eso nada de
lo que sucedió después me cogió de nuevas. Al ver a mi hermanastro, que nos decía adiós, junto al superior, sentí mucha
pena y un vacío muy grande. Creo que ni siquiera madre lo
supo entonces, pero yo comprendí claramente que le habíamos perdido.

La vida continuó en el Palacio, más vacía aún sin él. Padre
y madre casi no cruzaban palabra. Y en los ojos de madre
latía algo así como una angustiosa pregunta, y, si la hablába-
mos de repente, se desconcertaba y no sabía respondernos.
Otras veces gritaba como loca a las gemelas, que retrocedían
asustadas y terminaban por huir.

Creo que fué en esta época cuando María se puso en relaciones con Jorge Santa María y López, hijo mayor del cintero, que despachaba también en la tienda. Nada supimos
al principio, porque entonces no era como ahora, que todo
está permitido, sino que un muchacho y una muchacha debían someterse a normas muy estrechas si querían llegar,

sin mayores impedimentos, hasta el altar. Además, estaba de
por medio el luto por tío abuelo Juan. Fué un luto ostentoso,
que alcanzó, por más o menos tiempo, a toda la ciudad. A unos,
porque eran parientes de los Ponte; a otros, porque presumían
de serlo. Durante algunos meses pareció que un bote de pintura negra, de los que Praduco vendía, hubiese caído sobre
los trajes de las más distinguidas familias. La primera semana
se rezó el rosario en su casa, que, pese a rebosar gentío, olía
ya a soledad. Las plegarias resonaban en las habitaciones con
un son retumbante, que se perdía por los corredores y las
salas, hasta las bohardillas. Cuando se leyó el testamento, se
supo que, como ya suponíamos, tío abuelo Juan no había dejado más que deudas. Los acreedores se echaron sobre sus
escasos bienes y su Quinta fué puesta a la venta. Pero nadie
quiso, o nadie se atrevió, a comprarla, y sus ventanas se cerraron, los yerbajos invadieron el jardín y el agua de la lluvia
fué destiñendo el cartel que la anunciaba, colgado de la verja,
como un pregón.

Las relaciones de María con un comerciante fueron, en seguida comidilla de la ciudad. Nadie comprendió como padre
las consentía, y el asombro hubiera sido mayor de saber que padre no sólo no las reprobaba, sino que se alegraba de ellas. La
tarde que María, le confesó que veía al muchacho a la salida de
misa en los Carmelitas, le escuché reir, con su risa antigua, es-
truendosa y algo plebeya, que parecía habérsele muerto hacia
tiempo. La cogió en brazos, sentándola en sus rodillas, y no cesaba de reir, mientras repetía:

—Conque a la salida de misa, ¿eh? ¡Y pasearéis después!
Cogidos de la mano, ¿eh?

María protestó, con ruborosa indignación.

—¡Por Dios, papá! ¡Eso no!

Yo estaba, con madre, en la habitación vecina. Al oir reir
a padre, alzó la cabeza y quedó escuchando. Poco a poco su
expresión se fué volviendo muy dulce. Cuando esto sucedía,
madre me parecía una muchacha, tan joven como Esperanza
o como Aneli Séjournant.

Padre apareció en la puerta, con María de la mano. También él parecía haberse quitado años. Todavía riendo se dirigió hacia madre, que se levantó al verle venir.

—María está enamorada— anunció, y yo pensé que María iba a estallar, de puro enrojecida —. ¡Está enamorada del hijo de Santa María! ¡No de un duque, ni de un marqués, no! ¡Está enamorada del hijo de Santa María! ¿Oyes, Niña Rosa?

El nombre sonó como... no sé, como una vieja música, como un saludo que se esperó hace tiempo, como una voz que se creía perdida. Hasta María y yo percibimos esto, y María olvidó su rubor y yo recordé las noches del Palacio, cuando el cuarto de mis padres se llenaba de rumores, que sonaban con la misma cadencia que el nombre que padre acababa de aplicar a mamá. Los dos habían quedado pálidos y parecían ignorarnos. Padre repitió:

—Niña Rosa...

Estaban muy juntos. Padre temblaba y su rostro tenía una expresión tensa. Se tocaban casi cuando la Cabuca apareció en la puerta.

—El señorito Enrique del Real pregunta si la señora podría recibirle —dijo. Y, después, con el viejo acento de Santifría —: Te aguarda en la sala, Niña.

En un momento todo cambió. Padre se detuvo y miró a madre con una mirada interrogante. No sé qué querría preguntarle, pero su expresión partía el alma. Madre, en vez de conmoverse, pareció acometida de una súbita indignación. Diríase que padre, pese a no haberle dicho una sola palabra, la hubiese insultado. Se irguió, y, con un brusco movimiento de espaldas, salió de la habitación.

A partir de aquel día padre comenzó a dejarse llevar por los acontecimientos. Hasta aquel momento había intentado dominarlos, luchando contra ellos, y, así, pretendió reducir a mi hermanastro Juan, y resultar vencedor en la lucha que tenía entablada con madre. De repente, no se preocupó más. Lo miró todo, no diré que con indiferencia, pero sí con fatalismo. Al tiempo se volvió mucho más cariñoso conmigo, con Esperanza y con Rosina. Verle con mi hermana pequeña en brazos constituía todo un espectáculo. Rosina se le subía a los hombros, le enredaba el pelo y terminaba desabrochándole la camisa y soplándole por el cuello, Padre se estaba quieto y entornaba los ojos, como quien recibe una caricia.

Conmigo salía mucho. Dábamos largos paseos, en los que llegábamos hasta más allá del faro, o nos deteníamos en las boleras, donde los mozos probaban sus fuerzas y habilidad. A mí me gustaba el juego, y una bola bien "trabajada", ya fuese "a la mano" o "al pulgar", me parecía una de las cosas más serias que pueden darse en este pícaro mundo. Padre no entendía tanto como yo, pero también le gustaba mirar las partidas.

Recuerdo que cerca del puerto había una bolera, cuyo terreno se hundía algunos metros más bajos que el paseo. En ella solíamos detenernos, para mirar como se lanzaban las bolas, si iban a dar, certeras, al bolo primero de la fila del centro, o si se escuadraban, para buscar el emboque. A veces la bola atinaba tan de pleno al bolo, que quedaba como clavada, quieta y sin moverse del sitio. El público alababa.

— ¡Buen estacazo!

Otras, la bola subía, girando, en el aire, y con la clara intención de alcanzar el bolo en su parte superior. El público comentaba:

— ¡Tira a emboque!...

Un chaval pinaba los bolos, recogiéndolos del suelo. Al tiempo llevaba la cuenta de los derribados con un sonsonete cantarín.

— ¡Veintiunoooo...!

Para tirar a los bolos se adoptaban unas actitudes muy bellas, como las de las estatuas griegas, que lanzan el disco o la, barra. Especialmente el "birle", donde la bola debe tirarse más floja, se llenaba de belleza y gracia. Los jugadores llevaban los brazos remangados, tostados por el sol y muy morenos.

Al cabo de algún rato de contemplar el juego, reanudábamos el paseo. Padre caminaba en silencio. A lo último me cogía del brazo, con mucho cariño, y a mí me daba pena, aunque no acertaba a comprender lo que le sucedía.

La Navidad pasó sin que Juan volviera del colegio. Después

nos dió el gran disgusto, cuando se escapó de él y se vino andando hasta el Pico. Los frailes avisaron, muy asustados, y toda la casa se revolucionó con lo que le podría haber sucedido. Padre, sin embargo, simuló ignorarlo. Mientras madre se alborotaba, apurada, y los coches recorrían el camino entre Villacorrida y la ciudad, deteniéndose aquí y allá por ver si sabían de mi hermanastro, él se esforzó en llevar la vida acostumbrada, como si aquello no rezase con él. Fué a su despacho, trabajó hasta muy entrada la mañana y después bajó al Muelle a visitar el "Rosa de Santifría", que había atracado. Gerardo, Goyo y yo, que también habíamos acudido, como casi toda la ciudad, para admirarle, le vimos hablando con "Veneno", el práctico, que guiaba las embarcaciones por las corrientes y arenas de la bahía. Las conocía como nadie y jamás se le fué un barco al garete Era un hombre alto y delgado, con la cara muy arrugada y unos ojos pequeños y brillantes. Había rodado por los cuatro mares, hasta que envejeció y le entró la nostalgia de la ciudad. Tenía un lenguaje exclusivamente limitado a la mar y a sus accesorios: los barcos y el viento. Era bueno, receloso y conservador.

—Fondear, con dos anclas — decía —; que si una se rompe, la otra se salva.

Y también, mirando hacia los montes:

—Lluvia del sur y viento de la ría, cerrazón para todo el día.

Padre me pareció triste y cansado. Cerca nuestro vi a Cati Ceballos, con su ama, hecha ya una mocosa de once o doce años, y muy bonita, como una muñeca. Llevaba un sombrero rojo, que hacía juego con el lazo del traje, y que el viento traía a mal traer. En cuanto me vió, corrió hacia mí, y, empinándose sobre sus zapatitos, me dió un beso. Era una niña encantadora y me quería mucho. Se fué en seguida, porque otra de sus buenas cualidades era el no hacerse pesada jamás.

Un muchacho se dirigió, corriendo, hacia padre, y, una vez a su lado, le dijo algo. Padre estaba lejos, pero, no obstante, en aquel mismo momento supe que mi hermanastro Juan había aparecido. En efecto, así era. Juan se vino andando desde el colegio hasta la mina de Max, y, una vez allí, se presentó al tío. No volvería al colegio, le dijo, por nada del mundo. ¡Ya estaba bien de mandatos y disciplinas! ¡En él no mandaba nadie!

No mandaba, desde luego, y padre menos que nadie. Todos sabíamos que aquello terminaría mal, y que Juan se escaparía de casa, como se había escapado del colegio. Mejor dicho, lo sabíamos los pequeños, porque yo creo que ni madre ni padre se atrevieron a sospecharlo. Madre y Juan hablaban mucho, pero, como mamá apenas si cruzaba la palabra con padre, de poco servía que comprendiese a mi hermanastro. En la casa reinaba una tensión casi dolorosa, y las frases tenían un tono forzado, como si nadie se atreviese a exponer sus pensamientos.

—Pienso dar un baile por carnaval — dijo un día madre — ¿Qué te parece?

—Me parece bien — contestó mi padre —. Gracias a Dios, ya acabó ese dichoso luto por tu tío Juan.

—¿Quieres ver la lista de invitados?

—No. ¿Para qué? Ya sabes que no soy hombre de sociedad.

El luto por tío Juan había acabado, como todo en este mundo, por eterno que parezca, excepto para tía Elisa y tía Trinidad. En realidad nadie se acordaba ya del pobre tío abuelo, pero tía Elisa y tía Trinidad continuaban fieles a las leyes no escritas que regían el culto de los muertos en la familia Ponte. Aquello obedecía a una cronología ritual y a una gama cromática que iba del negro al gris. Tía Elisa y tía Trinidad vistieron velos y crespones negros, primero; trajes, medias, guantes, zapatos y sombrero negro, después; más tarde las medias fueron grises y el blanco se permitió hacer una tímida aparición en torno a los cuellos y en los puños; por fin, el gris se impuso, pero esto no les alegró el aspecto, ni mucho menos, sino que parecían cubiertas de ceniza. Tía Elisa hubiera deseado seguir el ejemplo de madre y aliviar un poco tan tétrica evocación, pero no se atrevía. Tía Trinidad la dominaba.

—¡Cómo eres, Rosa! — solía decir tía Elisa a madre, cuando, juntas, hablaban de tía Trinidad —. No sé si haces bien; te pones al mundo por montera.

—¡No me pongo el mundo por montera! —protestaba madre —. Pero tampoco estoy dispuesta a ponérmelo por mantilla, como ella quisiera. ¡La vieja luna con cuernos!

Los marineros no gustaban de la luna con cuernos, porque traía agua y temporales, y, cuando querían denigrar a alguien, le llamaban así. A veces madre hablaba como los marineros, como "Veneno" o como el viejo Padre Damián.

Creo que fué por darle en la cara a tía Trinidad por lo que preparó con tanto empeño aquel baile. Y acertó, porque fué decisivo para ella, y aun para la ciudad. Hasta el punto que, todavía, cuando se habla de "el carnaval", no hace falta añadir fecha alguna para saber que se trata del de 1883.

IX

Aquella noche, el Palacio no podía darme miedo. Eran las sombras del Palacio las que me asustaban, y aquella noche el Palacio refulgía como un gran brillante al que hubieran engastado en medio de la ciudad.

De todas las fiestas dadas en él ninguna tuvo tanto lujo y esplendor. Se limpiaron las arañas, se renovaron las alfombras, se frotó el suelo hasta dejarle como un espejo y cientos de plantas y flores ocuparon los salones. Los barcos de padre trajeron vinos franceses; botellas de cuello dorado y otras en las que el vino refulgía, con apagada tonalidad; botellas de extrañas formas y nombres antiguos, como los blasones. Y, con ellas, víveres exóticos, fríos, como la nieve rusa, o blandos como el viento de Perigord. Víveres que muchos de nosotros no conocíamos y de los que después supe que valían su peso en oro. Las cocinas se transformaron en un mundo febril y humeante, y los pasteleros de la ciudad trabajaron sin descanso, entre pirámides de nata y montañas de harina y azúcar. Aquello hubiera constituído el paraíso para Gogó, de no haberse transformado en un pobre ser, triste y abúlico, que apenas si cocia lo necesario para cambiar, todas las mañanas, la provisión de su escaparate.

Yo he dado después fiestas como aquélla, fiestas en las que, de intento, derroché como un loco, y por eso puedo comprender ahora toda la desesperación que había en ella. Cuando se es feliz se busca la intimidad; sólo cuando no somos felices, nos entretenemos en deslumbrar al mundo como un medio, caro y también inútil, de distraernos. Madre obró así y preparó su fiesta, como hubiera podido correr, hasta caer derrengada, o lanzarse a la mar, y nadar, nadar, hasta que casi no se viese la orilla y el agua la llevase y la trajera como a un madero. Enrique del Real dirigió la decoración del baile, y, a su lado, madre parecía más tranquila; a veces se llevaba la mano a los ojos y se los apretaba, como si le doliesen. Siempre calmó Enrique del Real a madre, y aún ahora, cuando los veo juntos, me hace el efecto de que, cuando la habla, esté aconsejando a una criatura, con su voz llena de cariño, pero que, no obstante, parece siempre a punto de detenerse en la mitad de cualquier frase, como si la tuviese miedo.

Cuando llegó el disfraz de madre, que representaba a Lady Hamilton, con su gran pamela, su escote redondo, sus lazos rosa y su cintura de avispa, Enrique del Real quedó mudo de admiración.

—Eres única, Niña —la dijo después—. Eres única, Rosa.

Rectificó en seguida y madre le dió un ligero golpe con la mano. Ahora se los da también, y parece que riñese a un niño díscolo.

Padre decidió vestirse de capitán mercante y tío Max de Harpagon.

— ¿No me llaman el avaro de la mina? —rió—. Quizá tengan razón...

Recuerdo que había dos orquestas y que las dos tocaban tras muchas plantas y flores, que las ocultaban por completo. Recuerdo que Marta y María vestían de holandesitas y que me hicieron pensar en dos tulipanes. Recuerdo que Jorge Santamaría estaba muy majo vestido de granadero imperial. A su lado, María parecía muy feliz, tan feliz que casi daba envidia verla, y Marta, que no se separaba de ellos, parecía muy feliz también, aunque, de vez en cuando, una sombra de preocupación nublase su semblante.

Desde lo alto de la escalera se veían las grandes puertas de hierro, abiertas, la plaza, iluminada, y los coches que pasaban, como en un desfile, se detenían un momento, para arrancar en seguida y dejar sitio libre a los que venían detrás. Las velas centelleaban en los candelabros, y, en los "apliques" de la pared, temblaban las llamas para arriba y para abajo. Las mujeres entraban, del brazo de los hombres, recogiendo las colas de sus vestidos, con el abanico en la mano y los guantes altos, hasta cerca del codo. Sólo las jóvenes se habían disfrazado, y, seguramente, mamá no dejó de notar que su traje estaba fuera de lugar. Pero le importaba un bledo. Creo que si alguien se hubiese atrevido a reprochárselo, se hubiera encogido de hombros y la hubiese llamado vieja luna con cuernos, como a tía Trinidad.

Pero podía estar tranquila, porque a nadie se le pasaba por la mente hacerlo. La ciudad entraba, un poco asustada, en aquel palacio refulgente, en aquellos salones que parecían no tener fin, bajo aquellas arañas de infinitos brazos, entre aquellas porcelanas, aquellos tapices, aquellos cuadros y aquellos cristales, que cantaban, si se les chocaba, como violines. Aquello era maravilloso y excesivo, y madre, en medio de todo ello, tenía el aire de un hada poderosa que lo mismo podía dispensar la fortuna que la desgracia. Creo que aquella noche la ciudad tomó miedo de madre y que se sintió a merced de su capricho. Y que, pese a que los vinos y licores circulaban sin cesar; pese a que las serpentinas cruzaban el aire y los confetis salpicaban rostros, escotes y trajes; pese a que el "bufet" reproducía, quintaesenciadas, las bodas de Camacho y que las orquestas acuciaban sin descanso a los bailarines, todos percibieron algo especial en la atmósfera, una gran tensión y una singular tristeza, que temblaba como las llamas.

O, quizá, sólo fuese aprensión mía. Aquélla era mi primera fiesta oficial y vestía de Pierrot. No era muy original el disfraz, pero ¡qué le vamos a hacer! Mamá me permitió invitar a Goyo y a Gerardo, que vino con Aneli. Aneli vestía de María Antonieta y la peluca blanca la hacía parecer más pálida. Me sonrió distraída.

—¡Hola, pequeño! —dijo, y, en seguida, avanzó hacia el fondo del salón. Detrás dejó un perfume tenue y persistente; el perfume de Aneli.

En lo que a mí respecta aquella noche fué un fracaso. Di varias vueltas, desorientado, por los salones, y miré bailar a mamá y a Enrique del Real. Después me acerqué al "bufet".

— ¿Solo, muchacho? — me preguntó mi padre. En seguida añadió —: Anda, bebe, ¿quieres?

También estaba solo; en medio de aquel tropel que entraba y salía sin cesar, vaciaba, apresurado, las copas, reclamaba nuevas botellas, y hacía, por minutos, subir la animación. Ni siquiera Max estaba con él. Obedeciéndole, tomé una copa. Él levantó la suya y me miró a los ojos.

— A tu salud, hijo — brindó —. Porque seas muy feliz y nunca te muerdan las serpientes dentro. — A continuación añadió, mirándome como solía mirar a madre —: Estás muy guapo...

Pensé si no habría bebido demasiado y confirmé mi temor al ver que se servía de nuevo. Tras beber con mano firme, miró en torno.

— A esa Aneli — me preguntó — ¿la conoces bien?

— ¿Bien? ¿Qué quieres decir?

Con la copa me señaló el ventanal, que daba a la terraza. Era muy amplio y permitía ver buena parte de ella, con sus plantas, sus enredaderas, sus jarrones de alabastro y sus losas de mármol. Algunas parejas, deseosas de huir del bullicio, se habían refugiado allí. En el rincón más oscuro, Esperanza y Aneli charlaban, abrazadas. Mejor dicho, era Esperanza la que tenía abrazada a Aneli y la que se inclinaba sobre ella.

— Sí, está ahí, con Esperanza — dije. Después añadí, tontamente —: Van a tener frío.

Las gentes gritaban alborozadas, porque habían dado comienzo los juegos, para los que había grandes premios Padre bebió otra copa.

— La vida es una cosa extraña, hijo — me confió —. Una cosa extraña y mucho más triste de lo que creemos.

Volvió a mirar a Esperanza y Aneli. De pronto todo aquello me pareció sucio y miserable, incluso mi padre, martirizado por quien sabe qué torvos pensamientos. Hubiera deseado gritar, correr, huir de allí, y dejarle, mirando al ventanal y apurando copa tras copa. Pero no podía.

De pronto le vi erguirse. Literalmente saltó, como las culebras cuando se disponen a atacar, y recorrió el salón con ojos relucientes. No era muy alto y no veía bien por eso.

— ¿Y tu madre? — aulló casi —. Hace un rato que no veo a tu madre. Y tampoco a Enrique del Real. ¿Dónde está tu madre?

"¡Mamá no!" hubiera gritado de buena gana. Padre manchaba aquella noche todo lo que hablaba. Pero, cuando se fué, no me atreví a mirar hacia el ventanal.

A mi vez busqué a madre. No la vi, como tampoco a Juan ni a Enrique del Real. Max bailaba en medio de un grupo de máscaras. Con sus ropas destrozadas y su cómica nariz parecía, más que nunca, un payaso.

El Palacio estaba lleno de un bullicioso estruendo, que subía y bajaba, como cuando se escucha la música tapando y destapando los oídos. Algún grito resaltaba aquí y allá, algún golpe de carcajadas, pero, aparte de esto, el estruendo era algo unido, sin relieve, como una carrera de potros. Junto a él, se distinguía el de la calle, parecido pero distinto, más lejano. La ciudad parecía haber enloquecido aquella noche, y, a través de los ventanales, se veían cruzar máscaras con antorchas, y otras que bailaban en el centro de la plaza, en torno a una hoguera. Cuando, siempre en busca de madre y de Juan, salí al recibimiento, las distinguí más claramente, a través de la puerta. Las máscaras saltaban, corrían, daban vueltas muy rápidas; algunas avanzaban, a cuatro patas, hasta los leños encendidos, como si se dispusieran a cogerlos con los dientes. Y, desde lejos, venían más gritos, más canciones, y el resplandor de más hogueras, que centelleaban sobre los edificios.

Lentamente subí la escalera. Los criados, con su calzón corto, su librea, sus medias blancas y sus zapatos de hebilla, que recordaban los de las amas, permanecían inmóviles; al fondo, en el rellano, se veía el tapiz, de un verde oscuro, como la selva. La alfombra estaba cubierta de confetis y serpentinas; algunos de ellos habían caído sobre los criados, sin que por ello se alterase su corrección. Muchas gentes, pobres y boquiabiertas, se agrupaban a las puertas del Palacio para ver algo de la fiesta y escuchar las músicas. Yo subí los escalones sintiendo sus miradas a mi espalda. Cuando llegué al primer piso, escuché la voz de Marta.

— ¡Arturo! ¡Espérame, Arturo! ¡Espérame!

Me detuve para esperarla. En aquel momento me hacía bien la compañía de Marta, y su presencia, llena de bondad. La cogí, por eso, del brazo, y la sentí temblar. Cuando la miré a los ojos, vi que en ellos cuajaban unas lágrimas chiquitas y apuradas.

— ¿Qué te sucede? — la pregunté. Después, en broma, añadí—: ¿Has bebido demasiado?

Pero, inmediatamente, comprendí que no era momento para bromear. Marta sabía algo. Convencido de ello no la miré ya como a una muñeca asustada, sino que quedé pendiente de sus palabras.

— Padre — dijo Marta —. ¡Está como loco! ¡Ha pegado a la Cabuca!

— ¿Que ha pegado a la Cabuca? ¡Explícate! ¡No te quedes callada, por favor! ¿Por qué la ha pegado?

— La Cabuca le dijo que tu... que mamá se había escapado con Enrique del Real.

— ¿Quién? ¡Mamá! ¡Pero, mujer!

La cosa me pareció tan absurda que me eché a reir. En seguida mis risas cesaron. Callé, mirando a Marta, como puede mirarse a un mensajero que nos trae noticias del otro mundo. Al tiempo un gran frío me invadía; un gran frío, una gran debilidad y un gran deseo de sentarme en los últimos escalones, sobre las lámparas que refulgían, deslumbradoras, sobre los bailarines, que iban y venían, sobre las plantas, las flores y la silenciosa fila de criados. La fiesta quedaba abajo y Marta y yo nos movíamos en un mundo silencioso, lleno de sombras, a cuyo fondo las ventanas dejaban pasar una luz muy blanca y sin temblores.

— ¿Qué dices, Marta? ¿Que padre...?

— Sí...

— Pero... ¿Cómo lo sabes?

— Verás; yo había bajado a la cocina para refrescarme. Hay mucha gente aquí y los lavabos estaban ocupados. Además, me sentía cansada. Bueno, el caso es que bajé. Y, cuando empujaba la puerta, les oí hablar.

— ¿Qué decían?

— Ya te lo dije. Padre la preguntaba por mamá y la Cabuca decía que se había escapado con Enrique del Real, que estaba harta de él, harta de la casa y harta de nosotros. Y que se había ido.

La sentí temblar y pasé un brazo por sus hombros. Apenas si me llegaba al pecho.

— ¡No es verdad, Marta! ¡Te aseguro que no es verdad!

— Ya lo sé. Mamá y Enrique del Real se fueron con Juan.

— ¿Con Juan?

— Espera. Al oir a la Cabuca retrocedí, asustada. Entonces sentí el golpe de un cuerpo que cae al suelo y vi salir a padre como loco. No me vió, y echó a correr, escaleras arriba. Yo, entonces, me dirigí a la Cabuca, que continuaba en el suelo. Parecía muerta, pero tenía los ojos abiertos y miraba hacia la puerta, por donde padre se había marchado, con mucho rencor.

— ¿Qué hiciste?

— La hubiese pegado también. ¡Dios me perdone, pero la hubiese pegado! Era un bicho sucio y lleno de odio, una mujer mala que nos odia a todos. Al verme llegar, se encogió, creo que para evitar que la tocase. Pero yo no estaba dispuesta a dejarla escapar.

— ¿Qué es lo que has dicho a padre? —la pregunté—. Tú sabes que es mentira.

— Y ella, ¿qué hizo la Cabuca?

— Se rió. Ya sabes cómo ríe, sólo que entonces fué peor. Yo creo que está loca. Se rió y me dijo:

— ¡No perderá la mujer, no! ¡Tiene enchochecida a la Niña! Pero perderá el hijo. ¡El hijo se le va, ye; se le va sin remedio!

Al escuchar a Marta comprendí que la Cabuca hablaba de la fuga de Juan. Lo comprendí con una claridad deslumbradora, y, al mismo tiempo, comprendí que nada podía hacerse, que la partida de Juan era algo tan fatal e inevitable como la lluvia o las estaciones. Marta se estremeció.

— ¡Cómo odia a padre esa mujer! ¡Cómo nos odia a todos, a los de la Primera!

También ella la llamó así, como la llama toda la ciudad. Aunque era su madre, la llamó así, y yo la comprendí perfectamente. En voz baja le pregunté:

— ¿Y padre? ¿Qué hará padre?

— ¡Qué sé yo! —me repuso—. Iba cegado.

No dijo más, y los dos callamos. Habíamos llegado al extremo del corredor, bajo el ventanal que alumbraba la luna. Allí nos sentamos, acurrucándonos en un rincón, como hacen los pobres en los quicios. Lejos sonaba la música, los gritos y las risas. Las sombras del Palacio se espesaban en torno nuestro.

Siempre me dieron miedo. Siempre las noches del Palacio fueron portadoras de un mensaje de terror para mí, pero ninguna como aquélla. Marta y yo estábamos cercados por las sombras, mientras la vida continuaba fuera de nosotros, y las horas corrían, una tras otra, cada vez más despacio. A través del ventanal divisábamos la plaza, las máscaras, que danzaban en torno a la hoguera, las gentes, apretujadas frente a la puerta, por la que ya comenzaban a salir las primeras parejas. Desde arriba pude ver que hablaban muy excitadas, y no me extrañó; la repentina desaparición de los principales protagonistas de la fiesta daba pábulo a toda clase de comentarios, aun en un medio que fuese menos aficionado a ellos de lo que la ciudad era. Los coches se acercaban, se detenían un momento, tornaban a partir; un criado, con el quinqué en alto, los alumbraba. Los coches, las señoras enjoyadas y cubiertas de pieles, las máscaras, las gentes, pobres y admiradas, se movían sin ruido, y las mismas orquestas sonaban lejanas y apagadas. Sentí bisbisar a Marta y supe que rezaba.

El último coche partió y las luces del Palacio se fueron apagando. Cogí el brazo de mi hermanastra.

— Ven —le dije—. No podemos quedarnos aquí; debemos dar sensación de normalidad...

Mientras bajábamos escuchamos un ruido; la puerta del Palacio se cerró. Era una puerta grande y fuerte, de hierro.

Pedro Quejada, el antiguo herrero, no la hubiera fundido mejor.

Los criados apagaron las velas y dieron vuelta a las llaves de las lámparas. Marta y yo nos quedamos solos, en los salones, abandonados, sucios, cubiertos de serpentinas, confetis, flores mustias y vasos rotos. Todo era feo y cansado. Esperanza cruzó, con los zapatos en la mano.

—No puedo más—nos dijo—. Esperad vosotros a los padres. Yo... no puedo.

Una idea pasó por mi mente.

—¿Dónde está Max?

—No sé, se ha ido—me contestó Esperanza—. Dijo que iba a buscar a papá y a mamá Adiós.

Marta se volvió hacia mí y me cogió la mano, sin duda para darme ánimos. Yo la vi tan frágil y diminuta, que me dió pena. Le dije:

—Anda, vete a acostar. Max los encontrará, estáte tranquila. Todo esto no será nada, imaginaciones tuyas.., bueno, nuestras. La Cabuca está loca, tú lo has dicho. Anda, vete a acostar.

—Sí, claro, claro. ¿Y tú?

—Yo esperaré. Si algo pasa. lo sabrás en seguida.

—Sí, pero...

Comprendí que tenía miedo también. Que le asustaba la soledad de su cuarto; ver correr las horas; alumbrarse. indecisa, la mañana. Que, quizá, también a ella, como a mí, la hubiesen cercado alguna vez las sombras del Palacio. Pero debía irse, dejarme solo.

—No seas tonta, Marta. Buenas noches.

—Buenas noches, Arturo.

Llegaba ya al rellano cuando las máscaras de la plaza comenzaron a correr. Lo hicieron de pronto, como si saltasen. Movían mucho los brazos y chillaban de tal modo, que, a pesar de estar cerrada la puerta, sus gritos llegaban claramente hasta nosotros. Por todas las callejas asomaban máscaras corriendo, y mujeres con las faldas remangadas, y hombres muy excitados, y hasta perros. Algunas ventanas se encendieron y la noche se llenó de nuevos gritos.

Sentí el brazo de Marta en el mío y el hálito de su voz.

—¿Qué pasa, Arturo?

—No lo sé, Marta... Nada bueno, sin duda.

Las máscaras corrían hacia el Muelle. Se sucedían unas a otras y cruzaban, como exhalaciones, la plaza. Parecía que, en vez de acudir hacia algo, huyesen. De repente vimos que se detenían, y que algunas hacían ademán de retroceder. Por la calle que daba al Muelle avanzó un grupo con un hombre en brazos. Iba mal herido y otras máscaras se agrupaban en su torno, silenciosas y asustadas. Un poco más atrás, Enrique del Real llevaba a Gogó, sujeto por el brazo.

Sentí como Marta murmuraba:

—¡Señor, si los padres se salvan te prometo consagrarme a tu servicio! ¡Profesaré, Señor, profesaré, pero sálvalos...!

El grupo cruzó junto a la hoguera y su resplandor iluminó al herido. El Mirlo estaba muy pálido. Caído en brazos de las máscaras, parecía un pelele que el viento derribó.

* * *

Mis padres llegaron bien entrada la mañana. Juan, mi hermanastro, había partido, embarcado en el "Rosa de Santifría". Partió como un emigrante, como tantos hacían cada jueves y cada viernes. Así debía ser y así fué. Madre conocía sus proyectos hacía tiempo, y, al comprobar que no podía impedirlos, le ayudó en su huída, con la complicidad de Enrique del Real, el pobre Enrique del Real, que no tenía alma para negarla nada y del que padre sintió tan injustificados celos después de hablar con la Cabuca. Padre acudió al barco, pensando sorprenderlos, y por eso pudo despedirse de su hijo. Enrique del Real aguardaba en el puerto, y, una vez que el barco hubo partido, volvió solo hacia la plaza (1).

Ante sus ojos mataron al Mirlo. Le mató Gogó, el

_____

(1) Ver EL AGUA AMARGA del mismo autor y publicada por la misma Editorial.

pastelero, que se había emborrachado aquella noche hasta casi morir, y que se disfrazó... de él mismo, con una careta que reproducía sus facciones y un cartel que decía:

"Soy el c... de Gogó."

Gogó bailaba como un loco, rodeado de mascarones, mujerzuelas y borrachos, que reían a más no poder la sangrienta parodia. Cuando el Mirlo, que venía de francachela, se acercó a él, le apuñaló. Le apuñaló sin decirle nada, tras haberse quitado la careta, y en los ojos del Mirlo, hasta el momento de morir, hubo una mirada de infinito terror.

Todo eso lo supimos a la mañana siguiente, porque la ciudad, sobrecogida, habló de ello hasta los últimos detalles. Era un tema sabroso y excitante: Gogó había matado al que fué amante de su mujer cuando ya nadie se acordaba de semejante historia. Los cornudos no olvidan, fué el comentario general, porque la ciudad, como todas, era cruel y malintencionada. Y Gogó fué encerrado en la cárcel vieja y la ciudad se refociló a fondo en aquella pocilga del crimen de Gogó y de los antiguos devaneos de su esposa, la Carlota.

También se refociló en el hecho, mucho más escandaloso todavía, de que Juan Pardo y su mujer, borrachos perdidos, hubiesen pasado la noche en una habitación de la Casa Rosa. Y no había duda de ello, porque no sólo se les vió entrar, en lo que podían equivocarse los testigos, sino que las siete Ceballos les vieron salir, abrazados y muy juntos, cuando acudían a misa a la Catedral.

Sí, la ciudad tuvo motivos más que suficientes para el comentario y se explica que, cuando habla de "el carnaval", lo haga siempre del de 1883. El año en que terminó la sorda lucha que sostenían mis padres, y en el que, felices como nunca, decidieron la construcción de villa "María Rosa".

—

LA CATÁSTROFE DEL «CABO MACHUCA»

I

A la orilla del mar se alza un monolito. Está en una de las
últimas machinas, entre ella y las casas, justo donde la multitud se agolpó para ver cómo ardía el barco. Se creyó que no
había peligro, y, en verdad, la lucha de los marineros contra
las llamas, los grandes chorros de agua que vertían las mangas
y el rubio desparramarse de los sacos de arena, eran dignos
de verse. El barco ardió en pleno día, y, a veces, sus llamas
no se distinguían, porque la claridad era mucha; otras, en
cambio, grandes nubes de humo cubrían el agua, y se elevaban, atormentadas. La población en masa acudió para contemplar el incendio del "Cabo Machuca", y los muelles volvieron a animarse como antaño, cuando cada llegada de un
velero constituía un acontecimiento, y la "Fragata Ruiz", la
"Don Jorge" o la "Montañesa", abatían su trapo, casi reve-
renciosamente, como si saludaran a la ciudad.

El monolito es muy sencillo. Por una vez, la ciudad de
Pradilla y "El Atlántico" — el escritor y el periódico que más
fama y más retórica acumularon —, la ciudad de las galernas
y de los grandes incendios que avienta el Sur, apiló, simplemente, una piedra sobre otra, y grabó una fecha en ellas. Y,
aun cuando el monumento no pretende llamar la atención,
todos se detienen ante él, y, sin levantar mucho del suelo, parece que se le viese desde las cuatro esquinas de la ciudad;
desde el Astillero, desde las Alamedas, desde los Pinares y
desde el Alta.

Era un día de sol aquel en que el barco saltó por los aires;
un hermoso día como sólo se disfrutan en mi ciudad, cuando

el nordeste juega con las hojas de los chopos, el cielo se despeja de nubes y la gloria del Señor desciende sobre los prados y las aguas de la bahía. Son días de especial transparencia y los montes se recortan, nítidos, hasta el último pico, que está muy lejos y pertenece al macizo central; las gaviotas planean en el aire y los niños juegan en los jardines. Hay ya jardines en el Muelle, donde las fuerzas vivas hablan de levantar una estatua a Pradilla, que se la merece, sin duda, por su constancia en novelar los asuntos de la ciudad. En estos jardines juegan los niños, pasean los soldados y las amas celebran sus tertulias. Cuando llueve, las gentes se refugian bajo los soportales, en lo que llamamos los Arcos, añadiéndoles después los apellidos más calificados de la ciudad: los Arcos de Ceballos, los Arcos de Solano, los Arcos de López de Ansina...

Recordé mucho estos arcos cuando fuí a estudiar a Alemania; sus pilares, sus curvas, la sombra que bajo ellos reinaba. Se extendían por la plaza que padre mandó construir, y más allá, hasta la iglesia de la Compañía. No sé por qué, pero fué su recuerdo el más presente para mí durante aquella época sin grandes preocupaciones, ligera como un canto; como un canto de Cati. Cati no cantaba bien; no, sinceramente, no podía decirse que Cati cantase bien. Pero ponía tanto ardor y tanta alegría en sus cantos que resultaban contagiosos y se terminaba, invariablemente, cantando con ella. Cuando fuí a Alemania era ya crecida, con trece años o más, delgada y alta. Pero, en contra de lo que con otras niñas sucede, no se volvió desgarbada, ni se le afiló la nariz, ni su cutis se cubrió de indiscretos puntitos negros. Lo que las señoras de la ciudad, con experiencia de viejas cluecas que rivalizaban en el número de sus polluelos, llamaban la "edad peligrosa", no contó para Cati. No era hermosa, pero jamás perdió su gracia. Y, aun ahora, esta gracia me conmueve muy hondamente.

La imagen que me llevé de Cati a Alemania se recorta bajo los soportales de la plaza, a los que las gentes llaman ya los Arcos de Pardo. Era el día de mi partida y mis maletas y baúles se amontonaban en el coche. Yo me subía las solapas del abrigo y sujetaba mi gorra, esforzándome en no parecer emocionado. Madre descendió las escaleras, con la cabeza inclinada y su gran sombrero tapándole el rostro, y padre lo hizo tras ella, más de prisa, para llegar a tiempo y ayudarla; tío Max decía no sé qué al cochero. El coche esperaba ante el Palacio y Rosina era la única de mis hermanas que venía con nosotros. Esperanza y María sólo acudirían a la estación, porque se debían a sus maridos, y, en cuanto a Marta, desde luego que estaría rezando por mí, pero en el convento. Juan no iba a cruzar el Atlántico sólo para decirme adiós. En pocos años, nuestra familia se había reducido notablemente: en realidad sólo Rosina y yo quedábamos en ella, y Rosina tampoco parecía que fuese a afincar definitivamente. El mejor día — el mejor, desde luego, y ni Rosina ni el mayor de los Aznar pretendían negarlo — se casaría y mis padres se encontrarían otra vez solos, porque ya se sabe que un hijo no es mucha compañía.

Cuando subíamos al coche, Cati cruzó bajo los Arcos, muy seriecita y modosa, con su misal en las manos. Al vernos, se detuvo y corrió hacia mí. En un dos por tres estuvo a mi lado y me miró con pena. Nunca supuse que mi marcha pudiera entristecerla de aquel modo.

— ¿Te vas? — me preguntó —. ¿Ahora?

— Sí, monina — repuse distraído —. Me voy.

— Y... ¿tardarás mucho en volver?

— ¿Qué sé yo? — volví a contestar, mientras padre me hacía señas desde dentro del coche —. Dos años o tres, no sé. — Después, al verla tan triste, añadí —: Cuando vuelva ya serás una señorita, Cati.

Me incliné para besarla y sus lágrimas me humedecieron las mejillas. ¡Qué demonio de cría!

El recuerdo de Heidelberg es uno de los más gratos de mi vida, aunque allí me llamaron, por primera vez, cobarde. Me lo llamó Groux, el profesor, y tenía razón. Hay que reconocer que tenía razón.

Groux me pareció un sereno y tranquilo viejecito la primera vez que le vi. Era profesor del Gran Hospital. El hospital estaba en las afueras de la ciudad, cerca del río, pasado

ya el puente de ladrillo, con sus estatuas de piedra caliza,
guardadas en hornacinas, como si fuesen vírgenes o santos.
La ciudad se extendía, a partir de él, hasta los fosos del castillo que defendió Lisa Lota. Todos conocéis Heidelberg, o, si
no, le habéis visto en algún grabado; un romántico grabado,
con el Neckar dormido bajo los puentes, el castillo almenado
de luna, y las tranquilas "stube", y la Virgen, que da al viento
su corona de oro en la Plaza del Corne Marck. Todo esto no se
ve, pero está dentro del grabado. Y le remata la leyenda:

"Ich habe mein Herz in Heidelberg verloren"

Yo no perdí mi corazón en Heidelberg. Pero, todavía, cuando, en el mesón de Puente Álamo, siento correr el río entre
los juncos; cuando una música viene de lejos, o, simplemente,
cuando la luna asoma sobre los árboles de villa "María Rosa",
vuelvo a vivir la belleza de Heidelberg, sus tradiciones, sus
cantos, hasta las amarillentas fotografías de sus tabernas,
clavadas en los muros como tarjetas sentimentales. Y veo al
profesor Groux cantando el "Gaudeamus" al extremo de la
mesa, y los jarros, de loza azul y tapaderas de cinc, y el reloj
de cuco que marca las horas. Y después, en mi casa de la colina, escucho el violín de Peter, y los terribles y desafinados
cantos de Hans, y hasta siento el olor de las salchichas fritas,
y el agrio de la "Saverkraut", que Frau Luta sacaba de un tonel,
utilizando un perol de mango largo, con el que parecía pescar.

En realidad, fuí muy feliz entonces. Si tuviese valor para
ello, cogería a Cati, y, a través de los antiguos, silenciosos
callejones, subiría hasta la casa donde me hospedaba y buscaría el fantasma de lo que fué la mejor época de mi vida.
Y estoy seguro de que, al abrir la ventana, contemplaría-
mos el mismo panorama de viejas tejavanas, las doradas imágenes, las muestras barrocas, las piedras de color ceniza y la
cinta azul del río entre el apretado verdor de la primavera.
Y que escucharíamos una música como la de Peter y unos cantos como los de Hans y que otra Frau Luta nos serviría las
pequeñas salchichas, que desprendían una agüilla turbia al

partirse, y la verdura fermentada, agria y mala de comer si no era previamente aderezada con mostaza.

El profesor Groux, al que iba recomendado por Max, me ofreció su casa, con todo lo que en ella había. Habitaba una pequeña villa de dos pisos, más arriba del casino, rodeada ya por los abetos. Tenía delante un panorama encantador y las ventanas se cerraban con maderas pintadas de verde y caladas de corazones. Cuando las plantas florecían y las enredaderas se cubrían de hojas, la casa era muy alegre; si no, la nieve la entristecía un poco, y también las ramas, peladas, oscuras, color carbón, y los troncos, como sarmientos secos. El profesor Groux vivía en ella con Hermine, su única hija, una muchacha rubia y muy hermosa. Toda la casa estaba tapizada materialmente de libros, y, si algún hueco había entre ellos, era para dejar espacio a los cuadros, a las estatuas, a los títulos honoríficos y a los retratos. Había muchos, como en la pequeña cervecería, desde los daguerrotipos hasta los más modernos, de cartón y amarillos, color de rosa de té. El profesor Groux, muy aficionado a la fotografía, amaba eternizar sus recuerdos y parecía feliz rodeado de ellos. Era un viejecito menudo, con el cutis pálido y el pelo ondulado en grandes ondas; cuidaba mucho sus manos, y sus uñas, y se mostraba muy atildado en el vestir. Siempre se rodeaba de los discípulos más jóvenes y ejercía un curioso atractivo sobre ellos. Pero había algo extraño en él. Sí, desde luego, había algo extraño en el profesor Jurgen Groux Stolz; esto se percibía desde el primer instante.

Hermine era su hija y nunca me habló de su mujer. Su imagen estaba allí, naturalmente, como todo lo que importó en la vida del profesor Groux, dibujada al pastel por algún artista concienzudo y no demasiado inspirado. Aun así, no dejaba de apreciarse su hermosura, aunque, cosa que nos sucede siempre con los retratos de otra época, me pareció mucho mayor de lo que en realidad era. Al profesor Groux no le gustaba que la mirásemos, y, en cuanto a Hermine, no parecía sentirse muy apenada por la falta de su madre.

—Murió joven—solía decirme—. No la recuerdo: ¡Y papá es tan cariñoso!

Detrás de la casa había un pequeño jardín, cerrado, en el que el profesor Groux había ido colocando muchas piedras antiguas, capiteles y arcos tronchados, como ruinas, bustos y dioses adolescentes. Semejaba un claustro, con sus cipreses y su yedra. En el centro asentaba el brocal de un pozo, y las palomas del castillo acudían a él para beber, porque era muy tranquilo y el profesor Graux jámás las asustó.

Hermine me atrajo desde el primer momento. En cuanto a ella, dejó ver claramente desde el comienzo, que se había enamorado de mí. El primer día que nos quedamos solos me dijo ya que era muy guapo. Me lo dijo junto al pozo, sencillamente, y yo sentí una especie de íntimo rubor, aunque, lo reconozco, me halagase la franca admiración de la muchacha.

—Sí, eres muy guapo—repitió—. Te pareces a tío Jurgen

No era ninguna coincidencia, desde luego. Si fuí a estudiar a Heidelberg, recomendado al profesor Groux, es porque éste era pariente de Jurgen, y hasta se llamaba como él; Jurgen Groux Stolz. En la biblioteca había un dibujo de Jurgen, que yo contemplé con curiosidad. Era rubio, muy correcto de perfil y de aire soñador; tal como el artista le reprodujo, con el cuello al aire y la cabeza vuelta, recordaba a Lord Byron.

¿De modo que aquél era Jurgen Stolz, el héroe de nuestros cuentos, la continua obsesión de tío Max? Algo unía a tío Max y al profesor Groux, pese a ser tan diferentes; algo subterráneo, que no podía percibirse bien, pero que existía, sin duda, como existe algo que da perfume al viento o color a la tierra. Cuando el profesor Groux hacía una cita, yo recordaba el curioso modo de hablar de tío Max, como hablan los libros. También al profesor Groux gustábale mirar el retrato de Jurgen y analizarle, como si se encontrase en su sala de Fisiología.

—Era muy guapo—comentaba, con el mismo tono de su hija—. Pero se asustó.

Después añadía:

— El corazón, que está lleno de miedo, ha de estar vacío de esperanza.

Sonreía un poco y me hablaba como a uno de sus discípulos.

— La frase es de un español: de Fray Ladrón de Guevara, un fraile español. ¿Cómo tenéis tantos frailes en España?

Cuando paseaba por el jardín posterior de su casa, envuelto en los últimos rayos del sol, pequeño y cuidadosamente delicado de ademanes, también él parecía un fraile; un pequeño frailecito.

Como digo, Hermine fué pronto amiga mía; en seguida fué algo más. Aunque, en realidad, ¿fué algo más? Pienso que en la entrega de Hermine hubo mucho de instinto natural. Su padre la había criado sin freno ni educación alguna; le dió una gran cultura y ninguna fe.

— La fe es la que proporciona al hombre la facultad de dudar — decía el profesor Groux. Y, como en todo lo que decía, el conocimiento de este hecho semejaba volverle particularmente melancólico.

Hermine era demasiado joven para ser triste y demasiado buena para ser escéptica. Pero se enamoró de mí. Se enamoró del príncipe de los Pardo, o, por lo menos, de lo que ella creía ver en él, y se entregó sin dudas ni engaños. Pese a su gran talento, daba la sensación de ser enormemente elemental. Quizás ello se debiera a que los Groux carecían de prejuicios; tenían un código especial para el bien y el mal, en el que la moral no contaba para nada.

Ellos me proporcionaron mi alojamiento, en la vieja pensión bajo el castillo, cuyas habitaciones daban todas a un patio central, con columnatas de piedra y grandes vigas que sostenían los miradores. Las habitaciones eran pequeñas, abohardilladas y, en su esquina, se encendía una gran estufa, de loza a veces, a veces de ladrillo y azulejos. La mía era de porcelana; una gran estufa de porcelana blanca, sobre la que el agua de un puchero hervía mansa y regularmente; glu, glu, glu, glu... Este rumor me acompañaba como el de una respiración. Algunas noches Hermine y yo subíamos de puntillas a la habitación. Mientras la luna corría, yo quedaba tiempo y tiempo, con los ojos abiertos, sin hacer ruido para no despertar a Frau Luta, la cabeza de Hermine junto a la mía y el puchero al fondo; glu, glu, glu, glu... Por último, Hermine se dormía con la tranquilidad de un niño que aún no ha pecado. Era fina y esbelta, casi como un muchacho. Al final se cansaba siempre, y su pequeño pecho subía y bajaba, y sus pestañas descendían poco a poco, hasta unirse.

Aunque el profesor Groux conoció nuestros amores desde el principio, no pareció darles más importancia que al sucederse de las estaciones. A mí me remordían la conciencia. Una tarde, el profesor me preguntó:

—Ese Max, tu tío Max... ¿no te dijo nunca si quería a Jurgen?

No cabía duda sobre la intención de la pregunta, ni tampoco sobre la increíble y directa sencillez con que fué hecha. Me ruboricé. Me ruboricé, y el profesor Groux me contempló con una mirada que yo esperé burlona, pero que no lo era, sino dulcemente conmovida.

—Aun te escandalizas — suspiró —. El escándalo sólo prende en las almas puras. ¿Sabes? Epicteto dijo que el alma es un estanque lleno de agua.

Estábamos en la biblioteca. Los libros cubrían las paredes con sus cantos de piel y sus títulos dorados. Pese a la profesión de Groux, había muchos más de literatura y filosofía que de medicina.

Mis dos años en Heidelberg fueron los dos años de mi paso a la juventud. Vine como un muchacho y me fuí como un joven. Después debí hacerme un hombre, pero creo que no alcancé a serlo jamás. Así como padre fué un hombre siempre y también mi hermanastro Juan, yo quedé en este estadio sin formar del alma en el que el sueño y la fantasía predominan sobre la acción, y en el que, en consecuencia, el hombre se comporta siempre como un niño. A pesar de que era feliz, me sentía muy solo. Aunque el profesor, y, sobre todo, Hermine creyeron que me había aclimatado a aquella vida, no sucedió

así. Pensaba constantemente en mis padres, en mis amigos y
en mi ciudad. Hasta cuando Hermine me decía:

—Eres muy guapo. ¡Qué guapo eres!

Yo recordaba la frase de la Cubana, cuando me admiró
como si fuese un espectro que le llegase desde la juventud de
tío abuelo Juan.

Madre me escribía mucho y por ello mantuve ese contacto con la ciudad que jamás nos ha faltado a los que naci-
mos en ella. Así supe que mi hermano Juan hacía fortuna en
las Américas, que el abuelo Pardo había muerto en sus tierras
de Torrellana, que los hermanos de mi padre habían llegado
a la ciudad y que ésta les gustaba mucho. Y supe que Aneli
se había casado. Esto lo supe por una carta de Gerardo, que
me escribía mucho también, y que, sin embargo, se mostró
curiosamente parco en detalles en lo que a este acontecimiento respectaba.

No fuí a la ciudad cuando la muerte del abuelo, porque la
noticia me llegó retrasada y tampoco me impresionó mucho.
En cambio, la boda de Aneli me entristeció, como si presintiese
algo sucio en ella. Días después recibí otra carta de Goyo,
que decía muchas indecencias sobre la boda y dejaba adivinar
muchas más. Entonces odié a Goyo y, si llega a estar al
alcance de mis puños, le hubiese golpeado. Pero tampoco yo
podía explicarme la boda de Aneli. Aneli se casó, de la noche
a la mañana, ¡con el viejo Mirachichas! Mirachichas era rico
porque la usura deja mucho, tenía un defecto en la vista, y, si
miraba a una muchacha, se mostraba particularmente repugnante. Era avaro, lujurioso y cruel de corazón. Y, sin embargo,
existía el hecho de que Aneli se había casado con él.

En su carta, Goyo lo explicaba a su manera. "Es una pécora
—decía— y se muere por los dineros. Pero es guapa y tiene al
viejo Mirachichas encandilado y bobo. ¿Sabes que tu padre
ha abierto un casino en el barrio nuevo de los pinares? No le
conocerías de lo que ha crecido. ¡Chico, tu padre amasa posibles
sólo con mirar un negocio!.

"Allí puedes ver a Mirachichas y Aneli jugándose los cuartos de lo lindo. A lo último, Mirachichas se duerme, pero no

se atreve a dejarla sola. Creo que teme que se le escape. ¡Y hace bien!"

Gerardo se limitaba a decirme que su hermana se había casado. Y madre, a su vez, me escribió que Aneli había hecho "una buena boda".

II

Creo que si no hubiese sido por la noticia que Goyo me dió de que Aneli jugaba mucho en el casino inaugurado por padre no me hubiera sorprendido tanto ver al profesor Groux sentado ante las barajas. Éstas se extendían por el suelo y formaban una especie de cruz. El profesor estaba sentado sobre sus piernas, como hacen algunos orientales. Se inclinaba un poco, y sus dedos cogían, suavemente, una carta; con ella en la mano, buscaba lugar donde colocarla. Si lo hallaba, lo hacía con mucha delicadeza; si no, la dejaba en un montón aparte, con un ligero suspiro. Las cartas eran más pequeñas de lo común, con figuras como los dibujos japoneses. Muy ricas en oro, parecían recamadas.

Me detuve a la puerta de la biblioteca, desconcertado por el espectáculo. El profesor Groux me saludó sin levantar la cabeza.

—Entra, Arthur—me dijo. Germanizaba mi nombre, y, aun así, la "erre" se le detenía en la garganta—. Estoy sumido en una lucha sin cuartel contra el destino. Según las estadísticas, este solitario sólo sale una vez de cada ciento. Pero puede salir todas las veces. Es fascinador.

Entré y me acerqué a él. Nada en su aspecto había cambiado, pero yo sentí la tensión de su interior, y aquello me desconcertó. Las cartas, distribuidas por el suelo, me atraían de un modo extraño, y no podía levantar los ojos de ellas. Me parecía que el profesor Groux estuviese adivinando mi futuro, que fuese un adivino para el que los tréboles y los corazones, las reinas y los valets, tuvieran la significación de un mensaje. Fué una impresión momentánea, que olvidé en seguida, pero, en aquel momento, me pareció que en las barajas que manejaba el profesor Groux había algo más profundo y de más trascendencia que un simple juego de entretenimiento. El profesor me preguntó:

—¿Te interesa el juego? Yo le encuentro apasionante.

—No sé, profesor. No he jugado nunca.

—¿Es posible? ¡Pues tienes que jugar, entonces! ¿Oyes, Adolf? ¡No ha jugado nunca!

Siguiendo la dirección de su mirada, me volví hacia el fondo de la biblioteca. Un muchacho muy joven estaba en él, apoyado en los estantes. Tenía la cabeza medio vuelta, de modo que su perfil destacaba sobre los libros. Entre éstos, como ya dije, había también varios mármoles, un poco amarillos, como los retratos y los daguerrotipos. La cabeza de Adolf parecía un mármol también, y asombraba lo clásico de sus líneas, el perfil recto, el pelo, rizado en rizos pequeños y muy fuertes. Era la criatura más hermosa que había visto jamás. Su postura, evidentemente buscada, encerraba una gran armonía; daba, a la vez, esa sensación de reposo y movimiento de la estatuaria griega. Siempre quedaba en alguna postura que la recordaba, y, al moverse, parecía que sólo recorriese el camino hacia una nueva posición.

—Es Adolf —me presentó el profesor Groux—. Adolf von Steimberg. Cree descender en línea directa de los Junkers pero, en realidad, es un griego. Él no lo sabe. No sabe que es un modelo de Praxiteles.

Sí, probablemente el Hermes. Adolf, cuando quedaba posado, se dejaba caer del lado derecho, como las estatuas de Praxiteles. Siempre buscaba los perfiles. Visto de frente parecía distinto, como si se tratase de otra persona.

—¿De verdad no has jugado nunca? —volvió a preguntarme el profesor—. ¡No ha jugado, Adolf! ¡Tiene, todavía, inéditas sus sensaciones! ¡Tienes que jugar!

Vi como el ceño de Adolf se fruncía levemente. Su rostro se nubló, aunque sus rasgos no se movieron apenas.

—¡Pero, Adolf! —se excusó el profesor. De repente parecía

muy apurado y no acertaba con las palabras —. ¡Si es sólo por verle jugar! ¡Imagínate, un mundo nuevo abierto para alguien que ni siquiera le presintió! ¡Te aseguro que es sólo eso, Adolf!

El joven dios se volvió hacia él. El profesor Groux seguía arrodillado y le miraba, como pidiéndole clemencia. Había algo en la escena que me desagradaba profundamente.

— Me voy, profesor — dijo Adolf —. Gracias por sus consejos sobre el próximo trimestre. No sé si me decidiré a seguir estudiando aquí. Llevo mucho tiempo pensando en Berlín. Adiós.

— ¡Oh, no, Adolf! ¡Espera! — el profesor Groux se volvió hacia mí. Estaba muy nervioso, pero no por mi presencia. Se deshizo de ella en seguida —. ¿Te importaría dejarnos solos?

— No, desde luego, no, profesor — le tranquilicé, antes de salir.

Cuando les conté la escena a Peter y a Hans, se encogieron de hombros como ante lo inevitable. Hans añadió, compasivo:

— ¡Pobre profesor Groux!

El profesor Groux me llamó a los pocos días para preguntarme si quería acompañarle a Baden-Baden. Pensé en negarme, pero, después, la experiencia me atrajo. Fuimos, pues, todos, Hans, Peter, Hermine, Adolf, el profesor y yo, como a una excursión, y arriesgamos unos marcos en una sala larga de luz amarillenta, infinitos espejos y criados de calzón corto y medias blancas, serios como escuderos, llena de un público crispado, que parecía sufrir. El tapete era de color mate; las raquetas arrastraban las fichas despacio, como si temiesen que se despertasen. Esta sensación de que todo era un sueño, de que hasta las fichas dormían, reinaba por doquier. Diríase que, en algunos momentos, los sonidos hubiesen cesado, tan profundo era el silencio; otros, el coro de las voces se alzaba, pero ni aun entonces daba principio una conversación, sino que todo eran frases aisladas, comentarios sin ilación, palabras o exclamaciones. Aquellas personas no hablaban, sino que gritaban; no exponían ideas, sino sensaciones. Sólo el "croupier" articulaba, siempre, la misma frase.

— Faites vos jeux, messieurs, dames... Faites vos jeux...

De pronto volvía el silencio, los rostros envejecían, y se escuchaba el ruido de la bolita al saltar sobre los números.

Hermine me miraba, a través de la mesa. Habíamos hecho algunas puestas sin importancia. De pronto, sentí su mirada fija sobre mí. Aun desde lejos pude ver que estaba asustada, aunque no sabía por qué. La vi dar, muy de prisa, la vuelta a la mesa; cuando estuvo a mi lado, me cogió del brazo. Parecía que temiese que fuera a caerme.

— ¿Qué te sucede? — me preguntó — ¿No te sientes bien?

— ¿Yo?

Mi asombro fué sincero. Según Hermine, tenía una cara extraña, pálida como un muerto, pero yo no lo noté.

Quiso alejarme de allí, pero me obstiné en permanecer. Algo hacía que no pudiera separarme de la mesa; no ese algo, fuerte y avasallador, de que hablan los jugadores, sino otra cosa, más suave y honda. Había humo en la sala, y una pátina especial, que esmerilaba los rostros y los objetos; de los salones de baile llegaba una música apagada, muy ceremoniosa. Todo tenía el aire de una reunión de educadísimos caballeros y pulquérrimas damas, escudados tras su corrección; y, de pronto, al asomarse a la mesa de juego, todos se mostraban cambiados, con una expresión fea, y avara, como si la mesa fuera un pozo y el antifaz de cada cual se le hubiese caído, al inclinarse sobre él.

Seguí jugando. Hermine lo hizo también, a regañadientes. Cuando, tras algunos pases, salió su número, el "croupier" empujó las fichas hacia ella; después la miró, preguntándola con el gesto si seguía. Ella hizo un ademán negativo y el profesor Groux ocupó su sitio. Contó las fichas y las apiló, distraído, con su mano de uñas cuidadas. Adolf, por detrás de la silla, se la cogió, apretándole los dedos. Entonces el rostro del profesor se volvió tan tenso como el de los jugadores, aunque no mirase a la mesa, ni a la bola, ni a la rueda que giraba. Liberó su mano y acarició la de Adolf. Tenía una mirada turbia, como si no hubiese dormido. Hermine, a mi lado, murmuró:

— ¡Pobre papá!

Sólo pasados muchos años comprendí al pobre profesor

Groux, al débil profesor Groux, al profesor Groux, silencioso e inmóvil, del jardín posterior de su casa, con sus viejas piedras, su hiedra y sus árboles escuetos. Entonces no le entendí. Es ahora cuando a través de los años, he vuelto a encontrar la sombra del profesor Groux como la de un viejo amigo resucitado. Entonces le desprecié, y, en tanto volvíamos de Baden-Baden, su presencia me pesaba como un remordimiento. Sentía asco de todo, y de Hermine también. Cuando se acercó a mí, en la oscuridad del vagón, la rechacé y ella me miró con unos ojos que el correr de las luces sobre las ventanillas alumbraba rápidamente y dejaba en seguida en la penumbra. A poco dormía y yo me sentí irritado por aquel sueño fácil, que desvanecía todas las preocupaciones. Pensé.

—Es una cualquiera. Lo son los dos.

Se me ha borrado casi el rostro de Hermine. Es curioso, y triste, cómo los rostros se borran, los ademanes se olvidan y sólo queda algo inaprensible, como un aliento. Supongo que será lo que se llama el espíritu de las personas; o de las cosas.

Lo cierto es que, si intento materializar a Hermine, su rostro se esfuma y apenas si veo el sonreir de su boca, o el huir de sus ojos entre las sombras y las luces que atravesaban la ventanilla. Además, aquella visita a Baden-Baden me había producido una impresión especial. Algo que yo no acertaba a comprender del todo surgía de los salones, con sus grandes lámparas de cristal, sus criados y sus adornos rococó, sus alfombras guatadas y sus cortinajes de damasco. El balneario era selecto, tranquilo, un poco silencioso; tenía la grave respetabilidad de las enfermedades crónicas. El casino era turbio, frívolo y dramático a la vez, y me repelía, como si despertase un deseo olvidado. Contemplando a Hermine dormida, al profesor Groux, a Hans, a Peter y a Adolf, sentí una nostalgia muy grande de mi tierra. Estaba solo y esta soledad me hacía daño. Pero mi nostalgia no lo era de ninguna compañía. Sentía nostalgia del olor del mar, del viento, del campo, del acento. Todos en mi tierra somos así. Mientras la vida no nos cerca, podemos olvidarla, cuando algo nos falta, nos hiere o nos traiciona, volvemos siempre a ella.

De mí sé decir que, mientras el tren corría por la oscuridad, Hans y Peter roncaban con discreta sordina y Adolf y el profesor Groux dormían reclinados el uno en el otro, evoqué un rincón de mi tierra. No de la ciudad, ni tampoco de los campos, sino un rincón abrupto y solitario, en la costa misma, bordeado de acantilados. El mar asalta allí las rocas con una fuerza sorda, rompe en espumas, y, después, se retira, aferrando a las piedras, arrastrándose entre ellas, como si las arañase. Parece que el mar tiene cien dedos, y que se ase con ellos para evitar ser arrebatado, para quedarse allí, desesperadamente, como un náufrago que se ahoga. Es mar abierto, inmenso, sin fin; levanta un ronco rumor, y, llevadas y traídas por las corrientes, sus espumas forman dibujos blancos. Tiene color gris, muy denso. Y se mueve con un vaivén unido, común, que llega desde el horizonte y que es mucho mayor y más impresionante que el de las olas que festonean su fin. El viento corre, a veces, contra corriente, sobre el mar, y levanta otras muchas, pequeñas, breves e inquietas, como si le erizase.

¿Por qué pensé en este mar, que ruge al pie de un precipicio, junto al faro, en mi viaje de vuelta a Heidelberg? El faro es blanco, pero, sin embargo, pesado, macizo, abierto a los temporales, da sensación de torre o fortaleza. Pensaba en él todavía cuando me dormí. Entre sueños me pareció ver que el profesor Groux se levantaba para cubrirme con su abrigo. Debí soñar cosas tristes aquella noche, porque, cuando desperté, tenía las mejillas húmedas de llanto.

III

El tiempo transcurrió de esta manera aquellos dos años de mi vida. Después de nuestra excursión al casino de Baden-Baden, el profesor Groux parecía haber adquirido mayor confianza conmigo, y se permitía abandonos y bromas que me turbaban. Hermine, por el contrario, me miraba con aprensión, como si temiese algo, no sabía qué. A veces, yo pasaba la mano por sus cabellos, enredándolos un poco. Hermine cerraba los ojos y yo me decía que había algo doloroso en aquella muchacha, en su boca, de labios finos, en sus párpados, color de rosa, como si la sangre transparentase en ellos.

La quise... como se puede querer lo que hemos sacrificado desde un principio. Ella lo supo, y cuando, al plantearle la urgencia de mi retorno, esperaba una escena llena de reproches, se limitó a tenderme la mano.

—Adiós, Arturo.

A mí me dolió la sencillez de la despedida. Desde luego, temía sus làgrimas, pero, al hablarme tan serena, comprendí que hubiera preferido verla llorar.

Aquello sucedió algún tiempo después. Pero, desde el episodio de Baden-Baden, yo estaba ya preparando mi despedida de Hermine. Me repetía las palabras que habría de dirigirla, contestaba a sus argumentos, incluso ensayaba gestos y protestas, como un actor. Siempre fuí así, un poco fantástico y un poco cómico, dado a tirar por el camino más fácil, qúe, en este caso, era el de abandono. Dejar las cosas atrás, a mis espaldas, fué siempre mi última solución. De acuerdo con ello, Hermine fué sacrificada, desde un principio, por mí. Para reafirmarme en mi decisión me decía:

— Las dos son... imposibles. ¡Hermine en casa!

Era verdad ¡Hermine en casa! ¿Qué diría tía Elisa? ¿Y tío Arturo? ¿Y tía Trinidad? ¿Y mi madre? ¿Qué diría mi madre?

Pero, al llegar aquí, debía cambiar mis pensamientos. Madre había gritado al padre Augusto que corriese a buscar a la Cubana, y no pareció avergonzarse de ella ni de la vida que había llevado. Yo sabía que Hermine hubiera agradado a madre y que hasta el profesor Groux hubiera hecho buenas migas con ella. En cuanto a madre, hubiera subyugado al profesor. Le hubiera, sencillamente, subyugado.

Pero todo aquello eran estúpidas fantasías. La ciudad estaba lejos y ni Hermine ni su padre irían jamás a ella. En cuanto a mí, terminaría de adquirir la ciencia del comercio que me inculcaba, pacientemente, el profesor Jaeger — Einrich Jaeger, especialista en economía —, me encargaría de los negocios de mi padre y daría como contestación a tío Max, cuando me preguntase:

— Sí, vi a Jurgen; mejor dicho vi un retrato suyo. El profesor Groux lo guardaba en su casa.

Procuraría que mi voz no me traicionase, y, desde luego, todo iría bien; cuando nos vamos, los recuerdos quedan atrás y no pueden traicionarnos. Los hombres se van por eso, o, también porque, como mi hermano Juan, son fuertes y se lanzan a la conquista. Los hombres sólo se van por que quieren conquistar un futuro o porque quieren huir de un pasado.

Era un pequeño pasado el de Hermine, Heidelberg y el profesor Groux; era un pequeño pasado el de su discípulo Adolf. Yo huí de él y comencé así el camino de mi vida. Si algo conservo al final, es porque Cati me siguió. Y, cosa extraña, cuando pienso en Cati me acuerdo de Hermine y veo que había también algo común entre ambas. Cati, recatada, buena, piadosa; Hermine, libre, educada en un culto casi dionisíaco de la vida y la belleza. Pero ambas con algo muy infantil que el tiempo no lograba cambiar, y, pese a todo, con una especie de candor que nada tenía que ver con la experiencia, ni casi con el pecado.

O quizá lo imaginé así. Como ya digo, la imagen de Hermine

es algo vago y confuso. Estuvo a mi lado aquellos dos años, de los que tampoco quedan muchas cosas en mí: el castillo, los cantos de Peter, la música de Hans...

La tocaba al atardecer, cuando habíamos terminado nuestros estudios y las ventanas de las casitas se encendían igual que cuadrados de oro. Toda la noche se llenaba de estos cuadrados y cada uno tenía el nombre del amigo que le habitaba. Ya dije que amo la música, y que, aunque no llegué a dominarla nunca, su encanto me alcanza muy hondo. Hermine la escuchaba reclinada en el diván. A veces pedía:

—Aquella otra, Hans, ¿Cómo era? Tra-la-ra... sí, tra-la-ra...

También venía el profesor Jaeger. Se sentaba con timidez, no separaba su mirada de Hermine y casi se escuchaba la muda oración que a ella dedicaba. Era un hombre redondo, rubio, ruboroso; parecía recién salido de la peluquería. Hermine le quería, como a un buen compañero. Espero que se hayan casado. Espero que Hermine haya sido feliz con él, como se merece.

Porque nunca deseé mal, ni a ella ni a nadie. Por eso el reproche del profesor Groux no lo fué, y, en realidad, se limitó a comprobar un hecho. Me vino a ver, cuando supo que me marchaba. Yo estaba solo en mi habitación y sentí sus pasos en la escalera. Ignoro cómo, pero supe que era él. Eran unos pasos leves, distanciados y continuos. No sonaban apenas, pero tenían algo conocido, como cuando Hermine se acercaba, de puntillas, a mí. Me levanté, sin saber qué hacer. Y, cuando golpeó la puerta, la abrí, invitándole a entrar.

—Pase, pase — le rogué —. Siéntese, profesor. ¿A qué se debe esta visita?

Arreglé la cama con un gesto inconsciente. Había dormido solo, pero el desorden de las ropas me parecía una acusación. Groux me miró con ojos burlones.

—Déjalo — me dijo —. No vale la pena. Luego, cuando venga Hermine, te la arreglará.

Siempre he temido las cosas directas — las palabras o los hechos — y por eso tenía miedo de Groux. Si le miraba, des-

9

viaba los ojos en seguida, sin atreverme a sostener la mirada.

—¿Cuándo te vas? —me preguntó.

Se había sentado a un borde de la cama, estirando la ropa hacia atrás, con un ademán femenino, como quien recoge una falda. Tenía el pelo plateado, como sólo lo tienen los nórdicos, limpio y bello. Era anciano, pero no viejo, y de todo él emanaba una dulce serenidad. Balbucí.

—Pues... no sé... Volveré. ¿Sabe, profesor? Las vacaciones...

Groux sonrió.

—No volverás, tú lo sabes. Sólo quería preguntarte...

De verdad, sólo quería preguntarme. Tenía necesidad de saber.

—¿Por qué abandonas a Hermine? Ha sido buena contigo, ¿no?

Sí, había sido buena; muy buena. De pronto el recuerdo de la bondad de Hermine me volvió blando y sentimental. Sentí un nudo en la garganta y los ojos se me cuajaron de lágrimas. Me volví hacia el profesor para que los viera.

—¡Oh, profesor! —suspiré— ¡Si usted supiese! ¡Soy muy desgraciado!

Groux alzó un poco la cabeza. La alzó con curiosidad, y yo bajé los ojos y me avergoncé de mis lágrimas.

—No eres desgraciado —dijo el profesor Groux— por lo menos, no como tú crees. Eres un cobarde.

Las cosas, una vez que se han producido, son mucho menos graves de lo que se teme. El profesor Groux me había hablado de su hija, y, en vez de descender Júpiter tonante, el final se había reducido a que me llamase cobarde. Lo hizo sin enfado, además, con una mezcla de sorpresa e indiferencia, como quien descubre algo inesperado, pero que tampoco tiene demasiada importancia. Después se levantó, se despidió de mí, y yo, a través de la ventana, le vi marcharse, con sus pasos pequeños, y llegar a la esquina, donde una muestra de hierro anunciaba la "Conditorei" de Herr Sülsdorf. Se detuvo un momento y penetró en ella.

Hermine y yo solíamos hacerlo también. Tenía unas mesas de madera clara y unos jarros de loza, alegres y chillones; la

loza de Baviera. Su dueño había nacido en Stuttgart, y, en
cuanto apuraba más de dos vasos, nos hablaba de la Solitude
y de un escritorio que tuvieron que hacer, con una curva en la
madera, porque el rey era muy gordo y no podía escribir sin
que su tripa tropezase. También él lo era, jovial, de mejillas
lustrosas, rojas como dos manzanas. Al hablar del rey se cuadraba, chocando un poco los talones, porque era muy dinástico,
fanático del Emperador. Casi todos participaban de este fanatismo, por entonces, y los estudiantes más que nadie, aunque
también los había amigos de la libertad; pero, como en todos
los tiempos la libertad ha sido francesa, no contaba con muchos partidarios. La mayoría admiraba a Guillermo II, a la
Alemania de Guillermo II y al ejército de Guillermo II. El ejército de Guillermo II cumplía la única condición verdadera que,
en todos los tiempos, se ha exigido a todos los ejércitos: ser
invencible. Lo era, y deslumbrador, y marcial, y déspota, como
todo el que se siente seguro y fuerte. Yo le admiraba, Hermine
solía decirme:

—Harías un magnífico oficial; un oficial muy guapo.

Quizá sí; quizás, alto como era, distinguido y con mi gesto
de superioridad, no hubiera hecho mal papel entre aquellos
orgullosos aprendices de guerrero, que a veces veíamos llegar,
con su abrigo de grandes solapas, su gorra de visera y su andar
rígido. Ama Josefa hubiera dicho, con mucho propiedad, que
se habían tragado el sable; en realidad, se lo habían tragado,
y, con ellos, la mayor parte de Alemania. El resto de Europa
vivía con el temor de este sable, y Francia, Inglaterra y Rusia
se unían, y el viejo Bismarck paseaba su melancolía bajo los
tilos de Tiergarten. Los campesinos y los buenos burgueses del
Palatinado no amaban mucho a estos rígidos oficiales, que
hablaban con voz de mando y que concebían el mundo como un
gran cuartel, pero los jóvenes rebosábamos admiración hacia
ellos. Alemania era invencible, su ejército también, y, un buen
día, París, con su monolito de las cien victorias, sus tiendas
lujosas, su río literario y sus carteles de can-cán, que había
diseñado un pintor enano, verían pasar, como en un desfile,
a estos oficiales helados, de bigotes crecidos, finos y rígidos,

entre los que, según Hermine, no hubiera hecho mal papel.

— ¡Aber Nicht! — decía Herr Sülsdorf — ¡Un extranjero!...

A Hermine no le importaba esto; los Groux no tenían patria. Su patria era la de los cantos de Dante, la de los sonetos de Shakespeare, la patria del Renacimiento, y, sobre todo, la patria de los mármoles griegos, puros y exactos, sin sexo ni edad. Una patria bella y tan frágil e inexistente como una pompa de jabón. Hermine ni admiraba ni dejaba de admirar al ejército alemán; lo ignoraba. En cuanto al profesor, vivía en un mundo quimérico, de espaldas a Prusia, a los imperios centrales, a las grandes maniobras y a las grandes alianzas. Muchas veces me pregunté por qué habría estudiado medicina. Y, sin embargo, creo que la medicina influyó mucho en su formación, que le dió esa indiferencia y esa falta de moral que tanto me asombraban y me repelían al tiempo; que, a fuerza de asistir enfermedades y muertes, amó, sobre todo, la belleza y la juventud, y así se formó su filosofía. Quiero ser justo y admitir que acaso la aventura de su hija le preocupase, y aun le doliese, pero, al dejársela vivir, permanecía fiel a su norma. Únicamente lamentaba que yo fuese el elegido, porque me despreciaba, a su manera, considerándome también irremediable, parte de esa vida en la que se claudica y se envejece y contra la cual nada se puede hacer.

Aun ahora, no puedo pensar en él sin estremecerme, tan poquita cosa como era. En mi admiración por Alemania se mezcla con los fuertes y orgullosos oficiales y con las paradas de Berlín, con la ciencia exacta del profesor Jaeger y la entereza de Hermine; no sé, seguramente, con el paisaje de Heidelberg, los cantos del "gaudeamus" y la certeza de una felicidad hacia la que no me atreví a tender la mano. Pero Herr Sülsdorf tenía razón; yo era un extranjero allí. Y, por eso, quizás, admiré todavía más a Alemania, con la admiración que los extranjeros sentían por los Césares, por sus tropas y su poder. Yo era de una clase aparte y me sentía, a la vez, humillado y sometido a un poder superior.

Me di cuenta de esto poco a poco. Entonces me invadió una gran nostalgia de mi ciudad, donde, en cambio, yo era Pardo, hijo de Pardo, y, donde sería padre de otros Pardo; donde mi familia se extendería, inmutable, como los ríos, de los que sólo cambian las orillas. Me sentí, de nuevo, solo y lleno de dudas. Ni siquiera Hermine era algo seguro, porque nunca lo es aquello que hemos decidido abandonar. A medida que pasaban los días. Hermine me dolía; ésta es la palabra exacta, me dolía. Los dos sabíamos que nuestro tiempo llegaba al final, y nos amábamos con la misma desesperación, y, a veces, con la misma impotencia, que dos ancianos para los que no han muerto los deseos. Cuando vino la primavera, los árboles se cubrieron de verdor y el Camino de los Filósofos se esmaltó de flores blancas, como cuando nieva un poco, subimos a los montes, y miramos la ciudad abajo, menuda, con el río, perezoso, los puentes, las callejas y el castillo. La casita de los Groux se apartaba de todas. Desde lejos, se distinguía su pequeño jardín y las estatuas, que el sol había refulgir, quebrándose sobre ellas.

No sucedió nada más; en realidad, nunca sucedió nada más. Una mañana, Hermine introdujo mis ropas en la maleta. Yo la miraba hacer desde el lecho. Un sol dorado resbalaba por los tejados y las golondrinas cruzaban rápidas, porque era la Primavera. Ninguno de los dos habíamos dormido.

Descendimos hasta la estación en un coche que cantaba como los de Santifría: cataplat, cataplit. Frente a nosotros, inmóviles, iban el profesor Groux y el profesor Jaeger. Hermine no hablaba; ellos tampoco. Y la ciudad quedaba atrás, al compás de los cascos: cataplit, cataplat.

Atrás ha quedado. Pero, en estos momentos, cobra una inesperada presencia, y me parece ver a Hermine, no la Hermine de entonces, sino otra que han creado, a la vez, mis recuerdos y mis olvidos. No sé si era así. Lo trágico del tiempo es que nos niega hasta la evocación. Además, no he vuelto a saber de ella. Espero que se habrá casado. Espero que el amor fiel del profesor Jaeger — Einrich Jaeger, especialista en economía — la haya sabido hacer feliz, como ella se merecía, y que estuviese a su lado cuando tuvo lugar aquel dramático suceso que habría de privarla del único cariño que nunca la abandonó, y que, si no consiguió más para ella, fué porque, en realidad, no podía; porque nunca supo hacer otra cosa que debatirse entre tinieblas, a la busca de un poco de luz. Me refiero al profesor Groux.

Del profesor Groux sí supe. Algunos años después "El Atlántico" publicó la dramática e inesperada noticia. Era una noticia sensacional y el diario no la desaprovechó, porque las noticias de Alemania hallaban mucho eco entonces. Además, el profesor Groux era también muy conocido en España, por sus estudios de fisiología. Fué Gerardo el que me la comunicó, en momentos muy difíciles para los dos, y yo quedé tan impresionado como si se refiriese a mí mismo.

IV

Me llevé un retrato de Hermine. Lo obtuvo el profesor Groux con una máquina de cajón muy grande y trípode movible y se mostraba muy orgulloso de él, porque lo consiguió al aire libre. En esto Groux era un innovador, que desdeñaba, por poco naturales, los retratos de estudio, con su falsa columna al fondo, sus flores y la forzada postura del modelo. Hay algo a la vez cómico y enternecedor en estas viejas fotografías, en las que, sin querer, se adivinan muchos de nuestros defectos. Cuando paso las páginas del álbum que conservamos en villa "María Rosa", pienso siempre que en el hombre existen diversas personalidades, quizá tantas como minutos en su vida, que la fotografía las capta todas, y que, por eso, muchas veces no nos reconocemos, o no queremos reconocernos, en ellas.

La máquina de Groux era un gran artefacto, pesado y laborioso, porque el profesor despreciaba las nuevos modelos, que permitían una más rápida y más cómoda obtención de imágenes. Hermine está en el jardín, con un ramo en las manos. No es, siquiera, un ramo de flores, sino de espinos; de almendros quizá, porque florecen en primavera. En primavera debió de ser hecha y en la atmósfera se percibe esa dorada vibración de Heidelberg, cuando el sol asoma entre los pinos y la sombra de las callejas se marca más fuerte, en contraste con las plazas. El traje de Hermine es blanco y su cabello se recoge hacia arriba, dejando al descubierto el cuello: del otro lado le cae en un tirabuzón. Lavery pintaba, por entonces, mujeres así, aunque no tan interesantes como Hermine. La fotografía fué obtenida en el jardín posterior, y se adivinan las estatuas, los cipreses, y, al fondo, el brocal del pozo. Hermine está con la cabeza un poco inclinada, pensativa y triste. Se parece mucho a su padre y la fotografía llega a obsesionar por su inmovilidad.

Encontré la ciudad más pequeña de lo que había imaginado, las casas algo más oscuras, las gentes algo más viejas. Pero, desde que me aproximé a ella, esa especial emoción que me invade apenas traspongo los límites de la provinvia, hizo presa en mí. De pie ante la ventanilla, veía desfilar los árboles, las plantas, las rocas, que se retorcían hasta las alturas, y el río, que nos acompañaba, manso a veces, a veces despeñado. La torre cuadrada de una ermita asomaba aquí y allá; las vacas volvían la cabeza y el humo del tren ascendía mansamente; los pueblos dejaban oir sus nombres: Bárcenas, Molledo, Santa Cruz...

Llovía, y, a través de la ventanilla, yo miraba deslizarse las gotas, correr, perseguirse, formar cauces más anchos, temblar, indecisas, antes de caer. Sobre el fragor del tren se extendía un rumor más hondo, sonoro y continuo; un rumor como de muchas voces que cantasen, al tiempo y desde muy antiguo. Era el rumor de agua y del viento, de los árboles, de la yerba y del mundo diminuto que entre ella vive, de los lobos, que se encuevan por los picos, y del oso, que empuja el hambre hasta las aldeas; rumor de las risas de las mozas, y de las carretas, pausadas, y de los milanos, que planean altos, y de las nubes, que se enredan en las crestas. Era el rumor que había acompañado mi infancia, y la de mi madre, y la de mis abuelos, y que se posaría sobre mis huesos. Conmovido, le escuchaba, en pie ante la ventanilla, envuelto en mi abrigo, acariciándome el bigote que me había dejado crecer a la moda prusiana. También el corte de mi abrigo era de allí, y mi gorra, como la de los estudiantes. El tren silbaba entre los montes, y, arriba, se veía una luz muy blanca. Después, el paisaje se hizo llano y el río se remansó bajo el puente; el aroma del aire cambió. Cuando apareció la mar, yo quedé quieto, mientras el avanzar del tren me descubría el paisaje; la ría, que se estrechaba entre los campos; las edificaciones del Astillero; la península, poblada de pinos; la Horadada y la isla de la barra, que la partía en dos y a la que las olas cubrían por completo los días de tempestad.

Volvía a la ciudad. Allí, de pie en el pasillo, sentí la emoción del indiano, la honda llamada que no es de ayer ni de hoy, que no es siquiera humana, y que nos une a los prados donde el maíz amarillea, a los picos y a las quebradas, a los ríos que se desbocan, a la mar y a las mismas piedras de Santifría, a las gaviotas y al son de las voces, que tiene, para nosotros, algo de canción de cuna. Al pasar por una estación, una mujer gritó:

—Dale recuerdos a la Cuca. ¡Que venga por San Roque!

¡San Roque y San Roquín! San Roque es abogado de la peste, y tiene, por derecho propio, su romería; la romería de San Roquín viene después, y estoy seguro que este santo en diminutivo no tiene nada que ver con las grandes epidemias, que sólo sana desazones íntimas.

Sentí una palmada en la espalda y escuché un saludo.

—¡Hola, Pardo! ¿Vienes de viaje? ¿Estuviste fuera?

Era Lemor, el moro. Fuerte y socarrón, jugador empedernido, casi tanto como cazador, cumplía, inconscientemente acaso, el rito de la provincia, que semeja ignorar todo lo que no se relacione con ella. Es un modo como otro cualquiera de sentirse superior. Cuando, ya viejina, llevamos al ama Josefa a Madrid, porque "no quería morir sin ver las capitales", Cati le preguntó qué le parecía.

—Bien —repuso Ama Josefa—. Está.

—¿Cómo que está? —se indignó Cati—. ¿No te asombra todo esto? Y las casas, ¿no te parecen muy altas las casas?

Ama Josefa miró hacia arriba. Descendíamos hacia la Puerta del Sol y el coche cruzaba ante el Ministerio de Hacienda.

—Casas, casas —gruñó Ama Josefa—. ¡Bah! ¡Casas hailas también en Solórzano!

Está... Para el provincialismo acendrado de Lemor, el moro, yo ni siquiera había estado, y, de acuerdo con él, repuse a mi vez.

—Pues sí, viajé un poco.

—¿Algo de particular por ahí?

— No, nada de particular.

— ¡Aquí celebramos los Mártires!

Tenía razón. Hablando de la fiesta de los Patronos llegamos al fin del viaje. El tren pitó; después, poco a poco, se detuvo. Sus topes chocaron y hubo un fragor de hierro, como si le encadenasen.

También encontré más viejo a padre. Se le veía feliz, muy feliz, y esto le hacía más bondadoso y patriarcal. Ya no luchaba, sino que se dejaba llevar por una corriente que, por primera vez en su vida, conocía el remanso. Tenía debilidades, ternuras y caprichos, propios de un anciano, y se había vuelto comprensivo y dado a perdonar como todos ellos. Durante mucho tiempo se pudo creer que tío Max le llevase muchos años; ahora se veía que no era así, aunque, en lo físico, padre se conservase fuerte y duro, macizo como siempre, con mucha energía y vigor. Era feliz y esto le colocaba en un estado de especial generosidad respecto a todos. Cuando el viernes — el viernes "era día", y los pobres acudían, para recibir limosna, a villa "María Rosa", como para recibir tributo — los mendigos salían por la puerta de atrás, con su moneda y su pan "de pistola", era frecuente que padre llamase a la Cabuca para decirle:

— Toma, dales esto más. ¡Pobrucos!

Nunca, hasta entonces, se había dejado influir por nuestro dialecto; ahora sí, y le cantaba en los labios como una caricia.

Se refugió en villa "María Rosa" y el Palacio fué un poco abandonado. A mí me colocó al frente del negocio de los barcos, vigilándome al principio, como con miedo; pero, en cuanto se convenció de que no iba a hacerlos naufragar, me otorgó más y más confianza. El negocio no era ni fácil ni difícil. Yo escuchaba hablar a los capitanes.

— No encontramos carga de vuelta. Las cosas van mal en Santiago.

— ¿Por qué no esperó?

— El estar atracado costaba más. Ahora, que si lo ordena...

Yo no ordenaba nada. Me imponían aquellos hombres serios, habituados a la soledad, que, cuando se quitaban la gorra, dejaban ver una mancha más clara, porque el sol no los había tostado allí. Andaban despacio y con mucho ruido.

—¿Cuándo podrá marchar?

—Hay que limpiar los fondos. El barco está en dique...

Aun así, el negocio prosperaba, y, en seguida, me encargué también de la parte que llevábamos a medias con los Séjournant. Había visto una vez a Aneli, cuando fuimos a felicitarla por su boda. Vivía a un extremo del muelle, frente a la dársena, en una casa nueva que habían levantado, con mucha luz. La bahía se divisaba entera desde sus balcones y casi se sentía el son del viento entre las jarcias. Aneli nos recibió con mucha alegría; el viejo Mirachichas se enredó en una conversación de intereses con padre.

—Ese nuevo tranvía... ¿Cuenta con bastantes animales para mantener la línea? ¿No será mayor el coste que el rendimiento?

Se trataba de llevar las jardineras hasta los pinares; en realidad, se trataba de llevarlas hasta villa "María Rosa", porque sólo llegaban hasta el puerto, desde las Alamedas, y villa "María Rosa" estaba muy aislada. Aparte esto, a padre le importaba un comino el negocio, pero lo creía bueno, y así se lo dijo a Mirachichas.

—¿Y qué piensa constituir usted? ¿Otra sociedad?

Padre sonrió.

—No sé —repuso—. Pregúnteselo al chico. Yo me ocupo ya muy poco de los negocios. No es bueno a nuestra edad.

Palmoteó la espalda de Mirachichas y yo comprendí que al viejo avaro no le agradaba ni la broma ni el vigor de la palmada. Mirachichas se había teñido el cabello, y, de vez en cuando, se incorporaba, como si pretendiese enderezar su columna vertebral; casi se la sentía crujir. Su vestido era el de un petimetre, y usaba chalecos rameados, con botones de cristal, y chaquetas claras y botines de dos colores. Había algo patético en aquel vano rejuvenecerse de Mirachichas, en los crujidos de su espina dorsal y en el apagado mirar de sus ojos. Cuando padre le palmoteó, pareció como si fuera a desguazarse. Confuso, miré a Aneli. Ella me miró también, con una mirada de burla. Sí; se estaba burlando del viejo Mirachichas, sin disimularlo, cruelmente, con maldad.

Estaba muy bonita e hizo los honores con aquella leve distinción de los Séjournant, en el fondo de cuyos actos parecía haber siempre algo musical y marinero. Al pasar junto a Mirachichas le rozaba casi, y el viejo vampiro se agitaba, tomaba aire, como si se fuese a ahogar, y su color subía de tono, hasta uno muy oscuro, casi azul. Madre movía la cabeza disgustada. Parecía tan joven como Aneli, y yo la sabía a dos pasos de romper en improperios mientras comentaba:

—¿Has visto los últimos números de "La Nouvelle"? Me los trajeron en el barco. Empieza a llevarse la falda con cola.

—Yo me he decidido por la de campana. Deja libres las piernas. Mire.

Dió una vuelta. La falda de Aneli giró, como la de una bailarina, y la mirada del viejo Mirachichas tuvo un destello mortecino.

Gerardo y Goyo volvieron también a mi vida. Gerardo más silencioso, más fino y espiritual; Goyo más oscuro, tenaz, denso y reservado como nunca. Gerardo estudiaba medicina, y ello me extrañó, porque siempre creí que se decidiría por las letras, soñador como era y muy dotado de fantasía. Estudiaba en Valladolid, y, en verano, acudía al hospital, donde Solís, el joven — que ya no era tan joven — había sustituído a su padre en la dirección. Gerardo no me habló nunca de la boda de Aneli ni de las mil hablillas que corrían respecto a Mirachichas y su mujer. En cambio, Goyo lo hizo a lengua libre. Aneli parecía complacerse en desafiar a la ciudad. A veces, las luces de la aurora hacían palidecer las del casino, y ella seguía impávida, pujando. Todo en torno tenía un aire muerto: sólo en su mesa se agrupaban los jugadores, la bola corría, o las cartas se destapaban, con ruido seco. Mirachichas dormía en su sillón. Al fin, se arrastraba hasta el coche. El "croupier" ayudaba a subir a Aneli, y se la quedaba mirando, hasta que el coche partía. Era un hombre alto y cetrino, con el pelo rizado y el bigote cubierto, silencioso y ágil de manos. Se llamaba Jean; Jean Dubon. Padre se lo trajo de Deauville, a peso de oró, un poco como se trajo el jardinero que podó los árboles de frente al Palacio.

Algunas mañanas yo iba a buscar a Gerardo al hospital y le esperaba en el antiguo patio, bello como el de un Monasterio. Siempre, cuando le veía venir, me admiraba lo fino que era, con su bata blanca y su aire pensativo, que, poco a poco, se había ido acentuando. Solíamos pasear juntos, y era yo el que hablaba, con mucha seguridad, mientras él callaba. Una de las veces alzó, sorprendido, la cabeza.

—¿Groux, dices?—me preguntó—. ¿Groux el fisiólogo?

—No, creo que no... Era profesor de Anatomía.

—Pero se ocupa de fisiología—aseguró Gerardo—. ¡Ya lo creo! Tiene un estudio muy notable sobre la indeterminación de los sexos.

También venía Goyo. Goyo me era más simpático cada día, y aún, en ocasiones, imaginaba quererle más que a Gerardo. Goyo sólo me decía cosas agradables, y, además, me las decía sin descanso. De verdad que me admiraba, y ello podía explicarse si me comparaba con él. Pero siempre es buena cualidad que nuestros defectos no nos enojen y que admiremos en los demás las virtudes que nos faltan.

—Tú puedes conseguirlo todo, Arturo—me decía—. Tú, con tu inteligencia y tu dinero. Tienes la ciudad a tus pies. ¿No lo ves? Te suplica un saludo. Te lo suplica de rodillas.

Y la tenía. Uno tras otro, los negocios de padre pasaban a mis manos, y, cuando los tíos abandonaron definitivamente Torrellana para venirse a la ciudad, también me ocupé en aquello. Torrellana era pobre y llana, como su nombre indica; de la torre apenas quedaban unos escombros, en torno a los que giraban los mulos en época de trilla. El suelo de Torrellana reververaba, y las bestias eran tristes, cansinas, con los cuellos vencidos. Sus casas eran de adobe, blancas a fuerza de cal, con las tejas secas y pintadas. Producía trigo, en grandes cantidades, y un vinillo agrio, de pocos grados, que se bebía bien si estaba fresco, y, fuera, el sol encendía los campos.

Padre iba poco a Torrellana pero hablaba mucho de ella, de sus viñas, sobre todo. A mí no me gustaba, y me alegré cuando padre regaló las tierras a los tíos. Además, como Goyo decía, con lo de aquí teníamos más que de sobra y los tíos debían mantener su posición. Apenas muerto el abuelo, los tíos asaltaron literalmente, la ciudad, y, con los tíos, las tías y los primos. Una nube de Pardos invadió sus calles, se exhibió en sus paseos, despotricó en sus círculos y realizó toda suerte de ridículas ostentaciones para demostrar que eran hermanos, primos, o parientes lejanos, de Pardo el Grande, de Juan Pardo, que había hecho una fortuna. La ciudad se hubiera reído de ellos, si no llega a ser porque temía a padre. Padre los ayudó económicamente, los orientó en sus asuntos, y, a poco, sus cuatro hermanos contaron entre lo más considerado de la población, y sus hijos, un poco desbravados ya, por lo menos en lo externo, jugaron como señorones en el casino, cazaron en los campos de afuera, y se las compusieron lo mejor posible con los mazos de croquet, sobre el césped de las villas, en los concursos de primavera y verano. Creo que padre, al ayudarlos y defenderlos, ayudaba y defendía algo muy suyo. También la ciudad los consideró en seguida como algo propio. Si hoy habláis de las fantasías de los Pardo, de la ostentación de los Pardo, de las locuras de los Pardo, la ciudad no lo hará como de unos extraños, sino como de una familia más de las que nacieron en ella, poderosa, con algo genial a veces, a veces con algo chabacano. Los Pardo tenía "venadas". También las tenía "Veneno", cuando le entraba la nostalgia de sus barcos, y Hermógenes, "el de oro", cuando la emprendía contra tirios y troyanos con su bastón. Las "venadas" eran patrimonio de la ciudad, y el concedérselas a los Pardo equivalía, en cierto modo, a darles carta de ciudadanía.

Al principio no salían de nuestra casa y madre extremó su discreción al recibirlos. Creo que madre no apreció nunca a sus parientes, pero no quería hacerlos de menos, en atención a padre. Las tías, sobre todo, la perseguían, materialmente, para ser invitadas a su tertulia. Había varias tertulias en la ciudad, pero ninguna, ni siquiera la de Marisa Villarreal, podía competir con la de madre, ni con su chocolate, ni con sus sorbetes. Madre estrenaba nuevos vestidos en ella, muy contenta de dar que hablar a las envidiosas, y padre la maldecía, porque era poco sociable y le gustaba más la mina de tío Max que los salones de villa "María Rosa", y no digamos los del Palacio. Dos veces al año — por Carnaval y al comienzo de la estación veraniega — el Palacio abría sus salones. Poco a poco, según fueron haciéndose al medio, las tías iniciaron una tímida competencia con madre, y hoy aquí, mañana allí, cada una abrió también su sarao, gastándose una fortuna en cada fiesta. Madre sonrió.

— Sería divertido si no lo hicieran con el dinero de tu padre — fué su único comentario.

Mantenía frente a ellas una postura distante e irónica, que las desconcertaba, irritándolas al tiempo. Yo sé por qué madre gozaba de tan pocas simpatías, aun siendo buena y generosa; porque, en su fondo, continuaba tan libre y salvaje como en los tiempos de la Casona, y con la lengua tan suelta como entonces. Cuando la inquietud social de sus cuñadas alcanzó el cenit, padre se nos quejó, entre bromas y veras.

— Si vas al teatro, están en el palco. Si hay concierto, asoman las narices sobre los violines. En la tómbola me ofrecieron cien veces papeletas. Ayer las vi, junto a la playa, dándole a una pelota con una especie de pala encordada. También Arturo juega a eso. ¿Qué diablos es?

— Es... — comencé a decir.

— Tenis — cortó madre y me miró, entre burlona y tierna —. Lo más inglés... por ahora.

Padre tuvo una sonrisa irónica.

— ¡Mira que nosotros, los de Torrellana, imitando al inglés! ¡Cuando te digo! Mis cuñadas están locas. Bueno, al fin y al cabo, que hagan lo que quieran. Pero me abruman. ¿Por qué estarán exhibiéndose todo el día?

— Por su condición — repuso madre, y, en cuanto escuché el refrán marinero, supe que estaba indignada con sus cuñadas y sus sobrinas políticas y que las hubiera arrojado a las brasas sin pestañear —. La tonta y la sardina asoman por cada esquina.

Padre rió como ante una criatura a la que se adora, y

se fueron, juntos y abrazados. Cuando torcieron la escalera, aún se escuchaba reir a padre y a madre que le reñía.

Yo trataba poco a mis nuevos parientes, porque no me resultaban simpáticos. En aquel periodo me limitaba a cumplir mi libérrima y santísima voluntad, y, como mi voluntad me mandaba sentirme superior a los demás, los fuí relegando a un plano inferior. Apenas si los Solanos, los Villarreal, los Velarde — había dos Velarde, Fernando e Isidoro, ambos muy militares e igualmente celosos del culto de su antepasado — los Ceballos, los López de Ansina, y, desde luego, los Quejada, a los que no se podia ignorar, porque el éxito de su fundición era un hecho más que concreto, constituían mi corte; mis dos favoritos, como ya sabéis, eran Gerardo y Goyo. Trabajé mucho aquella época, y me gustaba asombrar a las gentes con detalles originales y extravagantes, para demostrar que todo me estaba permitido. Extremé la elegancia de mis vestidos, y, en mis ademanes, procuré mantener una rigidez prusiana, como la de los oficiales que imitaban al Kronprinz. Mi admiración por Alemania era muy sincera y compartida en absoluto por Max, aunque la de tío Max estuviese, ya, entregada a la nostalgia.

— Habias de ver el Neckar — me decía —, el Neckar en primavera, con sus flores blancas y el camino de las orillas.

— ¡Si le vi, tío Max! — cortaba yo, impaciente.

Tío Max levantaba la cabeza, sorprendido.

— Sí, claro — concedia después —. Pero no lo mismo.

Se aferraba a estas palabras casi con desesperación. Testarudo, volvía a decir:

— No lo mismo.

Ni siquiera con tío Max hablé de mi época de Heidelberg. Y tío Max supo respetar mi silencio, quizá porque también él, durante mucho tiempo, lo guardó sobre la suya.

Por entonces tuve aquella crisis que nos asustó tanto. Yo no me di cuenta, pero, según Solís, estuve a las puertas de la muerte. El hecho ocurrió durante mi sueño y sólo puedo decir de él que me desperté asustado y con el corazón palpitante. El viejo miedo infantil a las sombras y a lo desconocido volvió a acometerme. Sonaban pasos cerca de mí; unas vagas formas blancas surgían de las ventanas; las sábanas estaban heladas, y pesaban tanto, que, por más que tirase de ellas, no acertaba a cubrirme; tenía los ojos muy abiertos y la oscuridad se llenaba de círculos rojos, que se transformaban en pájaros fosforescentes, en rostros, en risas y en sonidos. De pronto el mar comenzó a sonar, cada vez más alto, y vi las espumas, rugientes, y, entre ellas, muchas sardinas revueltas, con las cabezas de mis tíos y primos. Después todo empezó a girar, como una ruleta, mientras Aneli, inmóvil, me contemplaba desde el centro.

Creo que, hasta aquí, todo fué un sueño, una pesadilla extraña, contra la cual luché en vano, hasta que me desperté, porque, de repente, me vi solo en mi habitación, desnudo sobre la cama y con los miembros agarrotados, de modo que no podía moverme. El corazón me latía con mucha fuerza y en los oídos sentía su golpear, sordo y retumbante. Tenía frío, y, al pedir ayuda, lo hice con una voz muy tenue, que no se escuchó. Pensé:

—Me voy a morir.

Se dice muchas veces, "tuve la sensación de que me iba a morir", pero muy pocas se siente. Yo sentía que me iba a morir. Era una sensación independiente de todo, del galope de mi corazón, de la inmovilidad de mis miembros, de la extraña laxitud que me acometía, como si me desangrase. No dependía de nada de esto, sino que era algo especial, que nacía de mis huesos, de mi sangre, de mi linfa. Sentí un terror inextinguible, y vi como la eternidad avanzaba hacia mí, negra y abierta. Todo era real, tremendamente real, menos esto de que la eternidad avanzase hacia mí, y que yo no me viese como era, sino como si hubiese vuelto a ser niño. Quise gritar y no pude. Sólo, vagamente, pensaba: me voy a morir.

Mi corazón latía cada vez más de prisa. El frío aumentó y comencé a temblar, poco y muy seguido, y los músculos de mi boca se crisparon, hasta el punto que no podía abrirla. Entonces llegó el dolor. Llegó de pronto, como un torrente que se desborda, y subió desde mi corazón a mi hombro, y, después,

146 MANUEL POMBO ANGULO

a mi brazo. Era un dolor cruel, lancinante, como si me desgarrasen con garras o dientes de fuego. Todo mi cuerpo se transformó en puro dolor, desde la frente a los pies, desde la piel a la célula más oculta, pero, sobre este dolor total, resaltaba el que partía del corazón y llegaba hasta el brazo. Era un dolor insufrible, que iba en aumento, como un alarido.

— ¡Aaaay!...

Creo que fué el grito lo que me salvó. Cuando desperté, los vi a todos junto a mí; a Solís, que guardaba algo en un maletín, a madre, a padre, a la Cabuca, que se persignaban al fondo. Después, cerré los ojos.

V

Como ya he dicho, la explosión del "Cabo Machuca" ocurrió un día soleado y claro. Padre estaba en el cuarto de arriba, en villa "María Rosa", en el mismo en que yo estoy ahora, evocando mi pasado con la minuciosidad del que sabe que no tendrá lugar para hacerlo otra vez.

Llevaba tiempo allí cuando llegó tío Max. A padre le gustaba mucho refugiarse en el cuarto de sus recuerdos y cada día era más frecuente que pasase horas y más horas en él. Jamás supimos, en realidad, lo que hacía, y no le gustaba que le acompañáramos, aunque nunca, debo decirlo, nos cerró las puertas de su santuario.

Tío Max llegó alegre y optimista, porque los días de sol le rejuvenecían, y bromeó con madre, que también se mostraba muy contenta. Recuerdo que llevaba una blusa clara, con las mangas caladas, y que otra vez me sorprendió lo joven que era, pese a sus años de matrimonio y a tener un hijo que hacía rechinar los dientes a todas las posibles suegras de la ciudad por permanecer soltero todavía. Tío Max me saludó.

—¿Qué hay, picarón? Creo que la armaste buena el otro día en la junta de los tranvías. Conque un túnel, ¿eh? ¿Y por qué no un equipo de alpinista, como los que suben a la Jungfrau?

Sonreí. Hacía días, en efecto, había convocado urgentemente el Consejo de la nueva línea porque me había enterado que Mirachichas pretendía adelantársenos en el proyecto, Seguramente, a fuerza de acompañar a Aneli al casino, se convenció de que unir el nuevo barrio con el resto de la ciudad era cosa, no sólo útil, sino de la que se podía sacar provecho. Cuando le fuimos a ver, con ocasión de su boda, ya preguntó a padre por el asunto, pero ahora el asunto estaba en mis manos. El consejo era yo, y, después..., yo; si queréis, a bastante distancia estaban Roque, Romualdo, Rodrigo y Remigio Pardo, los cuatro hermanos de padre. Parece que al abuelo le dió la fantasía por la letra "erre" y que sólo padre, por ser el mayor, se salvó con nombre normal. Los tíos llevaban con mucha dignidad sus cuatro "erres", pero, si se les nombraba juntos, se terminaba con dolor de garganta. La ciudad, por no fallar la costumbre, los apodaba "erre que erre", y ellos, aunque sin duda, no les agradó el apodo, hicieron de tripas corazón y cargaron con él como antes habían cargado con sus nombres. Formaban parte del consejo de la nueva sociedad, como de casi todas las de la familia. Eran cómodos de manejar, y jamás preguntaban nada. Si se creía necesario, podía disponerse de sus votos con una unanimidad sólo comparable a la de las iniciales de sus nombres.

Cuando me enteré de que Mirachichas había comprado parte de los terrenos, por los que debía pasar la línea, y que andaba en tratos con el Ayuntamiento para la concesión, monté en cólera.

— ¡Llevaré el tranvía hasta el casino! ¡Hasta el mismo pie del casino le llevaré! —dije, y, aunque mi voz era tranquila, los cuatro "erre que erre" contuvieron la respiración—. ¡Le llevaré aunque tenga que construir un túnel que atraviese la colina!

¿Por qué no? Un túnel que partiera de un extremo de la ciudad y que fuese a terminar detrás del casino, enfrente de villa "María Rosa". Era una empresa de gigantes, pero valía la pena. El túnel llevaría mi nombre, como los Arcos llevaban nuestro apellido.

— ¡Mira al niño! —decía tío Max—. ¡Hacerle un agujero a la tierra, como los topos!

Madre me miraba con una mezcla de ternura y preocupación. Desde que tuve aquel ataque parecía que madre quisiera detener, incluso, el aire que llegaba hasta mí. Pero yo me sentía fuerte y me reía de todo.

— No sé qué le sucede al viejo — dije pensativo —; cosa que emprendo, cosa en que me le encuentro. No voy a tener más remedio que arruinarle.

— Difícil — opinó Max —. Aunque tu padre tiene mucho dinero y tú mucha juventud, los capitales de Mirachichas no se conocen. Yo creo que es riquísimo.

— ¡Pero no más que nosotros! — protesté, escandalizado.

— Quizá sí. La usura es siempre más rica que el trabajo. Los industriales empleamos el dinero y los avaros lo guardan.

Me vió serio y se echó a reir.

— No te preocupes — dijo —. En toda tu vida podrás gastar los dineros que hemos acumulado tu padre y yo. Hemos tenido suerte... por lo menos en eso. Sí, muchacho, agárrate con ese viejo judío si te divierte. Ya te digo que tus caudales no se agotarán. Ni siquiera tus tíos son capaces de hacerlos menguar. Y mira que parecen bien dotados. Nicht?

Se volvió a madre, con su risa corta y aguda, que hacía pensar en un pito de romería.

— ¿Cómo los trajo Juan? — le preguntó —. En tres años se han hecho los amos de aquí. Visten como el príncipe de Gales... y gastan tanto como él.

— Juan los quiere, tú lo sabes — repuso madre —. Creo que le ha entrado, un poco, la nostalgia de su tierra, de los padres que perdió, no sé... Lo que sí sé es que cubre de dinero a sus hermanos como... como una restitución. No a ellos, personalmente, sino a... algo.

Max le tomó una mano y se la palmoteó suavemente.

— ¡Qué suerte tiene Juan! — murmuró —. Un día se lo dije. Tú sabes que yo quise mucho a María, pero tú eres maravillosa, Niña.

Los ojos de madre se volvieron humildes y miraban a tío Max como con miedo de que no fuera verdad aquello que creían ver...

— ¿De verdad, Max? ¿Lo dices de verdad?

— De verdad lo digo, Niña; de verdad, libelein.

Los dos se volvieron hacia la ventana del cuarto de padre.

— ¡Tardó tanto! — suspiró mamá —. A veces creí que no llegaría nunca.

— Todo llega — repuso tío Max.

Yo los escuchaba en silencio. Estaban muy lejos de mí, en aquel mundo que yo desconocía. Como siempre que esto sucedía, me sentí confuso y vejado.

Padre bajó en el mismo momento en que me alejaba. Me hizo un ademán y se dirigió a tío Max.

— ¡Hola, viejo avaro! — le dijo —. ¿Has sido tú el que has encendido la mecha?

Estaba de un buen humor contagioso, y por eso me detuve en el porche para escucharle.

— ¿Cómo puedes bromear así? — le interrumpió madre —. ¡Lo que cuenta Max es horrible! Ese barco lleva más de diez horas ardiendo. ¿Qué hacen las autoridades?

— Las autoridades han hecho ya lo que han podido — contestó Max —; han llamado a los bomberos. Pero ni toda el agua de la bahía es capaz de apagar ese barco.

— ¿No habrá peligro? — preguntó madre con aprensión.

— ¡Oh, no: eso no! La pólvora que lleva como carga está mojada; es más inofensivo que una barra de hierro.

Padre se abrochó la americana mientras se informaba.

— Es un cabo, ¿verdad?

— Sí, un cabo es; el "Cabo Machuca". Poca cosa como embarcación. ¿Vamos, Juan?

— Vamos — accedió padre —. Me molesta esto. Me hubiera gustado quedarme aquí, con vosotros, gozando el tiempo. ¡Qué días, Max!

— Días de sol sin sombra, hubiera dicho el pobre Mirlo.

— ¡Bueno, vamos! Adiós, Rosa.

— Adiós, Max. Adiós, Juan.

— Adiós, querida. Vendré en seguida, no te preocupes.

La besó en la mejilla. Después, padre y tío Max caminaron hasta el coche, que los esperaba un poco más abajo. Max era alto; padre más bajo y ancho. En un momento padre cogió a Max del brazo y continuaron caminando así.

No fué nada. Miles de veces habían hecho lo mismo. Miles de veces caminaron, por la pradera de villa "María Rosa", cogidos del brazo, como dos viejos camaradas. Otras, padre hablaba largo con la pobre Esperanza, y el rostro de mi hermana se serenaba y su mirada se llenaba de paz. O me llamaba al despacho para informarse sobre la marcha de los negocios; yo me crecía exponiéndola, mientras él me contemplaba con orgullo. No fué nada, desde luego, pero fué la última vez que vi a padre y a Max, y aquella imagen de todos los días se ha transformado en la imagen de "el día". Y, a pesar de todo, la imagen guarda una tranquila sencillez y el último recuerdo de padre y de tío Max es apacible y sereno.

No era yo solo el que los miraba marchar; la Cabuca lo hacía también y parecía que contemplase una visión de horrores. Se acercó a madre, que dió un pequeño salto, sorprendida.

— ¡No los deje ir, señora! — dijo la Cabuca —. ¡No los deje ir!

Desde la muerte de Curro, la Cabuca andaba un poco ida, y por eso madre, que la quería mucho, la trajo de Santifría. Al escucharla, frunció el ceño.

— ¿Qué dices? — la riñó —. ¡Anda y vete dentro! No me gusta que andes sola por el jardín.

— ¡No le dejes ir, Niña! — volvió a decir la Cabuca en voz más alta —. Yo no le quiero, pero tú sí. ¡Si le quieres, no le dejes ir!

— ¡Bueno, bueno, mujer! — contemporizó madre —. No te preocupes, ahora le avisaré. Tú, vete dentro.

La Cabuca dió la vuelta en dirección a las cocinas. De pronto la escuchamos reir.

Creo que fué el tono de esta risa el que me impulsó a enganchar el tílburi y a seguir el coche de tío Max y padre. Me llevaban alguna delantera, y, además, yo no corrí, ni mucho menos, pasada ya mi tonta aprensión y contento de gozar el sol y el airecillo que venía de la mar. Di la vuelta en torno al casino y tomé el camino que bordeaba la costa. Recuerdo que fruncí el ceño al pensar que Mirachichas me disputaba la nueva línea de tranvías. Había que acabar con Mirachichas, o, por lo menos, había que darle un buen susto, para que se quedase tranquilo. Así pensando, llegué a la península, bordeé la bahía y tomé muelle adelante, pero no por el lado del paseo, sino junto al agua. A lo lejos divisé la columna de humo que surgía del barco y la multitud, que se agolpaba ante él. Entonces no era como ahora, que hay árboles entre la mar y el muelle, y templetes de música, y la estatua de Pradilla, sobre un montón de rocas por las que, mal que bien, ascienden sus personajes. Todo era llano entonces, sin obstáculos para la vista, y, por eso, se divisaba perfectamente el barco, la multitud, las embarcaciones que le rodeaban, y, un poco más allá, el lanchón de "Veneno", que se acercaba, curioso. Sobre los montes, como siempre, se arrastraban unas leves nubes blancas. La lancha del "Escatudo" atracó a la machina, con mucho personal y un ternero pinto, que se negaba, terco, a desembarcar.

Si me preguntaseis como ocurrió, no sabría responderos. Todo era así de sencillo, de natural, y puede decirse que yo miraba, sin ver, un espectáculo como aquél, de todos los días. Pasaban grupos de pescadoras, sonrientes y cantarinas, y las modistas del taller de Rosaura, y las obreras de la fábrica de tabacos. Vi como otros coches cruzaban el Muelle para acercarse al barco, y como, desde un balcón, me saludaban las siete Ceballos, que hubieran enfermado, de seguro, si llegan a perderse el espectáculo. Ahora me parece que la atmósfera era especialmente transparente, pero entonces ni lo pensé. Dejé ir al caballo, y me fuí acercando, despacio, porque, en realidad, no tenía ninguna prisa. Hasta me decía que por qué diablos se me habría ocurrido seguir a padre y si no estaría mejor en el despacho, ultimando los asuntos, o en el círculo, dándole gusto a la lengua.

De pronto el aire se espesó. Parecía que tuviese cien manos con las que me apretaba la cabeza. El caballo se alzó de patas, y, en seguida, quedó de rodillas, como los del circo. La cabeza me resonaba, con un ruido sordo, zumbante, y sentía latir mi corazón igual que cuando tuve aquel ataque. Me llevé una mano a la frente, mientras con la otra sostenía la fusta. Sobre la ciudad se extendía un gran ruido, que, después de recorrerla, volvía otra vez a mi cabeza, llena de resonancias e impresionantemente hueca. Allí resuena aún la explosión del "Cabo Machuca", inmensa, grave, prolongada. ¡Booom!...

El barco saltó en mil pedazos. Primero los vi, muy chiquitos y distantes. Al mismo tiempo, la columna de humo se disipó para volver en seguida, densa, rugiente y proyectada hacia el cielo. Las planchas, los palos, las vigas de hierro, las chimeneas, los cristales las pasarelas de las amuras y las crucetas de los vigías saltaron por los aires, así como las anclas, las cadenas, los aros de bronce que bordeaban las claraboyas, los garfios, de los que pendían los lanchones, la rueda grande del timón, los instrumentos marineros, las literas, los muebles, las máquinas, el carbón, las palas... Todo esto se mezcló en el aire y se proyectó, como una gigantesca carga de metralla, contra las gentes que contemplaban, alegres y divertidas, el espectáculo. Al principio, desde donde yo estaba, sólo se divisaron como pequeños trozos, como briznas o astillas que saltaban desde el barco. En seguida vino la gran columna de humo, las llamas, rojas y amarillas, el fragor de la explosión, que se prolongó por la bahía y que retumbaba en los prados y en los montes, con un ruido cada vez más apagado. El aire vibró, como si un relámpago le hubiera recorrido. Y yo lo miré todo, inmóvil, estremecido todavía, con una mano en la frente y la otra sosteniendo la fusta.

En el primer segundo las figuras que había junto al barco no se movieron; fué después, al tiempo que la nube de humo surgía, cuando empezaron a caer unas sobre otras. Pero, al principio, la sensación que tuve fué que el mundo entero se había paralizado, que las gentes no podían moverse, y que, aun para respirar, debían hacer un gran esfuerzo, como si les faltase aire. Sí, ésta fué la sensación que tuve, quizá porque yo no encontrase aire tampoco y no acertara a dilatar mi pecho. El caballo había doblado las patas y sus cascos resbalaban sobre el empedrado. A lo lejos se veía el barco, sus pedazos, que saltaban al aire, y que, por un momento, parecieron inmóviles, suspendidos; las gentes, quietas, y el humo, que se esparcía, como cuando le arrastra el viento.

Todo esto fué muy breve, apenas el espacio de un fogonazo, de un relámpago o de un grito. Pero, sin embargo, lo recuerdo como si hubiese durado un siglo; como si hubiera estado durante una eternidad contemplando el primer estallido del "Cabo Machuca", sin saber lo que sucedía, anonadado, física y moralmente, no por la catástrofe, que aun no conocía, pero sí, indudablemente, por su presentimiento. En seguida volví a la realidad, y, en ese preciso instante, la ciudad recuperó también la vida. Se escucharon gritos, muchos gritos, y se vió correr a las gentes. Los marineros de los otros barcos, los cargadores del puerto, el patrón del "Escatudo" y algún que otro pescador fueron los primeros en acudir; las lanchas de la bahía se pusieron todas en movimiento, y se veía remar a sus tripulantes, de prisa y con energía, para acercarse al Cabo. La ciudad gritaba cada vez más. Al principio sólo lo hizo junto al barco, pero, después, fué toda la ciudad la que gritaba, y, aunque sus gritos se confundían, me parecía escuchar entre ellos quejas y gemidos. Mientras galopaba, a todo galope, hacia la machina del "Maliaño", estos gritos me rodearon, y yo me sumergí, prácticamente, en ellos, como podemos sumergirnos en el agua.

En torno al barco yacía un revuelto amontonamiento de cuerpos, astillas, maromas medio quemadas, hierros retorcidos y cascotes. Los heridos se arrastraban por el suelo, sin razón, o quedaban quietos, quejándose, mientras los muertos permanecían en unas posiciones entre trágicas y grotescas, bajo aquel sol claro y aquel cielo azul. El barco ardía y sus llamas reverberaban sobre los cuerpos. Muchos estaban desnudos, como si les hubiesen quitado las ropas, y otros negros, como tizones. Una oveja herida balaba junto a un hombre, de barba gris, sucia y esparcida. La oveja balaba, sentada sobre sus patas posteriores, que no podía mover, y afianzando las anteriores en un vano intento de levantarse: al hacerlo, alzaba la cabeza, estiraba mucho el cuello, y parecía un jumento que rebuznase. El hombre estaba tendido, con la vista clavada en el cielo;

pasaba uno de sus brazos por el dorso de la oveja y sus dedos se movían suavemente, enredados en la lana. Murmuraba:

— ¡Ay, que nos vamos a morir! ¡La perra suerte, que nos vamos a morir!

No gritaba, no pedía socorro, ni parecía dirigirse a nadie. Diríase que cambiase confidencias con la oveja.

Crucé junto a ellos, y, dejando el coche, salté a tierra. Mil voces pidiendo socorro, ayuda, o gritando simplemente, me recibieron. El suelo estaba cubierto por un líquido espeso y resbaladizo, que se hacía rojo aquí y allá, con ese rojo especial de la sangre, que estremece y deja la boca seca. Los heridos se incorporaban, tendiéndome la mano, o se dirigían, por su propio pie, en busca de socorro, tambaleantes, como si no viesen bien todavía. Junto a mí sonó un extraño rumor.

— "Agnus Dei qui tollis peccata mundi..."

Un viejo, sentado sobre sus rodillas, se movía de delante atrás, recitando el latín sagrado. Se daba ligeros golpes de pecho, igual que cuando escuchamos la misa, y, como un péndulo cuyo movimiento no decreciera, continuaba oscilando.

— "Agnus Dei qui tollis peccata mundi..."

Me estremecí. De la ciudad llegaban los primeros socorros; hombres, mujeres, hasta criaturas, corriendo a todo correr y con cara de sorpresa. Sí, ésta era su expresión, más que de susto, y solamente cuando dirigían la vista en torno, su expresión iba cambiando, hasta que el terror cubría sus rostros. Se inclinaban entonces sobre un herido, para abandonarle en seguida, y dirigirse a otro, porque les parecía que necesitaba con más urgencia sus socorros. Unos barracones ardían cerca, y, entre ellos y el barco, el calor resultaba casi insufrible. Una mujer cruzó gritando:

— ¡José! ¡José! ¡Contesta, José! ¡Contesta, por Dios!

Los gritos continuaban, aquí y allá; a veces se cortaban, sin dar fin, como si los hubiesen cercenado. Se veía al que gritaba precipitarse sobre una masa sanguinolenta, o sobre un cuerpo que, aparentemente, nada había sufrido, pero que no se movía, y cuya sencilla inmovilidad resultaba más estremecedora que todas las mutilaciones. Después de algunos momentos, con el rostro lleno de lágrimas, el hombre o la mujer miraban en torno; tenían entre sus brazos a la víctima y gritaban de nuevo:

— ¡Socorro! ¡Socorro!

Las mujerucas de pueblo se volvían, humildes, hacia mí. Los gritos, los lamentos, el enorme y trágico clamor de la catástrofe constituían un fondo unánime, sobre el que resaltaban más tenues sus quejas. Las mujerucas decían:

— ¡Por favor, señorito! ¡Ayúdeme! ¡Por amor de Dios, señorito!

Así, tan sencillamente. Como si pidiesen una limosna.

Me incliné aquí y allá. Transporté cuerpos pesados como el plomo y cuerpos extrañamente ligeros. Hundí mis manos en la mezcla de tierra y sangre, en el barro pegajoso y rojizo que formaban la sangre y la tierra, y extraje de él a seres que parecían hundirse como si hubiesen caído en un pantano. Y vi muñones que aún sangraban, pechos hundidos, ojos cerrados, y ojos dramáticamente fijos, que daban la impresión de haberse helado. A veces me decía:

—Padre y tío Max... ¡Hay que buscarlos!

Cosa curiosa, no pensaba que hubiera podido sucederles nada. En ningún momento los relacioné con la catástrofe, y ahora me doy cuenta de que ello se debió a que siempre fueron algo superior para mí. Estarían... por ahí. Quizás hubieran cruzado a mi lado; quizás aquellos dos hombres fueran ellos. Cuando pasaron cerca, vi que no. Llevaban entre los dos a un muchachos rubio. El muchacho tenía los ojos cerrados y lloraba. Lo sé porque vi sus lágrimas brillar.

Los socorros continuaban llegando, según la ciudad se enteraba de la catástrofe. Sin cesar, nuevas gentes se entremezclaban con nosotros, removían los cuerpos, los abandonaban, asian otros, gritando el nombre del que fué allí, un buen día de sol, para mirar como los bomberos apagaban un barco. Por la machina corría un soplo de viento helado.

— ¡Cuidado! ¡Hay más carga! ¡Puede producirse otra explosión!

El barco se escoraba muy despacio. No se hundió de golpe,

sino que se venció de lado, y quedó así, con una borda muy levantada y la otra casi a nivel de agua. Después, fué girando lentamente. Era una gran masa oscura, partida casi en dos, que agonizaba como un toro que tarda en rendirse a la estocada. Daba, poco a poco, la vuelta, y a veces vacilaba, y se estremecía, y un palo medio carbonizado caía al agua, o unas brasas chisporroteaban, antes de apagarse. Junto al muro de la machina, entre ella y el barco, el agua era más oscura. Se veían flotar algunos cuerpos, con el pelo llevado mansamente por el vaivén. No producían sensación de realidad. Solamente cuando una lancha se acercaba a ellos y los sacaban a la superficie volvían a ser cuerpos humanos, con las heridas cubiertas de agua amarga y los rostros hinchados y azules de los que murieron en la mar.

A intervalos, del interior del "Cabo Machuca" surgía un rumor sordo, o sus llamas se arremolinaban, tomando formas extrañas. Entonces nos deteníamos, con el corazón palpitante, la piel fría y las piernas débiles. Mirábamos al barco, y, en seguida, nos mirábamos unos a otros. En nuestras miradas latía una muda petición de socorro, y creo que, si alguien hubiese iniciado la huída, le hubiéramos seguido en tropel. Pero, en seguida, una mujer corría, con los brazos extendidos, o se precipitaba sobre un cuerpo, o tiraba, con inútil afán, de una viga que aplastaba un herido. O era un muchacho quien disipaba nuestros miedos con su ejemplo inconsciente, o un niño, que lloraba junto a una masa inmóvil, tendida allí como si la hubiesen arrojado. La explosión no sólo afecto al navío, sino que derrumbó las edificaciones más próximas, hizo saltar los cristales de casi toda la ciudad y lanzó el ancla del "Cabo Machuca" hasta la plaza de frente al Palacio. Todo sucedió en un momento, y, sin embargo, todo fué terrible y catastrófico. El "Cabo Machuca" seguía escorándose y el agua gorgoteaba junto a él. Las barcas, las lanchas y el remolcador de "Veneno" no podían acercarse ya, y aguardaban a distancia. De vez en cuando, una voz, que no sé si era real o imaginada, repetía:

—Queda otra carga. Aún queda otra carga.

El "Cabo Machuca" osciló un momento; el agua se agitó,

como si hirviese; un ahogado giró en los remolinos. Después, el "Cabo Machuca" se escoró del todo, dejó su quilla al aire, y, en pocos segundos, desapareció de nuestra vista. Una gran ola fué extendiéndose por la bahía, lenta, blanda, llena. El humo se concentró en una sola nube y de la mar nació un sonido breve y chirriante.

VI

El desconcierto de los primeros momentos se hubiera pro-
longado mucho tiempo, de no ser por la llegada de Raquel y
sus mujeres. La explosión no sólo nos había impresionado,
sino que nos afectó físicamente. En torno al barco se agitaba
un grupo desconcertado y estremecido, que no acertaba a or-
ganizarse. Los que iban llegando tampoco contribuían a ello,
con sus gritos, sus preguntas y su desesperada ansiedad:

— ¿Y mi padre? ¿Has visto a mi padre?

— No, no le vi, Pedro.

Pedro Quejada se mezcló con los marineros. Vestía una
levita larga y bien cortada, porque presumía mucho, pero en
seguida se la quitó, arrojándola al suelo. Le vi tirar de una
viga y oí como los marineros le gritaban:

— ¡Aprieta, Dios! ¡Aprieta!

Pedro apretó. Era muy joven y vi, materialmente, disten-
derse los músculos bajo su piel.

— ¿Has visto a Aneli? Dime, por favor, ¿has visto a mi
mujer?

Mirachichas temblaba como lo que era; como una pobre
ruina llena de gusanos y pasiones. La barbilla se le agitaba
con este temblor y sus labios se entreabrían. Tenía muchas
bolsas debajo de los ojos, y unos pequeños abullonamientos
amarillos. No se había afeitado y la barba le aparecía, aquí y
allá, entre unos islotes pelados, color de rosa, blanquecinos,
como si le hubiesen levantado la piel. Su estrabismo, en cambio, casi no se notaba, de cansada que tenía la mirada.

— No, no he visto a Aneli — le repuse. En seguida quise unirme a un grupo que me llamaba, pero su mano me detuvo.

— ¡Ayúdame! — suplicó —. ¡Busca a Aneli! Vino con el coche hace ya tiempo. Yo le dije que no lo hiciera, pero no quiso escucharme.

— ¡Haberla obligado! — corté, impaciente.

Mirachichas no dijo palabra, pero se miró los brazos, extendiéndolos hacia adelante; en seguida los dejó caer. Fué un ademán impotente, y yo, por un momento, evoqué a Aneli en aquellos brazos que pretendían apresarla. Me volví furioso.

— ¿Y a mí qué me cuenta? — grité —. ¡Hay muchos más heridos, cientos de heridos! ¿Por qué voy a buscar a Aneli, precisamente a Aneli? ¡Búsquela usted si quiere y déjeme en paz!

Me iba ya con el grupo, que empezaba a impacientarse, pero me dió pena. No se había movido; sólo, cuando terminé de hablar, se quitó trabajosamente la chaqueta. Estaba muy viejo y el chaleco se le curvaba sobre un vientre fláccido; las mangas de la camisa se ceñían a dos brazos, inverosímilmente delgados. También en las manos tenía aquellas manchas rosa de la cara, y otras más oscuras, como de tabaco.

— Tengo que buscar a mi padre — le expliqué compadecido —. No sé donde están ni él ni tío Max.

Me pareció oirle decir: "¡Claro, claro!", pero los del grupo me llamaron y hube de seguirlos. Se trataba de hacer saltar un montón de cascotes que obstruía la entrada a un barracón. El techo y la parte alta de las paredes se había hundido y dentro reinaba un silencio impresionante.

— Había treinta hombres, allí — me dijo Julio, el capataz, que llevaba un cartucho en las manos.

Fuí, pues, con ellos, dejando a Mirachichas. Aún así le vi, todavía, inclinarse sobre una mujer e intentar incorporarla. No lo logró y terminó sentándose junto a ella.

Hicimos saltar los cascotes, y sólo conseguimos provocar nuevo pánico, porque las gentes creyeron que se trataba de una segunda explosión. Los que llegaban traían noticias a cual más alarmantes.

— ¡Está ardiendo la plaza vieja!

— ¡El palacio de los Villarreal se ha hundido! ¡Se hundió en un instante!

— ¡Los depósitos del Pico han volado! ¡La montaña está ahora tan lisa como la palma de la mano!

Cuando Raquel llegó nos disponíamos a hacer saltar otro cartucho, ya que el primero había fallado. Los cascotes estaban un poco removidos por él, pero nada más. Julio los miró, lanzó un juramento por lo bajo, y los golpeó con los pies, como si quisiera castigarlos. Después partió, para volver en seguida con la nueva carga. Otros venían con picos, palas, garrotes, palancas, y aun con burros y bestias, muchas de las cuales aguardaban, atadas juntas, a unos metros del siniestro.

Raquel llegó detrás de su tropa, que se detuvo a esperarla. Había corrido mucho, y, como era gorda, jadeaba hasta casi ahogarse. Dió unas órdenes breves y su tropa se desplegó. "La Bilbaína", "la Rizos", Carmencita, "la Peque", Juana, "la Romántica", "la Rijosa", "la Bebé"..., se distribuyeron ordenadamente, y, bajo el severo control de Raquel, introdujeron, poco a poco, orden en aquel caos. Estaban muy pintadas, con los pelos teñidos y los trajes cortos y escotados. Se movían con una cadencia singular, y, a la luz de aquella tarde sin nubes, aparecían lívidas, con un tono morado, unánime y extraño, que semejaba habérselas mezclado con la sangre. Pero eran frías, serenas, y trataban a los hombres con un desgarro especial, que les movía a obedecer sin réplica. "La Bebé" gritaba a un marinero:

— ¡Sube para arriba, leñe! ¡Pues sí! ¡Se me va a enfriar... eso de tanto esperar! ¡Sube, hombre! ¿O es que te pesan demasiado?

El marinero, pese a su miedo, trepaba por unas ruinas a punto de derrumbarse.

— Así — aprobaba "la Bebé" —. Cógele ahora. No, por la cabeza, no; cógele por los pies.

Ella le tomaba por los brazos, y la cabeza del herido le quedaba junto a su regazo, entre los muslos. que se movían con un juego especial y blando. "La Bebé" era delgada y con el rostro muy pálido. De las venas de los brazos le salían unos cardenales color verde oscuro.

—Déjale aquí—proseguía—. Aquí, junto a los otros ¡Dios! ¿No hay noticias del hospital?

—Y a ti ¿qué te importa?—contestaba Raquel—. Tú a lo tuyo y pocas preguntas. La que pregunta no cobra dormida.

"La Bebé" daba media vuelta.

—¡Vamos allá!—decía a su compañero—. ¡Muévete, hijo, que pareces el cura de San Servando!...

El marinero reía. "La Bebé" se alzaba las faldas para saltar sobre una viga.

Algo más allá "la Bilbaína" hacía lo mismo, y "la Rijosa", y Carmen, "la Peque", que acababa, apenas, de salir de trance. Hasta Isabel, la Cubana, estaba allí, mezclada con ellas y ayudando a transportar a los heridos, pese a que Isabel ya no se ocupaba nunca y hasta se decía que había comprado a Raquel la mitad del negocio de la Casa Rosa. Lo del negocio podía ser verdad (opinaban las pupilas cuando, al caer la tarde, Raquel las reunía para echarlas esa mirada de amo que siempre engorda al caballo) porque la Cubana derrochaba posibles, y, en cuanto a lo de no ocuparse, sería porque no se lo pidiera el cuerpo. La Cubana ganó en hermosura con el tiempo. Había algo trágico en su belleza, duro y altivo. Antes de la muerte de tío abuelo Juan sólo era una muchacha, mimosa, blanda, lenta, como una oriental; después se transformó en mujer. Daba un poco de miedo la Cubana, como puede darlo la noche o el mar de mucha hondura. Tuvo muchos cortejos y dos o tres enamorados de los de verdad. Fué leal con ellos, pero no supo hacerlos dichosos. Por la ciudad comenzó a correr la leyenda de que la Cubana no hacía felices a sus amantes.

A veces se la veía, sentada en su coche; un coche abierto, con el que gustaba hacer ostentación. Una temporada se paseó con un inglés, y la ciudad habló mucho de ello, porque era pariente de los Huntington. El inglés bebía mucho y se ponía triste hablando de la Cubana. Un buen día, como vino, se fué.

La divisé junto a un hombre caído y me dirigí hacia ella. Entre la Cubana y "la Rizos" le sostenían la cabeza. Era un mozo moreno; tenía un cuello sano, fuerte, como un tronco, la color cetrina y el pelo rizado. No se movía y dejaba caer los brazos a ambos lados, abiertos, como sobre una cruz.

—Adiós, Cubana, bonita—le decía cuando yo llegaba—. Adiós.

—Déjate de adioses—contestó "la Rizos"—. Aún te quedan muchas noches a ti.

Miró al herido, que no separaba su vista de la Cubana, y su voz se hizo muy suave.

—Muchas, sí, muchas te quedan—prosiguió—. Y por nada.

La Cubana no hablaba. Después, cuando todo pasó, cruzó las manos al muchacho, una sobre otra, y dejó a "la Rizos" a su lado, sollozando.

Fué Gerardo el que me hizo preocuparme por padre. Como dije, pese a que no le encontraba, no creí que pudiera haberle ocurrido nada: tanta fe me inspiró siempre. Estaría... no sé; realmente no sabía dónde podía estar padre, pero, desde luego, haciendo algo útil e importante. Si dije a Mirachichas que debía buscarle, fué más por quitármelo de encima que por otra cosa. La Cubana no me preguntó por él, y yo trasladé heridos y amontoné cadáveres, sin que, por un momento, se me ocurriera pensar que padre podía estar allí, bajo aquellos cascotes humeantes, entre las aguas de la bahía, tranquilas como un atardecer. Ni padre ni Max. Max era también algo superior, algo eterno, como creemos siempre lo que de verdad importa en nuestras vidas. Pero, al escuchar la pregunta de Gerardo, y, sobre todo, al ver su expresión, me cogió una gran angustia y la voz se me quebró en la garganta:

—¡Padre! ¡Padre!—sollocé.

Había escuchado este grito cientos de veces desde que ocurrió el accidente. Había oído llamar al padre, a la madre, a los hijos que salieron, para aprovechar el sol y divertirse viendo como ardía el barco. Hombres frenéticos, mujeres temblorosas, niños con cara asustada, me habían cogido del brazo y me habían dicho:

—¡Padre! ¡Padre!

Y Pedro Quejada me gritó:

— ¡Padre! ¿Has visto a padre?

Algo más allá, Raquel rezongaba:

— ¡Ay mis pies! ¡Mojarme los pies, leñe! ¡Lo que daría por mojarme los pies!

Pero lo decía pensando en otra cosa. Se le escapaba la queja inconscientemente, porque pesaba mucho y tenía unos pies delicados. Toda su vida había dicho lo mismo, y ahora lo repetía, con voz normal, como si contestase a alguien, sin saber en realidad lo que decía. De pronto, gritaba:

— Tú, Bilbaína; ¡déjate de estar mano sobre mano! ¡Llégate a la fuente y trae agua! ¡Corre! ¡Muévete, o por Dios que te marco! ¡Te juro que te marco!

"La Bilbaína" salía disparada a buscar agua, que Raquel repartía entre los heridos, con un gesto maternal y un poco untuoso, parecido al que componía para recibir a los clientes de importancia.

Gerardo llegó, con los enfermeros, las ambulancias y un botiquín, para realizar las primeras curas. Palideció al mirar en torno, porque, aunque era médico ya, hacía poco que había terminado la carrera y aquello no se enseñaba en las clases de Patología. En seguida se acercó al grupo que vigilaba Raquel, echándola un poco al lado. Yo me dirigí a él transportando a un niño que acabábamos de liberar, y fué entonces cuando, mientras le curaba, me preguntó:

— ¿No te ha pasado nada? ¿A ninguno? ¿A tu padre tampoco?

— ¿A mi padre?

La pregunta de Gerardo lo hizo cambiar todo. Sí ¿qué le había sucedido a padre? ¿Dónde estaba mi padre? Le había seguido porque la Cabuca dijo que no le dejásemos ir. Había algo siniestro en la Cabuca, y, además, adivinaba el porvenir y la suerte de las personas. Empecé a temblar. Gerardo se acercó más y me dijo:

— Perdona. ¿Es que...?

— Creo... Creo que sí.

Me acometió un gran terror, un terror sin razón ni lógica, que me nacía de los huesos, de la carne, del sexo, como los

terrores que sufrí en el Palacio, pero mucho más fuerte. Llamé:
— ¡Padre! ¡Padre!

Parecía que hubiese transcurrido mucho tiempo desde que llegué tras él, en mi tílburi, y también que la catástrofe había destruido mucho terreno, pero no era así. Todo lo que cuento transcurrió en minutos, no más de treinta, desde luego, y la porción removida, ametrallada y cubierta de muertos y heridos, terminaba de pronto, en los muelles y en las casas; más lejos, todo era normal, tranquilo por contraste. Sólo aquí y allá se alzaban gruesas nubes de humo, porque, en nuestra ciudad, un incendio se produce por nada. La explosión fué inmensa, pero cesó en seguida. Al principio, la ciudad creyó que se trataba de un accidente, y, en el hospital, el doctor Solís comentó con Gerardo:

—Dicen que ha saltado un cabo en Maliaño. Ya verá usted, Séjournant; sin tres o cuatro heridos no escapamos.

Fueron Raquel y sus mujeres las primeras en advertir la importancia del siniestro, y por eso acudieron en seguida. La Casa Rosa estaba muy cerca, detrás de la Catedral, cuyas campanas, según llegó a rumorearse, se había llevado la fuerza de la explosión; pero no, seguían allí, en lo alto de la torre, cuadrada y de grandes piedras. Después llegaron más gentes, conforme la noticia se propaló. Pero, cuando Gerardo me preguntó por padre, hacía poco que el "Cabo Machuca", curiosamente pequeño, se había destrozado ante mis ojos.

— ¡Padre! ¡Padre! — gemí otra vez.

El corazón me latía con mucha fuerza y tenía las piernas temblonas y débiles. Era en las rodillas donde lo notaba, sobre todo, y en los tobillos, como si me apretaran unos dedos muy fríos. Sentía unos inmensos deseos de abandonarme, de no luchar más, de tenderme y mirar al cielo. "¡Qué cruel puede ser el cielo! —pensé—. ¡Qué indiferente con sus gaviotas!" Padre había muerto y mi corazón latía como un cacharro que se golpea. "Si me desmayo — pensé de nuevo —, todo quedará tranquilo. Sería como si cerrase los ojos."

Pero no me desmayé. Por una vez mi cariño por padre se impuso a mi debilidad y comencé a buscarle, desorientado, tanteando aquí y allá, interrumpiendo el paso de las camillas recorriendo la impresionante serie de bultos inmóviles que yacían a la sombra de una tapia medio derruída; una tapia blanca, como la de un cortijo. Hasta entonces conservé mi serenidad, pero, desde que pensé que padre podía haber muerto, me convertí en uno de tantos, en un ser lleno de dolor, que buscaba a su padre, los restos de su padre, por lo menos. Los bultos estaban rígidos, como si se hubiesen helado. Entre ellos marchaba una figura vacilante y encorvada.

— ¿Has visto a mi padre? — le pregunté.

— Y tú, ¿has visto a Aneli? — me preguntó, a su vez, Mirachichas —. ¿La has visto?

Entre los dos levantamos el lienzo que cubría el cadáver más próximo. Hermógenes, "el de Oro", yacía, con los ojos abiertos y nublados, y el bastón sobre el pecho, muy cogido, como si fuese un crucifijo.

Dejé a Mirachichas y seguí buscando. De pronto el aire había refrescado y la luz no era tan clara. Un camillero con un brazalete me detuvo.

— ¿Qué hace usted aquí? No se puede estar aquí. ¡Vamos, retírese!

La organización había llegado. Pese a que buena parte de las autoridades saltaron por los aires, la benemérita junta municipal había tomado cartas en el asunto y ya no se podía buscar a mi padre, ni siquiera los restos de mi padre.

— Soy Pardo — repuse —. Mi padre no aparece. Le juro que, si me impide buscarle... bueno, ¡inténtelo! ¡Inténtelo y le hago trizas, a usted y a su maldito alcalde!

El muchacho debía de conocerme, por lo menos de nombre. Aun así se defendió.

— Son órdenes.

— ¡Son!...

Le hubiera ahogado de buena gana. Al principio, en mis crisis, me acometían deseos de ahogar a alguien. Crispé las manos. Era un deseo muy fuerte, que me hacía olvidarme de todo.

Le oí decir de nuevo:

— ¡Vamos, retírese! El que quiera ayudar, que se presente

en el Ayuntamiento, o en el hospital. Las mujeres, que vayan al hospital.

Junto a mí cruzaron Raquel y las suyas, de retirada. Raquel se había quitado los zapatos y caminaba con ellos en la mano.

Debí de permanecer mucho tiempo en pie, sin darme cuenta de lo que me rodeaba, porque Gerardo me dijo después que me había hablado sin recibir respuesta, pero sin que nada le hiciese suponer tampoco que estuviera a punto de desmayarme. Fué Goyo el que se lo hizo notar. Goyo llegó al siniestro poco antes que Gerardo, y se encargó de dirigir las lanchas que pululaban en torno a los restos del cabo. Ocupó una pequeña chalupa y con ella se movía, de aquí para allá, como cuando éramos niños. De vez en cuando se tiraba por la popa, para bucear a la busca de algún bulto entre las aguas. Aguantaba mucho y salía con el rostro mojado y los ojos rojizos.

— ¡Aquí, remar hacia aquí! ¡Hala con él! ¡Aúpa! — Al empujarle se hundía de nuevo y los pelos se le esparcían entre el agua.

Así encontró a Max y vino a comunicárnoslo. Max estaba desnudo por completo. Tenía la cara aplastada, toda roja; tan roja como fué su nariz.

Goyo trepó, para decírnoslo, por la escalera cubierta de verdín; el agua golpeaba abajo, indiferente, como en los días de bonanza. Así había golpeado contra el cuerpo de Max. Max tenía una letra tatuada en el pecho; una jota verdinegra, sin adornos. Nunca hasta entonces lo habíamos sabido.

Creo que fué la noticia de su muerte la que me derrumbó. La escuché, o, por lo menos, ahora me parece haberla escuchado, porque afirmarlo no podría. Goyo chorreaba como un perro lanudo.

—Estaba muy abajo — explicó —. Junto a un montón de planchas. ¡Dios, Gerardo, la bahía es un cementerio!

— Sí, es terrible.

— Tiré de él y no subía. Estaba a punto de dejarle, cuando se soltó. Casi me arrastra.

Salieron a flote, y, con el impulso, la cabeza de Max rebasó el agua; después, al hundirse de nuevo, hizo un pequeño ruido, ¡clac! Goyo tardó en reconocerle, porque como estaba así...

— ¡Con tal que todo acabe! — suspiró Gerardo.

— ¿No has sabido aún de Aneli?

— No, nada.

— ¿Quieres que la busque? — se ofreció Goyo —. Mandaremos otro a las barcas.

— No, sigue en tu puesto. No aumentemos el desorden.

Sí, cada cual debía seguir en su puesto; Gerardo, Goyo, el camillero; Raquel, Max, padre... Cada cual debía seguir en su puesto.

— ¡Sujétale! — oí gritar a Goyo —. ¡Sujétale, Gerardo! ¡Se va a caer!

Gerardo extendió un brazo. Estaba vestido de blanco. ¡Qué curioso, estaba todo vestido de blanco, hasta casi los pies! No importaban aquellas manchas rojas; estaba vestido de blanco.

VII

Creo haber dicho varias veces que el hospital viejo era muy bello. Tenía una portada antigua, con una Virgen de piedra y un gran escudo, que llegaba hasta el balcón. La puerta era de madera, gruesa, con muchos clavos, y los mozos tenían que empujar con fuerza para abrirla cuando el alba apuntaba por el campanario de la catedral. La puerta daba a un túnel, que se abría al patio. Cuando sor Ramona cruzaba por él, con sus tocas batiéndole como alas, parecía que el aire trajese un leve aroma de incienso.

El patio tenía muchas columnatas, rematadas por flores, animales y monstruos. Sus arcos eran leves y no pesaban. En su centro, entre arbustos bajos y cipreses, se veía un pozo, con un remate de hierro forjado, del que pendían la polea y el cubo. La yedra cubría las paredes del hospital, abrazaba las columnas y llegaba, en algunos trechos, hasta el tejado, de vigas saledizas y talladas. En primavera apuntaban los rosales y los geranios. Era tranquilo como un recuerdo. A mí me hacía pensar en el profesor Groux, aunque, en vez de las palomas, fuesen las gaviotas las que acudiesen a él.

El Hospital tenía una farmacia muy vieja; la más vieja de España, de creer a sor Ramona. Daba al patio y se penetraba en ella por una puerta estrecha, de cuarterones, como las de los alcázares. Era una habitación pequeña, de techo bajo y en bóveda, con muchas repisas en las que se amontonaban probetas, alambiques, retortas y morteros; una gran mesa se extendía a lo largo. La habitación tenía un color especial, como si se la mirase a través de una vidriera. Sus muebles eran sólidos y sencillos, con grandes herrajes, y, a lo largo de las repisas, se veían frisos de azulejos, quebrados muchos de ellos

y con desconchones. Las ventanas se cubrían con un calado
de celosías. La habitación tenía cierto aire moro, recatado, y,
si el sol penetraba en ella, flotaba un polvillo dorado, saltarín
y movedizo, que materializaba los rayos.

Sor Ramona se enorgullecía de la farmacia y trabajaba de
la mañana a la noche en las salas de arriba, que tenían nombres sencillos y devotos: Sala de San José; Sala de Santa Adela;
Sala del Angel niño... Pero, cuando gozaba un momento de descanso, acudía al patio, y permanecía en él ganada por un especial estado de placidez, que se parecía mucho a la beatitud.
"Así debe ser la felicidad", pensaba sor Ramona. "Algo tranquilo, que nadie mueve, ni siquiera la conciencia." A ella la
conciencia la movía bien pocas veces, porque la tenía quieta
y en paz. Era una mujer madura, baja y sana, con unos labios
gruesos, que sombreaba un vello demasiado insistente. Al
andar, movía las caderas de un modo muy firme, como si las
plantase. Tenía unas manos cortas, rojizas, de uñas rapadas,
que olían a alcohol y a yodo. Sonreía por nada, y, si algo le
hacía gracia, rompía a reir, con las manos sobre el vientre,
como si le sujetase. Había nacido en Molledo, allá por los
montes, y siempre fué muy dada a compadecer menesterosos.
Tuvo un novio que se le murió de las viruelas. Sor Ramona no
lloró mucho y hasta pareció haberle olvidado. Pero, al año y
médio, ingresó en las hermanas de la Caridad.

Era muy popular en la ciudad, y yo la veía con frecuencia,
sobre todo desde que Gerardo Séjournant, hecho ya todo un
doctor, comenzó a trabajar como ayudante de Solís. Siempre
se quejaba.

—Este hospital es muy pequeño. No cabemos en él. Jesús,
¿qué pensarán los ricachones de la provincia? De dos en dos
vamos a tener que colocar los enfermos. O en pie, como troncos de bosque. ¡Ay, corazones duros, corazones duros!

El hablar no la distraía de su trabajo. Siempre estaba ocupada sor Ramona, y lo curioso es que nunca pareció hacer nada
importante. Yo le prometía...

—Cuando tenga dinero construiré un hospital nuevo. Un
hospital grande, como el del mismo París.

—No lo necesitamos tan grande—contestaba sor Ramona—. Pero sí más fervoroso.

Porque sor Ramona compartía el natural horror de Santa María hacia todo lo que tuviese relación con la fementida capital de Francia.

Pero cuando el patio del hospital ganaba su más completa hermosura era de noche. Entonces todas las cosas parecían encantarse en una atmósfera especial, muy luminosa, suave al tiempo, como de lámparas sostenidas por doncellas. Las piedras eran blancas, blancas las losas, y la luna redonda, con cara de aldeana recién casada. Las gentes de los pueblines decían:

—Luna blanca, tiempo de calma.

Si hubo alguna vez calma, fué en el patio del viejo hospital, pese a las quejas de los enfermos, al rumor afanoso de las respiraciones, los delirios y los sueños, hondos y pesados, los sueños que caen y caen. Todo esto dormía su fiebre, o desvelaba sus insomnios, en las salas de arriba. Si alguien moría, no era sacado por el patio, sino por la puerta de atrás, que daba a una calleja sumida entre muros, de guijarros puntiagudos, color rojizo, de pedernal.

Muchas noches soñé con este patio, con la luz de su luna y con la sonrisa de sor Ramona, clara y franca. Muchas veces, en mis noches, la visión de las columnatas, de la yedra, de los rosales y del pequeño cuadrado de cielo que festoneaban las tejas, puso paz en mis sueños, no siempre tranquilos. Por eso, cuando, al abrir los ojos, contemplé el patio iluminado por la luna, me creí soñando de nuevo y di gracias al Señor porque me concedió la calma de este sueño. Me dolía la espalda y sentía en mi cabeza aquel latir de sangre que tantas veces me torturó después. Tan pronto la vista se me nublaba, y el patio desaparecía, oscilante, como todo se volvía transparente y el patio del hospital recortaba sus perfiles sin escamotear el menor de ellos. Yo abría los ojos y los recorría, uno tras otro; los cipreses, las hojas de la hiedra, los monstruos de los capiteles, el pozo, fresco y abierto, como una pila bautismal...

Durante algún tiempo me creí soñando todavía y esperé

despertarme, tranquilo, en mi cuarto. No acababa de recuperar la conciencia. Entre mis manos asía algo que me llenaba de un suave calor. Era un pequeño objeto, como una piedra de las que llevan y traen las mareas, redondeándolas poco a poco. Estas piedras son tiernas, suaves, sin rugosidades, y parecen huevos de los que hay en la costa, en los nidos de las rocas. A veces tienen una pequeña abolladura, como si las hubiesen apretado con los dedos, cuando aún eran blandas.

Pero ¿es que puede ser blanda una piedra? No, lo que es blando es un corazón. Era un corazón lo que tenía entre mis manos, pero no un corazón desnudo, sino con la carne caliente que cubre a los corazones, con la piel suave y redonda del seno. Esto tenía yo entre mis manos y por eso me sentía tranquilo y el calor del pequeño objeto me invadía poco a poco. Algo me decía que el dolor acechaba, que muchas cosas dolorosas aguardaban que despertase por completo para hacerse presentes, pero yo no despertaba. Continuaba así, con algo suave y cálido entre mis manos, y era feliz, como una mujer dormida junto a un cisne. "Una mujer, una mujer..." —pensé—. "¡Leda, naturalmente, Leda!" Leda recordaba algo marinero, limpio y blanco, como los barcos de los Séjournant.

Quizá porque en lo último que pensé durante mi inconsciencia fué en los barcos de los Séjournant, no me extrañó ver a Aneli cuando abrí los ojos. La vi al volver, con muchas dificultades, la cabeza, y, en el primer momento me pareció muy lejos. Estaba tendida en la camilla contigua a la mía, con la mirada fija en la bóveda de los arcos. Así vista, había algo duro en su perfil. Creo que fué entonces cuando pensé por primera vez que en la belleza de Aneli existía un componente extraño, de otra raza, que la hacía muy diferente a nosotros.

Cuando mi conciencia se recuperó del todo, vi que estábamos en el patio del hospital. La luna lucía clara y el patio ofrecía el maravilloso aspecto que ya he descrito. A lo largo de sus soportales habían colocado muchos camastros y camillas, en los que yacían bultos inmóviles, o bultos que se quejaban lastimeramente. El patio, tan silencioso otras veces, estaba aquella noche lleno de quejidos. Vi una bata blanca ir de aquí para allá y las tocas de una monja, como una mancha que se moviese. Poco a poco los contornos fueron precisándose. El cuadro tenía un aspecto irreal, pero sólo por lo desusado de que los heridos yaciesen, tocándose casi, al aire libre, en un lugar comúnmente tranquilo y recoleto. En lo demás era terriblemente real; dura y angustiosamente real. Hasta el olor lo era, agrio, a sangre y a no sé qué, quemado, denso y ligero al tiempo, como un humo que viniese de lejos.

Aneli yacía en la camilla vecina a la mía. Era su mano la que tenía cogida, una mano pequeña, con los dedos entreabiertos. Su brazo estaba extendido, desnudo, así como la parte de su pecho que no cubría la manta. La creí malherida y me estremecí. Pero su mano estaba caliente, y no por la fiebre. Era un calor diferente, que me turbaba, y que, sin embargo, no me resultaba extraño, sino que le reconocía, como si le hubiese estado esperando desde hacía mucho tiempo.

Perdonadme si insisto en ello. Durante mis relaciones con Aneli experimenté sin cesar esta sensación de que estaba unido a ella desde hacia mucho tiempo, desde el primer día que la vi, quizá desde antes. Y no la quise; no, no la quise. Yo sé ahora que no la quise y en estos momentos no podemos engañarnos. Era algo diferente, y, no obstante, mucho más fuerte. Yo podía amar a otras mujeres, podía reverenciarlas y sentir que ocupaban todo mi corazón; de hecho sucedió y no me acuso de haber traicionado a Cati en esto. Pero pertenecía a Aneli. La pertenecía en el cuerpo, en la sangre y en el instinto. Creo que fué el placer de rendirnos a un mismo vicio el que nos unió, y aunque nos odiamos, y aunque, a veces, hubiéramos deseado apretar nuestras gargantas, y morir así, muy cerca y con el aliento cortado, nunca, mientras aquello duró, pudimos prescindir el uno del otro. Y aquello duró largos años. No pretendáis entenderlo. Yo no lo entiendo tampoco. Aneli y yo nos combatimos, y sin embargo no podíamos separarnos. Fuimos como dos amantes encadenados a los que sus mismas cadenas les impedían abrazarse. Creo que si no nos destrozamos, es porque las cadenas continuaban allí y ninguno de los dos nos sentíamos con fuerza para arrastrar el cadáver del otro.

Su mano era suave. ¡Oh, sí, era muy suave su mano, aquella noche, en el patio lleno de heridos, bajo la luna indiferente que se asomó para ver la catástrofe del "Cabo Machuca". Se la apreté y entonces, sin moverse, me dijo:

—¿Te encuentras bien ya?

Hablaba en voz baja. Se la hubiera creído a la cabecera de mi cama.

—¿Cómo estás aquí?—pregunté. Al incorporarme sentí un mareo, pero, así y todo, logré vencerlo—. ¿Te han herido?

Volvió la cabeza y percibí el fulgor de sus ojos.

—Me han herido—repuso—; me hirió un trozo de hierro. No era muy grande, pero era agudo como un puñal. ¡No te levantes, no seas loco!

Pese a sus ruegos, me levanté. Vestía pantalón, chaleco y camisa, pero mis pies estaban desnudos. Tomé asiento junto a ella, en el borde de la camilla. Aun tenía su mano cogida.

—¿Fué grave?

—No sé. Estuve mucho tiempo sin socorro. Gerardo me encontró, abrazada a un muchacho.

Sonrió. Después vi muchas veces aquella sonrisa.

—Temo haberme creado una mala reputación.

Ladeó un poco la cabeza y me miró de frente.

—Siento haberte hecho traer aquí—dijo—. Estabas en tu coche cuando Gerardo me metió dentro y dió orden al cochero de conducirme al hospital. ¡Pobre Gerardo! No pensó en ti, a pesar de que parecías muerto, tendido en el asiento. ¿Qué te sucedió? ¿También estás herido?

—No. Creo que fué el corazón. Padre no aparecía.

Me detuve un momento.

—No ha aparecido ¿verdad?

—No—repuso Aneli.

Me incliné sobre ella.

—Pero tú—le pregunté—; ¿cómo recuerdas todo esto si estabas desmayada? ¿Cómo?

—¿Quién te dijo que estaba desmayada?—me contestó—.

No lo estuve nunca. Sentí un dolor muy fuerte y caí a tierra. Sobre mí se derrumbó un montón de vigas y cascotes. Y el muchacho. Me cubría por completo, y estaba muy caliente, por lo menos al principio; después se fué quedando frío. Entre dos vigas había un hueco, por el que divisaba un poco el cielo. Intenté gritar, pero no me oían. Yo sí oía un rumor cerca, pequeño; un rumor como el que hace la arena al caer.

Seguía hablando en voz baja. Casi no la podía escuchar.

—Entonces tuve miedo. ¡Oh, no, no es lo que tú crees!

—¿No?

—No; desde luego no tenía miedo de morir. Pero tenía miedo de no vivir, ¿me entiendes?

—No te entiendo, Aneli.

—¿Qué importa? Pensé que era una pena terminar allí, con aquel pobre muchacho muerto encima de mí. También pensé que mi marido me buscaría.

—¿Y después?

—Ya lo sabes. Me metieron en tu coche y sor Ramona mandó acostarnos aquí. Se veía un poco de cielo, como entre las tablas, pero más grande. Anocheció.

La oí reir y pensé que desvariaba.

—No lo creerás, pero el que anocheciese junto a ti me produjo una sensación extraña. Creo que sor Ramona se escandalizaría si lo supiese.

Siempre habló así; siempre, en los más difíciles instantes, puso una nota burlona, cínica y valiente, muy valiente. Yo sentía otra vez su perfume. Se abría paso entre el de las gasas, los heridos, los desinfectantes, los tónicos y las pócimas que llenaban la atmósfera del hospital. Le pregunté:

—¿Han muerto muchos?

—No sé. Creo que sí. Ya te lo dije.

Intenté sobreponerme.

—Debo irme —dije—. Madre estará sola. Y los demás.

—Sí —convino Aneli—. Debes irte.

Pero no soltó mi mano. Yo me recliné junto a ella. Me sentía otra vez muy débil. Aneli, con gran esfuerzo, se hizo a un lado.

—Ven — me dijo —. Descansa.

Corría un vientecillo ligero; un vientecillo alegre, como el que se detiene en las hojas y peina la yerba. Las estrellas cuajaban el cielo y el Camino de Santiago temblaba, indeciso. Aneli murmuró:

—Tienes frío.

Me tapó con la manta y no pareció sentir rubor. Apenas si se movió. Creeríase que hubiésemos yacido muchas veces así, que estuviéramos solos. Y, en realidad, solos estuvimos, pese a los heridos que nos rodeaban. Nadie reparaba en nosotros y nuestro acto nos parecía completamente natural. No hablamos. Sor Ramona cruzó apresurada.

—¡Avisen al doctor Séjournant! — la oímos decir —. ¡Corra, mujer!

Unos pasos se alejaron, precipitados. Alguien se quejó en voz alta.

—¡Madre, ay, Madre! ¡Ay, Madre de Dios!

Pasó tiempo. Aneli se movió un poco y yo hundí mi rostro entre sus cabellos esparcidos...

—Vete — me dijo a lo último —. Vuelve a tu camilla.

Me levanté de nuevo, y, como un autómata, volví a la camilla. Cerré los ojos, y, aunque ya no la sentía, pensé en ella con obsesionado furor.

Al cabo de algún tiempo noté que me agitaban. Era Gerardo, un Gerardo lívido, cansado, que no se decidía a hablar.

—¿Te sientes con fuerzas? — me preguntó al fin —. Sería conveniente que te levantases. Seguramente necesitarán de ti... ahora.

—¿Ahora? — murmuré. En seguida comprendí —. Ahora, claro. Padre... ¿Ha muerto?

—Sí. Goyo le encontró; tu madre está con él.

Padre había muerto; madre estaba con él. Me incorporé con paso vacilante, atravesé entre la fila de heridos y salí del hospital. Aunque todavía llevaba los pies desnudos, ni Gerardo ni yo reparamos en ello.

VIII

Villa "María Rosa" estaba iluminada. Posiblemente muchas veces hubiera estado así, pero a mí me sorprendió porque esperaba encontrarla en oscuridad. Me parecía que, a la muerte de mi padre, debieran haberse apagado todas las luces, los candelabros, los quinqués, los candiles, que pendían de la chimenea como pájaros dormidos. Villa "María Rosa" hubiera debido recibir a oscuras la noticia de la muerte de su dueño, como si hubiese cerrado los ojos.

Pero, en vez de esto, madre mandó encender las luces. Luces en el recibimiento, en el comedor y en la escalera; luces en el pequeño salón de junto a la terraza. Recuerdo que me pregunté si habría encendido también las luces del cuarto de arriba, donde padre solía encerrarse, a solas con sus evocaciones. Me había detenido un momento, y después, comencé a caminar, lentamente, por el sendero enarenado. Delante mío tenía a villa "María Rosa", refulgente como un ascua; detrás, la masa oscura de los pinares, la playa, y el mar, más blanco, siempre con su alentar. "¡Cuánta gente! — pensé —. ¿Por qué habrá tanta gente en casa?" Se les veía a través de los cristales porque no habían corrido las cortinas, y se diría que estaban celebrando una fiesta.

Atravesé entre ellos con una creciente sensación de angustia. Creo que fué el inesperado respeto que me demostraron lo que la acrecentó. Allí estaban los cuatro hermanos de mi padre, Roque, Romualdo, Rodrigo y Remigio; allí estaban tía Elisa y tía Trinidad, con sus maridos, y tío Arturo con su mujer, tía Alicia; allí estaban los primos, formando un grupo impresionante por lo nutrido. Al fondo, sentadas junto a madre, vi a María, mi hermanastra, a Esperanza y a Rosina. Era sorprendente; madre tenía cogida una mano de María. Más lejos, junto a las cortinas de la terraza, divisé a Alfonso Solano, el marido de Esperanza, con el ceño fruncido y el aspecto sombrío. Todos volvieron la cabeza al verme y yo avancé entre ellos, arreglándome maquinalmente el cuello sin corbata. Aunque, a las mismas puertas del hospital, Gerardo y yo caímos, casi a la vez, en que iba descalzo, en mangas de camisa y con la ropa hecha jirones, no era mucho mejor mi aspecto actual. Gerardo me echó una levita sobre los hombros y yo mal abroché mi chaleco, al que le faltaban casi todos los botones. Mi reloj se había roto, pero un pedazo de la cadena pendía de uno de los bolsillos. En cuanto a los zapatos, me calcé unas botas viejas, que encontramos en el cuarto del portero. Gerardo me dió una palmada amistosa.

—¡Animo! — me dijo—. No desfallezcas y... bueno... ¡Animo!

No sabíamos qué decirnos. Oímos gritar a sor Ramona.

—Pero ¿dónde está el doctor Séjournant? ¡Espérese, hombre, que no se va a morir! ¡San Antonio bendito! ¿Dónde estará el doctor?

Gerardo me lanzó una mirada suplicante, como diciéndome "Yo bien quisiera estar contigo, pero ya ves"... Se fué, con cierto alivio, porque le apuraba no saber como ayudarme. Yo crucé la puerta, subí al coche, agité las riendas y el caballo comenzó a caminar.

Descendí la cuesta que llevaba al Puente por un barrio de tabernas y casas de mal vivir en el que reinaba un silencio absoluto. Ni una música, ni un canto, ni una disputa, ni una risa rompían este silencio. La Casa Rosada estaba al fondo, con todas las ventanas apagadas y la puerta abierta a un zaguán vacío y negro. Sólo en las escaleras de la catedral vi una mujer dormida, doblada en dos, como un saco medio lleno.

En cambio, apenas llegué al Muelle, me sorprendió la cantidad de gente que se agitaba por los jardines. En torno a la machina se veían numerosas fogatas, y antorchas que

iban de aquí para allá. El silencio del barrio anterior se
extendía, no obstante, hasta esta parte de la ciudad, acompañado de una extraña calma. El viento estaba inmóvil, y pesaba, como cuando se anuncia la tormenta. Escuché una vez más
los ruidos de los cascos, trotando delante de mí. El coche enfiló
el Muelle, le rebasó, dió la vuelta al puerto...

Aun ahora, cuando recuerdo a padre, experimento la profunda y acongojante sensación de soledad que me acometió
al saltar del coche y emprender la subida del sendero de villa
"María Rosa". No sé por qué lo hice a pie, quizá porque me
pareció más de acuerdo con las circunstancias llegar silenciosamente. La casa estaba toda encendida, y, por contraste, el
jardín parecía más oscuro; la arena crujía, como las hojas
secas. A lo lejos, fija, se veía la luz del faro. Recordé el dicho
de los marineros:

—Dios te guíe y la Peña de Francia.

Desde aquel momento faltaba el guía de mi vida. Sólo entonces, en el breve espacio de tiempo que tardé en remontar el
sendero, me di cuenta de que padre había muerto y de todo lo
que esto significaba. Padre y Max. No era necesario pensar en
los dos, sino que bastaba hacerlo en uno o en otro, tan unidos
estaban. De pronto me encontraba sin ellos, enfrentado con
la responsabilidad de la vida. Llegué a la puerta y la empujé.
Todos, tíos, tías, primos, hermanos, se levantaron y se volvieron hacia mí. Madre lo hizo también y extendió los brazos.

—Ven, Arturo —me dijo—. Ven, hijo mío.

Había cambiado. Estaba muy pálida y tenía una mirada
dura, brillante y hundida; una mirada que hacía recordar la
de la Cubana. Sus cabellos se habían estirado, y, cuando se
puso en pie, me pareció más alta. Me abrazó y la sentí temblar.

Le pregunté:

—¿Padre?

—Está arriba.

Goyo había mandado traer un gran ataúd; un ataúd de
madera labrada, incrustaciones de plata y un Cristo de marfil,
cincelado como una joya. También Goyo estaba allí; le des-

cubrí al subir la escalera y le abracé conmovido, porque había sido muy fiel.

—Sabíamos que estabas en el hospital — me dijo —. Dejamos el encargo a Gerardo de avisarte... si era posible.

Me miró y vi que sus ojos me huían.

—La impresión debió de ser muy grande — acabó —. No me extraña que tuvieras... eso...

En aquellos momentos no me extrañó la expresión. Sólo sentía un gran agradecimiento hacia Goyo y una gran confianza en él. Madre esperaba, unos escalones más arriba, y los demás abajo, como un cortejo. Cuando me arrodillé ante la caja, quedaron en el pasillo. La caja tenía la tapa echada. Extendí la mano hacia ella y la retiré. Sólo madre se había atrevido a levantar aquella tapa, pesada y rica, con el Crucifijo de marfil sobre ella, blanco, desangrado.

Fué una noche larga y sin palabras. Madre estaba muy silenciosa y nadie se atrevía a irrumpir en sus pensamientos; yo callaba a su lado. De vez en cuando me levantaba y me iba con Goyo a fumar un cigarrillo en la terraza.

—Vete al despacho mañana y dile a Jesús...

—Descuida.

—¡Ah! y pásate por el puerto. El "Rosa de Santifría" está al llegar.

—No te preocupes. Me encargaré de todo.

Así comenzó Goyo a trabajar conmigo. La noche se enfriaba de amanecer. En el interior de la casa, los tíos, las tías, los primos, los hermanos, seguían inmóviles. De la habitación de arriba llegaban los rezos de los que velaban a padre.

El entierro no tuvo pompa alguna, porque eran días de duelo y sobraban muertos para rodearles de lujo. El coche ascendió hasta el Alta y tomó por un sendero que conducía al cementerio. A lo lejos se divisaba el mar. Cuando los caballos movían las cabezas, oscilaban sus penachos, negros como grajos.

IX

Padre había hecho un testamento que demostraba cuán romántico era en el fondo, cuán tierno y sentimental. Algo más de un millón, Torrellana y todas sus tierras eran para sus hermanos; el resto se repartía entre Esperanza, Rosina, Juan, Marta, María y yo, pero recomendando que la fortuna no se dividiese, sino que fuera administrada por mí, y mejorándome notablemente. A madre le legaba "su agradecimiento y su amor". Padre sabía lo que la queríamos todos y que nunca le faltaría nada. Pero su amor si debía faltarle, y por eso se lo legaba, como si pudiera disponer de él.

Solamente Enrique del Real se atrevió a discutir el testamento. Tío Arturo, tía Elisa y tía Trinidad recibieron también sus mandas, y aunque, en el fondo, envidiasen a los cuatro "erre que erre", comprendieron que, al fin y al cabo, eran los hermanos de padre y que tenían derecho a ser mejorados. En cuanto a los cuatro "erre que erre" no cabían en sí de satisfacción, aunque, naturalmente, se cuidasen mucho de disimularlo. Creo que nunca quisieron de verdad a padre, como sucede con frecuencia entre hermanos; una hermana hubiera dado a padre el cariño que al principio le faltó, pero no la tuvo. Los cuatro "erre que erre" andaban con cara triste y compungida, pero con el alma sonándoles como unas castañuelas; unas castañuelas de oro. El cuanto a sus mujeres y sus hijos, ni siquiera sabían disimular. A mí me trataba con un respeto adulador que me causaba risa.

—¿Cuándo podrás comer conmigo, primo Arturo?—me suplicaba primo Juan.

Decir primo Juan no es decir mucho. Había cuatro primos Juan, como había cuatro "erre que erre". Cuando, todavía en Torrellana, tío Roque concibió la genial idea de poner el nombre de Juan al hijo que acababa de nacerle, los otros tres "erre que erre" palidecieron de envidia. Remigio, que era el más intelectual, hasta se atrevió a protestar:

—¡No hay derecho! —dijo—. ¡Mezclar la paternidad con los negocios!

Porque, sin duda, era un negocio ponerle a un hijo el nombre del Emperador Juan, del hermano rico y poderoso del que todo dependía. A padre, además, pareció conmoverle la atención y colmó de presentes al muchacho. Los otros tres "erre que erre" adelgazaban y se iban poniendo amarillos por días. Si estaban solos, miraban a sus mujeres con la misma mirada con que los patriarcas debieron repudiar por estériles a sus esposas.

—¿Nada? —preguntaban.

—Nada —respondían las mujeres con tono humilde y bajando los ojos.

Tía Gloria, la mujer de tío Roque, cruzaba despectiva ante ellas, con el retoño en brazos: aquel retoño que se llamaba Juan. Los otros tres "erre que erre" esperaban la llegada de la noche como quien se juega, una vez más, la carta definitiva.

Pero el agua perfora la roca y el viento abate la torre. La constancia de los tíos tuvo su premio, y, uno después de otro, con intervalos que hicieron agonizar de angustia a los retrasados, nacieron los otros tres Juanes. Padre sonreía divertido cuando los veía juntos.

—¿Cómo te llamas, bonito? —preguntaba a cualquiera de ellos.

—Me llamo Juan —respondía el niño.

—¡Y éste también! —se apresuraba a aclarar el padre, o la madre, más próxima.

—¡Y éste!

—¡Y éste!

Hubo un hombre enviado por Dios que se llamaba Juan. Si

Dios llega a olvidar el envío de alguno de estos otros, le hubiera costado una congestión al padre del olvidado.

Los niños crecieron; fueron jóvenes primero; hombres después. Cuando murió el abuelo se vinieron a la ciudad. Como ya dije, daban ciento y raya al más pintado en lo de alocados, fanfarrones y mujeriegos. Primo Juan, el primero, jugaba mucho en el Casino y con indudable valor. Lo cierto era que los primos habían dejado muy atrás el pelo de la dehesa y que se portaban, si no como perfectos señores, sí como perfectos señoritos.

Pero no fué por ellos por los que Enrique del Real discutió el testamento, sino por mí. Según él, el testamento dejaba a mi madre completamente en mis manos.

—¿Y en qué mejores puede estar?—le pregunté un tanto amoscado.

—No interpretes mal mis palabras—me contestó Enrique—. Ya sé que velarás por tu madre, pero hay que pensar en todo. Tú puedes faltar.

—Sí, desde luego, pero entonces mi madre me heredaría.

—No—repuso Enrique—. Te heredaría tu mujer.

En este momento la cuestión del testamento se fué, definitivamente, al diablo. Madre recuperó parte de la viveza anterior a la desgracia y se lanzó al ataque con todas las armas desplegadas. Yo resistí mal. En el fondo reconocía que, ahora que había heredado el trono, la soltería que mantuve siendo príncipe resultaba punto menos que imposible de sostener. Pero pensaba en Aneli. Había vuelto a verla varias veces; una de ellas en su casa; las otras, puestos ya de acuerdo, en el mesón de Puente Álamo. Puente Álamo no cae lejos de la ciudad, y, además, los caballos de Mirachichas no tenían nada que envidiar a los legendarios de Jorge Ruiz. Puente Álamo está junto a un río, a pocos pasos del puente, un puente románico, de grandes sillares, que el agua lame apenas; el puente y los árboles dan nombre al caserío. Se come maravillosamente allí, y Toñuca, la actual dueña del mesón, sostiene que su padre conoció al mío, cuando llegó a la ciudad, a remolque de Blanquillo. Como su padre ha muerto, nunca pude comprobarlo, pero creo que son leyendas. En todo caso, el mesón es discreto, y Toñuca sabia como una dueña joven.

—Pero ¿con quién puedo casarme? — grité, exasperado cuando los razonamientos de madre, espaciada, pero eficazmente apoyados por Enrique del Real, me acorralaron por completo—. ¿Con quién?

Madre y Enrique se miraron. Después madre dijo:

—¿Nunca has pensado en Cati?

¿En Cati? ¡Pero si Cati era una niña!

—Tiene veinte años ya — me contestó madre — a su edad me casé yo. Y tuve que esperar — añadió, mientras se le nublaba la mirada.

¿Cati? Bueno, sí, Cati. ¡Pero si yo juraría...!

Nos casamos antes que terminara el luto, en la capilla de Santifría. La pobre Cati no tuvo una boda de rumbo, oficiada por el señor Obispo, sino que la casó Don Mario, el deán de la Colegiata, que estaba muy viejecito y que, durante la comida, no dejó de hablarnos del cura Santa Cruz. Tampoco pudo hacer su exposición de regalos y las Reparadoras la cosieron el equipo casi clandestinamente. Pero en sus ojos lucía una luz maravillosa y parecía que cada mañana la trajese una flor nueva o un nuevo perfume. El día que me declaré, todos menos Cati sabían que se iba a producir el acontecimiento. Cuando se lo dije a Aneli, frunció el ceño.

—¿Estás enamorado de ella? — me preguntó.

—¿Enamorado de Cati? ¡Pero, mujer!

—¿Por qué no habías de estarlo? Es preciosa.

Me sorprendió el tono de su voz. Aneli ha tenido siempre celos de Cati. Es de la única mujer de la que los ha tenido.

Madre había organizado una merienda íntima. Las siete Ceballos se posaron, materialmente, en torno a la mesa y Ezequiel Ceballos, hermano y responsable de todas ellas, amén de padre de Cati, me estrechó la mano con conmovido agradecimiento. Merendamos entre risas, miraditas, toses y frases intencionadas o a medio acabar. Las siete Ceballos estaban excitadas como siete doncellas. Ezequiel Ceballos me llamaba hijo.

Después de la cuarta taza de té, pedí a Cati:

—¿No querrias que diésemos una vuelta por el jardín? Quiero... quiero enseñarte el nuevo cenador. ¿Vienes?

Las siete Ceballos nos miraron partir estremecidas, como pudieron estarlo las Vírgenes prudentes al sentir que sus galanes les apagaban la lámpara.

La tomé del brazo y acomodé mi paso al suyo. Apenas si me pasaba del hombro y su pelo clareaba bajo la luz. Sus pestañas eran largas, y, si las movía, irisaban un poco y hacían más luminosa su mirada. Andaba con gracia, como si poseyese el instinto del movimiento. Pensé que iba a ser mi mujer, y sentí una emoción muy tierna. Nos habíamos detenido y le cogí la mano. Me miró con sorpresa.

—Te quiero, Cati—le dije.

De verdad, la quería. De verdad, la quiero y ahora sé que es la única mujer a la que he querido de verdad. Se quedó muy quieta y la respiración se le cortó. Sus ojos podían preguntar como ninguno.

—De verdad te quiero, Cati—repetí.

Echó hacia atrás la cabeza. Tenía unos labios suaves y blandos, que no se abrían al besar.

TERCERA PARTE

LA GRAN PASIÓN

I

El tapete de la mesa es verde; las rayas, blancas, cuadriculan los números. Las raquetas se acercan a las fichas y se las llevan, poco a poco, como si las convenciesen. Son suaves, cautelosas, y me hacen pensar en gatos que se deslizan. Cuando arrastran la fichas de Aneli, veo sus dedos crisparse un poco, y sus uñas arañar la franela.

Aneli tiene una mala racha. Primo Juan, en cambio, gana sin cesar, y le rebosa el contento por todos los poros del cuerpo. Es admirable el modo como juega primo Juan; admirable, aunque un poco vulgar. En primer término, no da importancia a las puestas. Le ha sucedido dejar una sobre su número y marcharse después al bar, porque primo Juan necesita una animación suplementaria para rematar la noche. La ruleta es caprichosa y ama a los que la desdeñan; el número de primo Juan salió una, dos, cinco, siete veces seguidas... Las puestas se iban acumulanlo. Jean, el "croupier" que trajo padre, declaró después que jamás había visto hacer saltar una banca con tanta indiferencia.

Sí; hay algo grandioso y fatalista en primo Juan. Sabe que, a lo último, se arruinará. Pero juega con la misma valerosa indiferencia con que Paris debió de marchar a la guerra de Troya, o con que Homero le dejó marchar. Al fin y al cabo, la cosa tampoco depende de él.

Yo quiero a primo Juan, a este primo Juan primero, hijo de tío Roque y que, con su precoz llegada al mundo, decidió el nacimiento de los otros tres primos Juanes. Es, ¡ay!, bastante más joven que yo y recuerda a padre por su físico; bajo,

fuerte, y con una sonrisa muy simpática que mueve a pensar
si primo Juan no lo hará todo por pura broma. Juega como un
demonio, si es que los demonios conocieron la ruleta y el ba-
cará, y con una particular indiferencia. El modo que tiene de
ignorar los favores o los desdenes de la fortuna es algo único.
A primo Juan no le importa ganar o perder; le importa jugar.
Tiene una elegancia muy suya, que no se doblega a la moda
y que me hace pensar en un gran señor que viviese retirado,
y al que sus mudanzas le llegasen con retraso, por las cartas
de los amigos o por las fotografías; una elegancia de campesino, al que, a pesar de todo, llama siempre la tierra. A primo
Juan le llama, y, una vez por año, su coche enfila la carretera
de Torrellana. He escrito coche y debí escribir automóvil. Ya
corren los automóviles por las carreteras y a primo Juan le
gusta pisar a fondo el acelerador, y avanzar así, entre nubes
de polvo. Es valiente, sereno e incansable, pero no acaba de
ser un señor. Le falta... no sé qué; probablemente la modera-
ción. Primo Juan es excesivo en todo, incluso en el modo que
tiene de pedirme dinero. Aneli me lo suele decir.

—Es un hombre que vive por encima de "tus" posibles.

Los años han hecho más cáustica a Aneli. Cuando la miro,
con la aurora apuntando en los cristales del casino, me asombro de su gesto de cansancio. Todo en Aneli se acusa y se cae
entonces, como si desease volver a la tierra. Tiene el rostro
viejo y los párpados cargados. En el hueco del codo le late una
vena azul, rítmica y llena. Aun hace volver la cabeza a los
hombres, pero no posee la suave, segura coquetería de los antiguos tiempos, cuando cada conquista era una pequeña obra
de arte, en la que Aneli gozaba como puede hacerlo un erudito; diríase que ahora le falta tiempo y hay algo doloroso en
el modo como acepta los requiebros, recogiéndolos, lo mismo
que las fichas cuando gana. Hubo una época en que su dominio sobre mí era absoluto. Ahora no. Ahora, de buena gana, la
cogería por un brazo y le diría, suavemente, al separarla de
la mesa de juego:

—Vamos a descansar, Aneli. Mira, el día llega. Vamos a

dormir, sin preocupaciones, con la cara lavada y el cuerpo rendido. Vamos a dormir, Aneli.

Al echarle su capa sobre los hombros la sentiría estremecerse. Tiene siempre frío, y, muchas noches, en pleno juego, se arrebuja en sus pieles con un gesto que me trae recuerdos lejanos. Su cuello se estira; a veces se llena de sombras, de manchas rojas y de latidos. No hay nada más expresivo que el cuello de Aneli, pero yo no le miro ya porque me da pena. Al principio el cuello de Aneli, terso e inalterable, me seducía. Toda ella era una extraña mezcla de pasión, de burla y de cinismo, pero su cuello no; su cuello encarnaba la serenidad. A veces mis manos quedaban sobre él y sentía una breve vibración, un desenvolverse de lentos anillos, y pensaba que toda una vida caliente y desconocida latía en sus grandes venas, en las arterias, de sangre roja, en el redondo cuello de Aneli, con su hueco azul y su amplia caída hacia los hombros y hacia el seno.

Allí tiene una pequeña cicatriz, como una quemadura. Se la causó el trozo de hierro con que fué herida el día de la catástrofe del "Cabo Machuca". Aquel día comenzó la extraña relación que nos ha unido y en la que ninguno de los dos pusimos nada definitivo, pero a la cual ni siquiera intentamos sustraernos. Algunas veces, cuando repasábamos el tiempo, Aneli solía decirme.

—Lo único que quita encanto a todo esto es que no se podía evitar.

Y así es. Aunque a Aneli le gusta hacer frases, ésta responde en absoluto a la realidad. Hemos estado separados largos meses; hemos pasado temporadas en casi absoluta soledad; nos hemos visto delante de extraños, sonrientes y tan educados como puedan serlo Aneli Séjournant, la viuda de un hombre rico y considerado, y Arturo Pardo, marqués de Pardo. Hemos bailado juntos y nos hemos dicho adiós, yo rozando apenas la punta de sus dedos. Aneli volviéndome esa espalda que yo he visto enarcarse, y en la que los abrazos hacen nacer hoyos, sombras que corren, huesos que asoman como alas. He oído decir:

—Aneli, la Viuda, está en Montecarlo. La ha visto Juan, tu primo.

En cuanto murió su marido le llamaron "La Viuda", con una prisa que permite darse cuenta de cómo, subconscientemente, le habían aplicado mucho antes el denominativo. Aun en vida del viejo Mirachichas, Aneli fué ya "la Viuda", una mujer para la que no existía su marido. Le iba bien el apodo, porque en Aneli, pese a su blanca belleza, hay algo suavemente gris. Mirachichas murió de repente, dos años, poco más o menos, después de la catástrofe. En contra de lo que con el resto de la ciudad sucedió, ésta no pareció afectarle, e incluso salió más joven de ella, con menos kilos y más ágil de movimientos. El balance de la explosión del "Cabo Machuca" fué realmente trágico; casi todas las principales familias de la ciudad perdieron algún miembro, porque, como eran las que disponían de tiempo libre, acudieron en masa al Muelle. La explosión alcanzó lejos, y, junto al balcón desde el que miraban las siete Ceballos, se estrelló un trozo de hierro, grande como una bala de cañón. Carmina Ceballos — Nenamina en la remota época de sus remotos veinte años — se estremecía:

—Fué algo horrible — decía, poniendo los ojos en blanco —. Una sensación como... como si te violasen.

Las otras seis Ceballos la miraban con unos ojos que, a pesar de todo, no podían disimular la envidia.

La nación entera se conmovió. De los cuatro puntos cardinales afluyeron donativos y se organizaron suscripciones; la Reina Regente se interesó personalmente por los damnificados y el Rey niño envió unas letras llenas de simpatía; las pescadoras le vitorearon cuando, amotinadas frente al pósito, exigieron que se les diese el pescado gratis como compensación. Los ánimos andaban muy revueltos y la explosión vino a colmarlos. Cuba y Filipinas nos costaban un río de sangre y dinero, y, además, teníamos lo de los moros. "A perro flaco, todo son pulgas", decía Mirachichas en la tertulia del Círculo, cuando se hablaba de estas cosas.

Era el único pesimista, con un pesimismo extraordinariamente clarividente. Tenía negocios con los americanos y, cuando se hablaba de que nuestra escuadra los barrería a cañonazos, movía la cabeza, como si no valiera la pena discutir. Ezequiel Ceballos peroraba:

—Cualquiera de nuestros marinos no tiene ni para empezar con ellos. ¡Pero si por poco no pierden la guerra contra los negros! ¡Contra los negros, figúrense ustedes!

Quedaba plantado ante Mirachichas.

—¡A ver, elija usted un almirante! ¡Uno cualquiera! ¿Quiere usted a Cervera? ¿Sí? Pues a Cervera le duran los yanquis lo que a mí este veguero! Y menos aún, ¿oyen ustedes? ¡Menos!

Mirachichas le oía, pero sin prestarle mucha atención. En realidad, lo único que preocupaba a Mirachichas era competir conmigo. Yo no sé si sospechó lo de Aneli, pero andaba siempre tras mis asuntos como un perro de traílla tras la caza, dispuesto a morder. Y, algunas veces, me mordió. En el asunto del tranvía obtuvo la concesión, y yo me vi obligado a perforar el túnel. En el de la Compañía de Electricidad metió a los bancos de Madrid por medio, y cuando, por fin, constituimos la nueva sociedad, yo hube de conformarme con formar parte de ella como minoritario. También tuve que ceder el control absoluto del banco, parte de cuyas acciones se repartieron entre lo más pudiente de la ciudad. Goyo me aconsejó que así lo hiciese, y yo tenía confianza en él. Además, todo aquello eran buenos negocios y sólo sentía tener que doblegarme a Mirachichas. Compré un nuevo tronco de caballos y un gran collar para Cati; un collar de perlas, largo, que daba dos vueltas al cuello y caía después, hasta casi la cintura, como los que había puesto en moda la emperatriz Augusta Victoria. Cati casi no se atrevía a cogerlo.

—Pero ¿no será muy caro? —preguntaba—. ¿No será muy caro?

Cati era tranquila y reposante; se maravillaba y daba las gracias por todo. Si mis asuntos, o mis devaneos, me apartaban de ella, se borraba, por así decirlo, no haciendo, en absoluto, sentir su presencia, y ocupándose de la casa con una eficencia que hablaba mucho en pro de las forzadas economías de Ezequiel Ceballos. Si volvía a ella, me recibía humilde y agradecida, y daba la sensación de que llevase mucho tiempo esperándome.

Cuando el barrio de los pinares creció, a petición de Cati, mandé construir la ermita. Era una ermita pequeña, encalada, con una veleta sobre la torre y una campana sencilla, casi sin ecos. Se la tenía que sujetar con una cuerda, porque la ermita estaba junto al mar y el viento soplaba muy fuerte en el invierno. Siempre recuerdo a Cati en el primer banco de la ermita de San Roque, con la cabeza un poco levantada, contemplando la imagen. San Roque avanzaba una pierna llagada y se apoyaba en un cayado peregrino; a sus pies, el perro torcía la cabeza, como aguardando una orden. Las vidrieras eran amarillas, de colorines, y la luz formaba una especie de arco iris sobre el suelo, que se iba adelgazando en el camino del altar al último confesionario.

Don Pascasio se encargó de ella. Don Pascasio era un cura muy bueno, muy feo y muy madrugador. A las cinco ya estaba tocando las campanas. Las demás gentes del barrio, las del pueblo incluso, se mezclaban con Cati, y, para oir misa, se sentaban a su lado en el banco; la separación de castas que reinaba en la Compañía, y, sobre todo, en la Catedral, no existió nunca en nuestra ermita. Los Séjournant, los Huntington, o los del Olmo, la esperaban a las puertas y la acompañaban hasta villa "Rosa María"; más tarde el grupo se fué aumentando con los que sin cesar venían a vivir al nuevo barrio. Si era día apacible, el grupo caminaba despacio, deteniéndose en cada esquina, comentando la carestía de la vida, los atrevimientos del servicio o la osadía de las clases populares.

—¿Imagina lo que gritaron ayer en la estación, cuando mandaron los mozos a Cuba? —preguntaba Aurora del Olmo, madre de Goyo—. Pues "¡Que vayan también los ricos!" ¡Y lo gritaban las mujeres! ¡En este mundo no hay vergüenza!

Parece que siempre ha habido poca vergüenza en el mundo, y que, además, tan excelente virtud falta en quien menos lo sospechamos. Sí, debe de ser así, porque Cati repuso:

— ¿Pues sabe lo que le digo, doña Aurora? Que yo creo que tenían razón. Todos debemos ser iguales para sufrir.

Aurora del Olmo creyó que, de repente, por un misterioso fenómeno geológico, el aire faltaba en derredor. Miró a Cati y suspiró:

— Eso lo dices porque no tienes hijos — fué la única respuesta que pudo, al fin, encontrar —. ¿Qué sabes tú de eso?

Cati calló, mientras su mano, suavemente, se posaba en su regazo. "Cuando nazca el niño — se dijo — le llamaremos Arturo."

Todos los primogénitos de la familia Ponte se llamaron Arturo, en honor al abuelo, y padre no tuvo nada que oponer a la costumbre. Por eso yo me llamé Arturo, el hijo de Esperanza se llamó Arturo, aunque todos le llamamos Ito, y sólo el de María y Santa María se llamó Maximiliano, aunque, como al tío, le llamásemos Max. Rosina, a la que el luto por padre había impedido casarse ya con el mayor de los Aznar, pronunciaba también el nombre de Arturo de un modo especial, como si le adelantase los goces de la maternidad. En cuanto a Cati, se sentía feliz, de un modo hondo y humilde, que me conmovía.

Ito, el único hijo de Esperanza y Alfonso Solano, era un muchacho alto, muy guapo, con unas pestañas espesas, que bordeaban sus ojos como si se las hubiesen pintado. De pequeño fué turbulento y alegre; después, al ir creciendo, entristeció. Según Aneli decía, tenía un gesto melancólico que recordaba a los "pierrots". Era esbelto y muy fuerte; esto se veía cuando jugaba a los bolos, o cuando nadaba, los días de ola, lanzándose contra ellas como si quisiera romperlas. Pero entristeció al crecer, y, cada vez, se volvía más solitario. A Aneli le gustaba mucho, y le paraba y hablaba con él, muy insinuante. Pero Ito mostraba tan claramente sus deseos de marcharse, que Aneli terminaba por renunciar a todo intento de aproximación. Le miraba ir y se le marcaban ya esas dos arrugas que después se han ido haciendo más y más hondas, y que dan a su boca un poso de cansancio y amargura.

— Este muchacho no hace a mozas — decía, empleando un

dicho muy común en el país. Todos en la ciudad hablaban a veces como los pasiegos, o como los de Salces, de donde era el ya célebre hérce de Pradilla —. Y, sin embargo, es normal y muy hombre. No se...

Yo nunca quise hablar sobre este tema. Me parecía que los problemas de la pobre Esperanza resultaban aún más espinosos de tratar referidos a su hijo.

Cuando Ito tuvo edad, ingresó en la marina de guerra. Yo creo que le gustaba el mar por su soledad y porque le ofrecía un camino de huida. Estaba favorecido con su uniforme y se hizo un retrato que conservamos todavía. Tiene la gorra en la mano y mira lejos, como si hubiese mucho paisaje frente a él. Sonríe. Ito tiene en la fotografía la sonrisa de toda la familia; la de Esperanza, la mía, la de madre, la que tiene tío Juan Carlos en el retrato de la casona, la de la abuela María Rosa, cuya pintura cuelga en el salón... Es una sonrisa triste. O quizá me lo parezca así por lo que a Ito sucedió.

Mirachichas murió a poco tiempo de inaugurar su línea de tranvías, cuando aún mis obreros excavaban afanosamente para dar fin al túnel que me permitiría competir con él. Fué una obra mucho más costosa de lo que pensé, porque la tierra era blanda, con muchas vetas de piedra, y, sobre todo, con muchas filtraciones, que anegaban los trabajos, pero no importaba; era mi primera obra personal y debía triunfar de ella. El tranvía blanco, como la gente llamaba al de Mirachichas por el color de sus jardineras, sería pronto derrotado por... el amarillo. Sí, pintaría mi tranvía color de oro, el metal que había esclavizado a Mirachichas, y éste palidecería de envidia al verle cruzar. Poco a poco se iría poniendo amarillo también. Si, era un buen color el amarillo. Y muy alusivo.

Pero Mirachichas no tuvo tiempo de ponerse amarillo. Una tarde, cuando acompañaba a Aneli en el casino, le dijo:

—Perdona, no me siento bien.

—Bueno, vete a casa. Seguramente yo me quedaré hasta tarde.

Mirachichas bajó las escaleras. Aun era el antiguo casino, abierto al viento como un barco anclado. Cruzó hasta los jardines de los baños, y, después, lentamente, se dirigió a la ermita de San Roque. Don Pascasio le encontró, en el último banco, reclinado, con la cabeza doblada, y pensó que era un pobre que había entrado allí para buscar refugio a su cansancio o a su sueño.

Me alegró saber que Mirachichas tenía mucho menos dinero del que suponíamos. Ahora sé que fué el primer hombre con quien mantuve una rivalidad y que en aquella alegría había mucha sensación de victoria. Aneli no se preocupó. Pasados los primeros días de luto, se hizo la encontradiza conmigo. Yo me incliné ante ella; ella puso un gesto triste, mientras me decía, en voz baja:

—Ven a verme. ¿Por qué no vienes a verme?

—Pero ¿dónde?

—En casa. Estoy sola ahora.

—No, en tu casa no... ¡Piensa en los criados!

—Pues en el mesón, entonces. ¿El viernes? ¿Por la tarde?

—Bueno, el viernes por la tarde.

Nos habíamos detenido ante los ventanales del Círculo. Me vieron inclinarme de nuevo y como Aneli se llevaba el pañuelo a los ojos. Después se alejó, con aquel balanceo suyo. Algún contertulio comentó:

—¡No es mal champán la Viuda!

De allí le nació el apodo y le va bien, porque, en efecto, Aneli es así. El viernes la encontré en Puente Álamo. Nuestros coches quedaron disimulados entre los árboles, junto a los juncos del río. Llovía suavemente y por las viejas tejas resbalaba el agua. Aneli mandó encender el fuego de la chimenea. Después se quitó la chaqueta, que se le había mojado, porque condujo ella misma el coche, no fiándose de la discreción de nadie. Las llamas reververaban en su carne, a la que el luto prestaba una suave blancura. Cuando me acerqué, levantó la cabeza; se mordía el labio superior, con sus pequeños dientes, muy fuerte, hasta hacerse sangre.

Algún tiempo después, juntos los dos frente a los leños, hablamos de sus proyectos.

—¿Qué piensas hacer, Aneli?

—Me iré una temporada. No puedo soportar el luto en la ciudad. ¡Es terrible!

—Sí, claro, lo comprendo. ¿Adónde irás?

—A París. Al fin y al cabo, soy francesa. Además, tengo una prima allí, una vieja prima. Puedes decírselo a tu tía Trinidad cuando se escandalice.

Tras un momento de silencio continué:

—¿Estarás allí... siempre?

—¡Oh, no! Viajaré, naturalmente. Mucho balneario. Baden-Baden. ¿Por qué tiemblas? ¿Tienes frío?

—No, no tengo frío. Sigue, Aneli.

—Niza, desde luego; Montecarlo. Ya sabes que me gusta jugar. Es mi único capricho.

—¿Y yo?

—Tú no eres un capricho; ¡tú eres una pasión!

Me molesta este gesto de Aneli; me ha molestado siempre. Se burla con él de todo, y, más que de nadie, de mí. Me aparté de ella, que se echó a reír.

—¡Príncipe Pardo! — me dijo —. El humor es la única virtud de los que no tenemos virtudes. ¡No lo olvides!

A poco partió. Cati fué a despedirla y Aneli se mostró muy cariñosa con ella. Había bastante gente en la estación y toda muy principal. Cati quiso ir, aunque yo intenté disuadirla, porque Aneli le daba mucha pena.

—¡Se le ha muerto el marido! — decía sin cesar —. ¡Pobre! ¡Debe de ser terrible!

—Bueno, Cati; pero todo se olvida en esta vida.

—¡Oh, no! — negaba Cati en voz baja —. ¡Eso no!

Me miraba, y había tal zozobra en sus ojos que yo terminaba por tomarla en brazos y decirle:

—Calma, Cati. ¡Piensa en Arturito!

Cati, entonces, ponía cara de susto; después enrojecía, como una cereza.

En la estación, como digo, estuvo muy cariñosa. Cuando Aneli subió el cristal de su ventanilla y el tren giró, lentamente, sus ruedas, sentí una sensación de alivio. Siempre que me he separado de Aneli me ha sucedido lo mismo. Cogí del

brazo a Cati y la acompañé a dar una vuelta por la ciudad.
Todos los sombreros se alzaban a nuestro paso, y Alberdi
salió a la puerta de su tienda con el exclusivo objeto de
saludarnos.

—No me gusta Alberdi—dijo Cati, cuando le dejamos a
nuestras espaldas—. Dicen que es masón.

—¿Masón? ¡Pero, mujer! ¡Si sólo vive para celebrar los
Mártires!

—¡No sé, no sé! ¡A lo mejor lo hace para disimular! Además, juega.—Cati no daba su brazo a torcer. Ezequiel Ceballos
le había inculcado un sano recelo hacia los triángulos y los
mandiles.

—¡Sí, tú ríete, ríete!—decía, cuando yo me burlaba de su
aprensión—. Pero hay masones en todas partes. En Inglaterra...
Y en Alemania.

Esto lo decía con intención muy especial. Cati tuvo siempre
celos de mi estancia en Alemania, quizá porque, en cuanto yo
encontraba algo bien, lo achacaba a aquel país. El instrumental del Hospital nuevo se compró en Alemania, por eso,
y los cacharros del laboratorio, y hasta el personal médico
estaba influído por Alemania. Gerardo no tuvo nada que oponer.
Aunque mantuviese reservas frente al país, no eran de tipo
científico. Cuando inauguramos el Hospital, en la biblioteca
me mostró un grueso volumen. Era oscuro de encuadernación
y llevaba un título muy largo. "Das phisiologische des Lex-
mindeskulsfacmayer". Debajo, sencillamente, en letras doradas: Prof. Jurgen Groux Stolz.

Lo abrí. Tenía muchos grabados, secos, escuetos, asépticos.
Así era también el nuevo hospital, sin un resquicio al polvo
o a la humedad. Pero, por un momento, el viejo y querido sol
de Heidelberg iluminó sus salas, y en sus patios, de grandes
losas cuadradas, creció la yedra que abrazaba las piedras de
las columnas y el mármol de la estatuas en la casita de la
colina.

II

El año empezó con el horizonte muy cerrado, no sólo en lo que al tiempo se refiere, sino también en lo que respecta al futuro. Cuba se nos iba, Filipinas se nos escapaba y Marruecos era un foco de constantes preocupaciones.. Pero, sobre todo, los Estados Unidos parecían decididos a darnos el empujón fatal. Habíamos hecho lo imposible para atraérnoslos y hasta llegamos a instaurar en La Habana el gobierno autónomo, pero los oficiales de aquella guarnición que sentían en carne viva las injurias que a nosotros sólo nos llegaban de lejos, asaltaron los locales de "El Reconcentrado", periódico separatista, y le dejaron como para no desear separarse en el resto de sus días. Entre nosotros, "El Atlántico", aunque reprobó el hecho en sí — cuando las prensas de tu vecino veas asaltar... — se mostró conforme con el espíritu que le animaba. Polancuco, su director, muy conservador y patriota, publicó un gran retrato de Ito el día en que éste embarcó en el "Cristóbal Colón". Lo publicó en "Notas de sociedad", porque no se podía hablar de la guerra, pero la intención era evidente. Polancuco era un hombre pequeño, muy erudito, que firmaba "El Duende de Cantabria". Malas lenguas decían que tampoco hacía a mozas, pero esto no se llegó a comprobar nunca.

Esperanza guarda el recorte; un recorte de grandes letras espaciadas, con corondeles muy anchos, como una orla. Debajo se ve un anuncio de la llamada Fuente del Francés, que comenzaba a explotarse por entonces, y cuyas aguas eran "termales, bicarbonatadas y sódicas". El recorte tiene un aire triste. En él se da cuenta de que el guardamarina Arturo Solano y

Pardo se incorpora a nuestra gloriosa Escuadra, "de la que tanto se espera". Ito está muy joven en él. En realidad, era todavía un niño cuando partió, sonriéndonos apurado, porque le daba miedo que notásemos cuánto le entristecía la despedida.

Esperanza guarda este recorte, y su espada, que no se llevó a la mar, con el escudo de los Solano grabado bajo la empuñadura, el lazo de su primera comunión y una novela que había empezado a escribir Ito, cuando estuvo interno, con los padres, en Villacorrida. La novela es romántica y caballeresca, al estilo de Walter Scott. Comienza describiendo el patio de un castillo, donde piafan los caballos y el sol arranca mil destellos de las armaduras. Se corta con una doncella en una ventana, que espera, espera...

Lee, el general yanqui, no era partidario de esperar. Apenas nuestros oficiales asaltaron "El Reconcentrado", comunicó a su país que la autonomía había fracasado prácticamente. Bastantes insurrectos, como Socarro y Massó, se habían acogido a ella, pero era igual. Praduco decía:

—Veréis como MacKinley se sale con la suya. Y la suya es que Cuba no sea nuestra.

Hasta Praduco hablaba de política. Lo cual demuestra como estaban las cosas.

Cuando "El Maine" saltó por los aires, la ciudad quedó suspensa, como quien contine el aliento a la espera de los acontecimientos. Yo recibí la noticia en el despacho. Febrero iba mediado y la ciudad se esmerilaba de lluvia e invierno. Goyo entró, con un papel en la mano, y le temblaba mucho. Esto fué lo que me llamó la atención. Parecía que tuviese fiebre de cuartanas, como los soldados que nos mandaban de allí, amarillos y con unos ojos grandes, que partían el alma.

—¿Qué sucede? —le pregunté—. ¿Es que la mina?...

Siempre temíamos un accidente en el Pico, porque los barrenos eran peligrosos y las nuevas organizaciones obreras andaban dándonos la lata sin cesar.

—No —repuso Goyo—, no es la mina lo que ha saltado. Es...

Tragó saliva. Se le veía realmente asustado.

—...Es "El Maine".

"El Maine" saltó en La Habana. Fuí hasta un mapa que había en la pared y quedé contemplando la lejana bahía. No era nada, apenas un puntito, apenas una mota de tinta. De pronto oímos gritos en la calle, y nos acercamos al balcón para mirar a través de los cristales. Un grupo pasaba, gritando y cantando. Primo Juan iba al frente, llevando una bandera. Llovía, pero, no obstante, primo Juan la hacía flamear, moviendo mucho el mástil.

Fué de los que se ofreció voluntario cuando, el 18 de Abril, Estados Unidos nos declaró la guerra. Con él se ofrecieron muchos más, pero Sagasta no los aceptó. Posiblemente no había sitio para ellos en nuestros barcos.

Aquel día me acordé mucho de Max; de padre, también; pero, sobre todo, de Max. Me hubiera gustado sentarme junto a él y pedirle consejo. Max veía claro estas cosas y no se dejaba engañar por aspavientos ni fanfarronerías. Llegué a casa y me acerqué a la chimenea. Los leños flameaban, encendidos. Escuché los pasos de Cati en el piso de arriba y como descendía por la escalera. Continué inmóvil, acentuando mi postura decaída. Necesitaba que alguien me animase, preocupándose por mí. Oí decir a Cati:

—¡Arturo! ¿Estás ahí, Arturo? ¡Oh, sí! ¡Vienes todo mojado! Trae, trae, que te cambie!

Aunque Cati es menuda y muy infantil, tiene unas manos hábiles y unas muñecas fuertes. Mientras me quitaba los zapatos, las miré, y me dije que eran manos trabajadoras, sanas y jóvenes como el trabajo. Cati estaba arrodillada ante mí, y, con la cabeza baja, no le veía el rostro. Sin alzarla me preguntó:

—¿Es verdad... eso?

—Eso... ¿qué?

—Que hay guerra.

Vacilé.

—Pues... sí, Cati... hay guerra. Pero no debemos preocuparnos, España es fuerte. Claro que tenemos menos elementos, pero el valor cuenta también. Además...

Pero Cati no me escuchaba. Lentamente dejó los zapatos en el suelo y levantó hacia mí una carita asustada. "¡Caramba, no es para tanto! —pensé— Santiago está muy lejos."

— ¡Ito! —me interrumpió Cati— ¡La pobre Esperanza!

¡Era verdad! ¡Ito estaba allí! Ito, con su uniforme flamante, sus ojos grandes y sus dieciocho años. Cervera mandaba cuatro barcos; el "Infanta María Teresa", el "Vizcaya", el "Almirante Cervera"... y el "Cristóbal Colón".

Me levanté, y, con los pies delcalzos, como la tarde del Hospital, fuí hasta la ventana. Una primavera tímida, apuntaba en los brotes de las ramas, prietos como senos jóvenes. Las praderas de villa "María Rosa" brillaban con un brillo intacto. El cielo se aborrascaba y, en los pinos, la resina descendía, espesa, formando gruesas gotas. Entre el casino y los baños se extendía la plaza nueva, y, desde ella a los pinares, ascendía una gran alameda. Me habían hablado de construir un hotel en una de las esquinas de la plaza, que me pertenecía también. Primo Juan aprobó el proyecto.

—Un hotel con una gran torre. Así veremos mejor a Ito cuando venga con su barco.

Sospecho que lo que primo Juan deseaba era estar más cerca del Casino, pero, en aquel momento, se ganó su torre, y el hotel quedó, definitivamente, aprobado. ¡Oh, tener una gran torre desde la que se pudiera ver la cubierta del "Colón", la estrecha litera de Ito, su cara seria, de niño al que la vida se le muestra precozmente impura! Poder seguir los azares del barco, e, incluso, gritarle a Ito:

—¡Cuidado, hijo! ¡Aquí te esperamos todos! ¡Y tu madre! ¡Tu madre sobre todo!

¿Qué sería de Esperanza si su hijo llegaba a morir? Todos conocían su drama, la invencible repugnancia que sentía hacia su marido. Las mujerucas la señalaban, cuando la veían pasar en su coche, con el lacayo atrás, de calzón corto y chistera charolada.

—Mírala. Dicen que es fría (1).

Alfonso Solano, su marido, era todo un caballero; un ofendido y desconcertado caballero. Me lo perdonaréis, pero jamás

_____

(1) Ver EL AGUA AMARGA del mismo autor y publicada por la misma Editorial.

204   MANUEL POMBO ANGULO

sentí simpatía por él. Alfonso Solano es de los que creen que
el honor de los hombres reside en su sexo, e involucró la
cuestión tomando aquello como ofensa a su honor. Quizá con
un poco más de tacto y un poco menos de hombría hubiera
podido arreglarlo todo... cuando aun tenía arreglo. Hubo escenas muy violentas, y, a lo último, padre intervino en el
asunto. Costó caro hacer callar a Alfonso Solano, pero calló.
Estas cosas de... honor se arreglan siempre así.

Ito fué el refugio de Esperanza. Mientras vivió padre, Esperanza venía todas las tardes a villa "María Rosa", tomaba
asiento frente a él y le preguntaba:

—Padre, dime: ¿Cómo era la Primera?

—¡Oh, Esperanza, nenuca! Era... ¿cómo te diría yo? Era
fuerte, segura y muy tranquila. Eso es, muy tranquila.

Yo quiero mucho a esta hermana mía, bella como una estatua, desgraciada y sin esperanza. ¿Por qué le pondrían este
nombre? Se mueve lentamente, igual que una reina. A veces
mira en torno como si esperase que algo, no sé qué, hubiera
cambiado.

Cati llegó a mi lado y yo cogí su mano. Me dijo:

—Recemos, Arturo.

Rezamos juntos. El cuarto era grande; los leños saltaban
de pronto, con ruido quebrado; el piano estaba en un rincón.
Cuando daban lecciones a Esperanza, era yo quien las tomaba,
y Sedó, el organista, me alababa mucho. A veces le toco a
Cati aires populares, que me llegan muy dentro. Encuentro que
estos cantos de mi provincia poseen una poesía muy antigua,
pero que no ha envejecido; una poesía que enraiza con la tierra,
con el humus de los bosques, que el sol clarea apenas, con el
agua de las corrientes, que transparenta las piedras. Hay una
que dice:

Ya se han dejado las lanchas.
Ya se van a enamorar,
¡ay!, los marineros, madre.
¿Sabes tú si volverán?
Yo soy marinero;
Me voy a la mar.

Tú eres palomita;
No puedes volar.

Cati rezaba junto a mí. Al terminar la besé. Ella miró en torno, con miedo de que nos viesen los criados.

Toda España vivió la angustia de aquellos días, pero nadie como Esperanza. Cati y yo comíamos en silencio. Los criados nos servían como en un funeral. Escuchamos una explosión cercana, y Cati casi saltó de la silla.

— ¡Dios mío! ¿Cuándo acabarán ese dichoso túnel?

Esperábamos la llegada de Esperanza de un momento a otro, pero fué Goyo el que llegó. Traía muchos papeles bajo el brazo y nos encerramos en el despacho. Goyo estaba preocupado.

—Tenemos... bueno, tienes muchos intereses en Cuba y Filipinas — empezó —. No sé, a tu padre parece que le tentaba Ultramar. Además, está el negocio de coloniales. Padecerá si aquello se pierde.

—Sí — le repuse distraído —. Todo será más difícil.

— ¿Cómo más difícil —Los años habían enronquecido la voz de Goyo, dándole un tono bajo—. ¿Es que no te das cuenta? Todo va a cambiar. Tienes que pensar en eso.

— ¡Pero, hombre! ¡La situación no es tan grave todavía!

— ¿Cómo que no? ¿En qué mundo vives? Sampson espera con sus barcos y Milles tiene más de cien mil hombres dispuestos.

—Pero...

—Espera. Esto no es lo peor. Lo peor es que nuestros barcos se caen de viejos. Y que nuestros hombres... Sí, de acuerdo, nuestros hombres son valientes, pero para pelear hacen faltas armas ¿sabes?

En aquel momento me fué antipático Goyo. Todo lo que decía era verdad, sin duda, pero no me gustaba oirlo. Creo que Goyo lo notó, porque cambió en seguida de actitud. Su voz se hizo más aguda y rebuscó entre los papeles.

—En fin, quizá me equivoque. Tú entiendes más que yo de esto, aparte que siempre has visto claro en todas las cosas.

—Bueno — le ataje —. Tú ¿qué propones?

—Pues verás. Creo que deberíamos incrementar los negocios aquí. Hay una propuesta de Pedro Quejada sobre la mina.

—¿Sobre el Pico? ¿Qué quiere Pedro?

—Ya te hablará. Creo que desea asociarse, o algo así. Necesita el mineral.

—¡Claro! Pero yo no necesito la fundición.

—Él te hablará. La fundición es un gran negocio.

Me molestó la insistencia.

—Goyo, parece que te olvidas de una cosa. Yo no necesito hacer negocios — me detuve y añadí, más humilde —, gracias a Dios.

—No, claro — repuso Goyo. En seguida su voz volvió a hacerse más ronca al añadir —. ¡Tú no necesitas nada! Sólo era... te he traído también esta carta.

Me la dió. Tenía el matasellos de Francia.

—Gracias — le dije mientras la guardaba. Los ojos de Goyo quedaron clavados en mi mano —. Ahora quisiera... ¿Cómo va el Hospital?

Goyo pareció salir de un ensueño. Repuso:

—Gerardo está encantado.

—Dale más dinero. Sí, ya sé que hemos acordado una subvención, pero dale más dinero a Gerardo ahora. Una manda, un donativo. Busca la fórmula.

—Muy bien. ¿Algo más?

—Nada, Goyo. En lo demás obra como te parezca. Ya sabes que tienes mi confianza.

Sonrió y se fué. Le vi bajar el sendero. Unos rosales tempranos le orillaban. Vi a Goyo arrancar una rosa y aplastarla en su mano. Aquello me hizo daño. Era una tontería, pero experimenté la misma sensación que cuando vemos pegar a un niño.

III

Aneli me escribía unas cartas muy cariñosas. "Estoy en París — decía —. Deberías escaparte, aunque sólo fuese unos días, porque esto te gustará. Hay una gran diferencia con tu Alemania, y, desde luego, con nuestra ciudad. Aquí nadie te conoce, y, por lo tanto, nadie habla mal de ti. ¿Por qué será que sólo tiene gracia criticar de los conocidos?

"Me han presentado a un príncipe polaco que dice descender de la Waleska. Creo que vive del juego, cosa que también le ocurrió a su antepasado, aunque le fallara el de Napoleón. Es un hombre chiquito, con una barbita muy cómica. Jugamos todas las noches, y, siempre que talla él, gano. Tiene un modo original, y muy agradable, de demostrarme su admiración.

"También, tranquilízate, hay un conde alemán. Dice que Francia es un país en decadencia. Quizá lo sea, pero él colabora, decididamente, en ella. Quizá beba y "joue l'amour" para acelerar el hundimiento de Francia; si es así, el Kaiser puede estar contento del celo de su subordinado. Me hace el amor y acompaña cada cumplido con un tremendo taconazo. Sus botas son la más notable de su personalidad, pero a mí me obsesionan. Creo que si me casase con él, no se las quitaría.

"¿Y tú? ¿No has caído en el "vergonzoso pecado" en tu casino? Me acuerdo de él, y de Jean, y del primo Juan, y de ti. ¿Por qué no decirlo? Me acuerdo de ti, y del Mesón de Puente Alamo, y de tus zapatos, tan silenciosos, y que te quitabas siempre lo primero.

"Adiós, "Chéri". Me escribe Gerardo que has inaugurado una iglesia en tu barrio. Reza en ella por mí, te lo ruego. Cinco avemarías. Una por el as de "pique"; otra por el de "carreau";

otra por el de "trébol"... Y dos — dos, "chéri", ¿comprendes? —
por el de "corazones"."

Cerré lentamente la carta. Con ella me llegaba el perfume
de Aneli, y respiré hondo, como si tratara de apresarle. "Cuando vuelva", pensé. Había que preparar un gran recibimiento
a Aneli. Por de pronto, había que decidirse a la obra del Casino.
En un momento el viejo caserón que inauguró padre se llenó
de recuerdos para mí. No sé, hay algo en las cosas que las hace
copartícipes de nuestra existencia. El casino era un barracón
triste, como ya he descrito; tenía algo de viejo barco inválido,
eternamente amarrado a la machina. Pero Aneli había jugado
en él, y primo Juan, con el bozo apenas nacido, había arriesgado en él sus primeras monedas. Ahora, con la carta de Aneli
entre las manos, me parecía sentir el giro de las ruletas, los
saltos de la bolita, como huesos que cascasen, la voz impersonal
de Jean; una voz agradable, dulce, y, cosa extraña, algo cansada y triste.

—Faites vos jeux, mesdames, messieurs.

Las cartas me han parecido siempre una cosa falsa y muerta. Muchas veces no las abro, porque tengo miedo a la noticia
que puedan traerme, las miro algún tiempo y las dejo sobre
la mesa; después me olvido de ellas. Si no fuese por Goyo,
mis asuntos particulares hubieran parecido en un caos de inútiles "con referencia a la mía, fecha, etc..."

Tardé pues algún tiempo en abrir la carta de Aneli, aunque,
en este caso, a mi ansiedad se mezclase un incierto placer; debo
confesar que retrasé aquella lectura como puede desnudarse,
lentamente, una belleza. Pero con las de mi hermanastro Juan
sucedió lo mismo, y no puede decirse que Juan me inspirase
ningún pensamiento de este tipo, ni siquiera sentimental. Juan
escribía con frecuencia al principio; después sus cartas se fueron espaciando y, así, poco a poco, dejamos de hablar de él.
A padre no le gustaba hacerlo y nosotros nos acostumbramos a
pensar que alguien muy nuestro andaba por ahí, pero sin relación vital con nosotros, como esas células a las que les da
por crecer y que reproducen seres extraños y anárquicos. Cuando
padre murió, algún tiempo después, llegó carta suya. La trajo

el "Rosa de Santifría" con unas cajas de dulce de guayaba y un mantón negro, como si hubiese presentido el luto de madre. Cogí la carta y la di varias vueltas entre las manos.

—Es de Juan — anuncié.

— ¡Ah, sí! — dijo madre.

Su indiferencia por todo me preocupaba. Tan sólo Enrique del Real era capaz de distraerla y por eso seguía visitándola todas las tardes, amable y con mucha devoción. Al fin abrí la carta.

"Comprendo vuestro dolor — decía Juan —, que no es menor que el mío. Quizás el mío sea más difícil de soportar, porque se me mezcla con el remordimiento de haberle faltado y de haberme rebelado contra él. Era un gran hombre, como quedan pocos, y esto no debe movernos a orgullo, sino que debe hacer que le imitemos. Yo recuerdo siempre un gesto suyo, cuando encogía los ojos. Se me ha presentado siempre así al comienzo de mis rezos. Padre me acompaña siempre en esto; se me aparece cuando empiezo a rezar. No lo creeréis, pero algo me anunciaba su muerte; a pesar de lo cual me ha entristecido mucho.

"Tienes una gran responsabilidad, Arturo; debes recoger la herencia de nuestro padre, no como cosa muerta, sino como cosa viva, y hacerla vivir, de modo que cada día le añadas algo nuevo. Sobre todo, algo bueno. Yo he procurado también, a mi manera, seguir esta norma. Como sabéis, no me ha ido mal. La bondad, creédmelo, es un buen negocio.

"Y si no, ahí tenéis el ejemplo de padre. Era bueno por los cuatro costados. Su ausencia me pesa mucho, porque parecía que me acompañase, no sólo cuando rezaba, sino durante todo el día, y aun por la noche. Es mucha la soledad aquí; esto es lo que pesa, y no el trabajo ni las dificultades. Me acuerdo mucho de todos, aunque no lo parezca por lo poco que escribo. Pero pienso. Una de las cosas de que más me acuerdo son las playas... ¡Aquellas playas nuestras, en invierno, cuando el viento arrebata la arena, y debajo queda la humedad, como un cuerpo del que levantan la piel!

"Os quiero mucho. Aun de lejos y sin veros, me parece que

no os he perdido. A veces, cuando dudo, este cariño por vosotros me reafirma y asegura. Santa Teresa dijo que, si Satanás pudiera amar, dejaría de ser malo. En todo caso, yo os quiero, sea como sea.

"También quiero a padre. No me resigno a hablar de él en pasado, como si le hubiéramos perdido. Y sé que vosotros no lo haréis tampoco. Sobre todo, mamá. Sé que mamá comprenderá ahora que el querer a los que ganaron la vida eterna nos hace un poco inmortales también."

¡Qué extraña carta! La primera vez que Juan escribió "mamá", refiriéndose a la que lo era mía y no de él, le tembló la pluma, como si vacilase; en seguida volvió a repetir la palabra, con trazos enérgicos y firmes. Era una carta propia de un seminarista, y no del hombre duro y luchador que mi hermano debía de ser. No la entendía y me pareció retórica y un poco artificiosa. Juan estaba ahora establecido en Quito; quizá le hubiera ganado el barroco virreinal. Cuando se la llevé a Marta, vi como se le cuajaban los ojos de lágrimas.

— ¡Qué hermoso esto de Santa Teresa — dijo — ¡Tiene razón!

La Santa debió de respirar tranquila en su sepultura, porque, por fin, había recibido la aprobación de una monjita de los Sagrados Corazones.

Ya he dicho que, cuando los Estados Unidos nos declararon la guerra, pensé en Max; en seguida pensé en mi hermanastro Juan. ¿Qué hubiera hecho con el problema que se le presentaba a Esperanza? ¿Hubiera citado a Santa Teresa? Sin embargo, algo había que hacer. Esperanza, además, dió un giro inesperado a las cosas.

— Es culpa mía — dijo —. Es castigo por mis pecados

Hablaba con voz normal y me miró tranquila. Estábamos los dos solos en el salón de abajo, en villa "María Rosa", porque Cati se había retirado para que pudiésemos hablar con más tranquilidad. A través de la ventana se veía el manzano, y, más allá, los macizos de hortensias, desteñidas bajo la lluvia. Esperanza parecía reflexionar muy hondamente.

— Hablo de Alfonso, de mi marido. Le he hecho muy desgraciado. No le di lo que una mujer debe dar.

Se detuvo.

—Es un gran pecado negarles la felicidad a las gentes. Atenta contra el quinto mandamiento: "no matar"...

Se llevó las manos al vientre; después las bajó hasta descansarlas en sus muslos. En esta postura siguió hablando. Me contó los dramas que pueden encerrarse en una alcoba, la brutalidad de un macho, el asco invencible, la repugnancia al contacto; los pelos, duros y negros, la boca, que sabe a tabaco, a bebida, a beso áspero y lleno de ansiedad. Me contó las noches en vela, con su marido al lado, revuelto en las sábanas, y el terror infinito a la noche siguiente, las náuseas, la asfixia bajo el otro cuerpo, y, después, otra vez los pelos, y las manos, y, al final, Alfonso Solano dormido, cansado y satisfecho, y la noche que seguía, que seguiría siempre, una detrás de otra.

Yo callaba y sentía una gran pena por ella. La pena que sintió padre, y tampoco padre pudo ayudarla. Esperanza debía encontrar el camino por sí misma, si es que le había.

—Pero yo sólo pensaba en mí — proseguía —. Y, ahora, Dios me castiga. ¡Me quitará a Ito!

—¡Calla, Esperanza!

—Sí, ¡me lo quitará! ¡Los hijos deben expiar los pecados de los padres! ¿Por qué? No lo sé, pero es así. ¿Qué podría hacer, Dios mío?, ¿qué podría hacer?

—Calla, Esperanza, nenuca, ¡Ito vive!

—Es igual que si hubiera muerto. Lo siento. Es igual que si le llevara muerto en mis entrañas.

Seguía hablando sin alzar la voz. Tenía una gran resignación, y, en los ojos, la mirada de los que sufren sin saber por qué. Se fué, y los días siguientes los pasé pensando en ella. La ciudad celebró juntas y reuniones, todas las cuales presidí. El Ropero envió ropas a los soldados. Don Pascasio vino a verme torpe de lengua, con la teja en la mano, muy prieta:

—Pienso que deberíamos hacer algo por la victoria. ¿Qué le parece a usted una misa? Una misa cantada.

Pagué la misa, los cantos, hasta la iluminación. Sólo rogué a don Pascasio, que, contrariando un poco sus aficiones, no la celebrase al alba.

A la salida de la misa encontré a Esperanza muy excitada. Me dijo varias veces:

— ¡Tengo que hacerlo, Arturo! ¡Tengo que hacerlo!

Durante las noches siguientes, Esperanza, en lugar de encerrarse en su indiferencia miró a su marido de un modo que le desasosegaba. Alfonso, en el Círculo, intentaba ahogar en alcohol lo que creía un engaño. Pero Esperanza insistía. Una noche, le aguardó sentada al borde de la cama, con sólo la camisa de dormir, nerviosa y temblando de frío. Alfonso Solano, un poco incitado, quizá, por las miradas de Esperanza, había bebido en el Círculo, primero, y confraternizado con unos oficiales después; había gritado: ¡muera Dewey! y ¡muera Sampson! y pretendido que lo gritaran con él dos o tres mujerzuelas de la Casa Rosa. Alfonso Solano era así, excesivo y aficionado a los mismos itinerarios. Cuando volvió a su casa, procuró no hacer ruido. En el fondo temía a Esperanza, y este temor le hacía ser brutal con ella, herido además, muy en lo vivo, por su desprecio. Al llegar a la alcoba la vió, y se detuvo en la puerta, no dando crédito a sus ojos. No supo qué pensar. Esperanza, envuelta en su camisón, tenía el aire frágil y parecía que hubiese rejuvenecido.

— ¡Perdóname! — dijo a su marido — ¡Perdóname, Alfonso!

La vió avanzar y notó calor en la nuca y un sudor pequeño, que le mojaba la frente. Cuando estuvo cerca de él, Esperanza escuchó su respiración, que le bajaba caliente. Cerró los ojos, dió un paso más, y se sintió chocar contra el cuerpo de su marido, y como sus pechos se clavaban en él, y cedían un poco.

Ella misma alzó los brazos y los pasó en torno al cuello de Alfonso; ella misma se estrechó contra él, y le miró a los ojos, mientras repetía:

— Perdóname, he sido mala.

Alfonso Solano dijo algo con voz ronca. Sus manos apresaron aquella carne que se le negaba. La tomó en brazos y avanzó con ella. Su aliento hacía ruido al escapar y Esperanza notaba su frente sudada y su olor. Cuando se vió tendida, apretó los dientes y miró hacia arriba, donde el cristal de la lámpara temblaba un poco.

IV

Entramos en el siglo a pie y sin colonias; en otras palabras, entramos con el Tratado de París y con la huelga de los cocheros. Escribo el siglo, porque yo soy de los que opinan que se inició en 1901. Hubo mucho barullo a este propósito, y hasta el Papa habló sobre ello. La ciudad celebró con alegría el nuevo siglo, que, unánimemente, se reconoció había de ser el de "las luces".

Para darle buen comienzo, instauramos la eléctrica en la ciudad; una nueva Compañía que controlar y un nuevo trabajo para Goyo, que estaba entusiasmado con la idea. Nuevos gastos también, porque los comienzos fueron costosos. El gas agonizaba lenta y mortecinamente, su llama se adelgazaba, como cuando se reduce la mecha, pero no acababa de morir. Todavía, en algunas casas, quedan los viejos mecheros y las cocinas se iluminan con la antigua luz, espectral y romántica. En la de Marisa Villarreal queda más; queda el gran farol de siete mechas que alumbraba los días de fiesta, en tiempos de la tía abuela, cuando las reuniones del Palacio eran cosa de verse y la provincia no había caído aún en manos del populacho.

Porque el populacho mandaba cada vez más. El primero de mayo era ya una fiesta reservada a él. Las siete Ceballos, mis tías políticas, se estremecían:

—¡El primero de Mayo! ¡El mes de las flores!

A las seis, en efecto, volteaba la pequeña campana de San Roque y las mujeres salían de las villas, con mantilla y rosario, para rezar las flores de María. Se las veía bajar hacia la iglesiuca y reunirse en el atrio. Cati, después de echar la última mirada a Arturito, bajaba también, apresurada, porque sabía que Don Pascasio no empezaría hasta que ella llegase.

Arturito era un niño muy majo, y no lo digo por pasión de padre. Cati estaba loca con él. Por cierto que, hacía unos días, se me había acercado para murmurarme algo al oído, ruborosa:

—Pero, Cati — le dije en broma — ¡Qué exageración! ¡Esto es casi pecado!

Cati enrojeció de punta a cabo. Fué tanta su impresión que temí que Rosa, la hija que esperábamos y a la que ya habíamos bautizado de antemano, seguros de su sexo, fuera a malograrse.

La huelga de los cocheros fué uno de tantos conflictos como por entonces se produjeron, y si lo cito es por su carácter especial. Era curioso ver los jacos inmóviles, con el morro metido en el saco de pienso, que les habían atado tras las orejas, como si los amordazasen, y los pescantes vacíos, con la manta doblada y la fusta curva, igual que las cañas de pescar. Los cocheros eran, por lo general, cansinos y tradicionales; tenían la melancolía de lo que está condenado a desaparecer. No sé si ellos lo sabían, pero hablaban siempre de los tiempos pasados, como los carlistas. Nosotros teníamos uno, inglés, y dos de Palencia; ignoro la causa, pero Palencia ha dado siempre muy buenos cocheros. No es que se me declarasen en huelga, pero, muy diplomáticos, se negaron a conducir aquel día. Pitt alegó que su presencia como extranjero podría irritar a las masas, porque no se estaba nunca seguro de qué rumbos tomaría el socialismo español, cuyos líderes, de pronto, clamaban por Gibraltar con unos trémolos que hubiera envidiado el propio Vázquez de Mella; Cencio y Juan de Dios, menos ilustrados, se limitaron a decir que la masa había apedreado los primeros coches que salieron, y que oponerse a las decisiones de la masa, cuando las apoyaba a ladrillazo limpio, no era ni saludable ni aconsejable.

Así, pues, partí solo. Aneli llegaba de París y no iba a dejar de recibirla porque unos cuantos aurigas partidarios de Marx se hubiesen declarado en huelga. Debía recoger a Gerardo, y, después, iríamos juntos a la estación. Subí, como digo al tílburi, y emprendí el camino. Llevaba un solo caballo, de pelo rojo; una jaca que parecía una llama, nacida en las cuadras de villa "María Rosa", y a la que Cati, a causa de su color, había puesto el nombre de "Revolución".

"Revolución" agitó la cabeza cuando cruzamos junto a la larga fila de "fiacres", que, de intento, se colocó frente al Círculo, al que los contertulios iban llegando, a pie y con cara de poner al cielo por testigo de semejante humillación. Los cocheros formaban grupos animados, o bien se sentaban solos, en la escalerilla de sus coches, con las piernas abiertas, mirándose las botas. Al ver mi tílburi, se alzaron, amenazadores. Después, alguno dijo:

—Es el señor.

Las filas se abrieron. El que así había hablado era el padre de Julio, el capataz que hizo saltar los cartuchos cuando la explosión del "Cabo Machuca", un hombre ya viejo, pero fuerte aún, que trabajó con Jorge Ruiz y al que padre ayudó a establecerse. Julio, su hijo, dirigía el socialismo de la ciudad. Era serio, competente, honrado, y continuaba creyendo que el mejor modo de resolver los asuntos consistía en hacerlos saltar. Por ejemplo: me proponía sin cesar que les entregase la cantina y las escuelas del Pico, aquellas que fundó mi madrastra, y que regentó el padre Damián. Aunque era verdad que los sustitutos del padre Damián no habían llegado a su altura, la petición me pareció exagerada. Se lo negué.

—Además—le dije—, queda la iglesia. ¿Es que vais a decir misa vosotros?

—Nosotros no—me repuso—. Pero don Pascasio...

Fué la primera vez que supe que mi capellán gozaba de gran predicamento entre los obreros. Parece que, si celebraba la misa tan temprano, era para alargarse después al Pico y ayudar al curita que allí teníamos, un vallisoletano que se las entendía mal con los vascos y con los mineros de Asturias.

El padre de Julio, por lo visto, aún no se había pasado del todo a los socialistas, e impidió que el triste augurio de Dios respecto a los ladrillos se cumpliese.

en mi persona. Hasta se llevó la mano a la chistera cuando
crucé junto a él y dijo no sé qué a los que le acompañaban.
Era un hombre corpulento, de grandes bigotes grises, que le
caían hacia abajo y que le daban aire melancólico. Quería mucho a sus caballos y yo le tenía simpatía por ello. Correspondí
a su saludo y el grupo retrocedió un poco. "Revolución" braceó
orgullosa, como si quisiera lucirse ante sus correligionarios.

Aneli llegó, precedida de una montaña de baúles, maletas
y sombrereras. Eran muy lujosas y se veía a los mozos mane-
jarlas con aprensión, como si temiesen romperlas. La encontré más delgada, aunque quizás ello se debiera a la nueva moda.
Aneli fué siempre muy avanzada en el vestir, y venía de París
con un traje estrecho, de cola corta, que arrastraba, muy ceñido a la cintura, un sombrero negro, con mucha pluma, y
un gran lazo que le abrazaba la barbilla. El escote era amplio
y le cubría con un velo. Cuando se inclinó para besar a Gerardo, un mundo de recuerdos hizo presa en mí. Me dió la
mano, mirándome a los ojos. Siempre ha habido en la mirada
de Aneli algo que me ha estremecido de arriba abajo y que
todavía no sé si se me produce placer o dolor. Me tembló la
mano y la vi sonreir. Parecía que no hubiese pasado el tiempo
y que nuestras relaciones resurgieran, intactas, como esas corrientes que desaparecen bajo tierra, y que brotan de nuevo,
tan unidas como antes.

Una vez en el coche me preguntó por todos; por Cati, por
Arturito, por Esperanza...

—¡La pobre! Sentiría mucho lo de su hijo, ¿no?

Era inútil explicarle a Aneli que la muerte de Ito había
constituído un drama para Esperanza. Me limité a decirle:

—Ahora vive con nosotros.

Nada más. No le podía explicar como fué aquel día, qué
angustia acompañó cada uno de sus segundos. El sol alumbraba un mes de julio radiante. Las casetas de la playa se
habían pintado a rayas de colores y lo avanzado de los trajes
de baño escandalizaba a tía Trinidad y hacía asomar un tímido
rubor a las mejillas de tía Elisa; Marisa Villarreal andaba inconsolable porque Pradilla estaba muy enfermo y con escasas

llegaba por los más insospechados medios, porque Alberdi trataba a todo el mundo, indistintamente, desde los campesinos de Zeleña, que oyen misa en una de las capillas visigóticas más bellas de España, hasta los señorones de la capital; desde la Marquesa de Villarreal, la acongojada Marisa, hasta las esposas de mis tíos, los "cuatro erres". Cuando le vimos aparecer en el Círculo, supimos que algo grave sucedía. Cuando habló, nos miramos los unos a los otros. Primo Juan apretó tan fuerte su vaso, que lo hizo saltar:¡ ¡chas!

En seguida todos corrimos en tropel para informarnos. Lo mismo hizo el resto de la población, unos hacia "El Atlántico", otros hacia el Ayuntamiento, otros hacia la casa del gobernador. Yo quedé indeciso, pensando en Esperanza. Oí gritar, ya fuera:

—¿Vienes, Pardo? Hay que protestar con energía. ¡Abajo Sagasta!

Sí, había que ir. Había que gritar ¡abajo Sagasta! y, probablemente ¡viva Sol y Ortega! Mientras tanto, Esperanza recibiría la noticia sola y estremecida.

Me dirigía hacia la puerta, cuando, al cruzar frente al sillón en el que peroraba Alfonso Solano, le vi. Estaba hundido, doblado sobre sí mismo, y diríase que disminuído de corpulencia. Había palidecido, y esto se le notaba, más que nada, en las manos, que pendían sobre los brazos del sillón. No sé si he dicho que tenía una gran barba negra; una barba poderosa, agresiva, rizada y dura. Pues bien, hasta su barba parecía más decaída, lacia, como una bandera sin viento. Me dió pena.

—Ven—le dije—. Hay que enterarse. ¡No te estés ahí, como si el mundo se hubiese hundido! ¿Qué piensas?

—Ito—me repuso Alfonso—. Si ha muerto...

No supe qué decirle.

—Claro, si ha muerto...

—Si ha muerto, perderé a Esperanza. La perderé otra ve

Me miró y en sus ojos había una desesperación como pocas veces vi. Al tiempo lucía en ellos una luz salvaje y muy dolorida. En los ojos del Mirlo, cuando cruzaba frente al Instituto, vi algunas veces miradas así, y también en los de Gogó, el pastelero que le asesinó. De pronto, mi cuñado Alfonso se me presentó como un hombre nuevo, torturado. Me pareció que también él se hubiese quitado una careta, como Gogó la noche que mató al Mirlo.

—Ahora era mía —me dijo—. Por lo menos podía hacer algo porque lo fuese. Si Ito muere...

Como murió, Alfonso Solano volvió a quedar solo. Fué él, en realidad quien lo decidió así. Una mañana vino a despedirse. Vestía de negro y había adelgazado. No sonreía. Resultaba impresionante contemplarle y recordar su antigua vitalidad, sus grandes risotadas. Había pasado el tiempo; Sol y Ortega había hablado de indignidad nacional; Montero Ríos se disponía a partir para París, a fin de firmar la paz; en la ermita de San Roque se habían celebrado unos funerales, sencillos, que ofició Don Pascasio...

—Vengo a deciros adiós —dijo Alfonso—. Y a pediros...

Se detuvo.

—Lo que quieras Alfonso. Ya lo sabes. ¿Qué es?

—Pues... si no os importara, ocupaos de Esperanza... ¡Está tan deprimida desde lo del niño!

Hablaba de Ito como si fuera muy pequeño.

—Yo... tengo que irme. Ya sabéis.

—¿Que te vas? Pero, Alfonso, ¿lo has pensado?

—Sí, lo he pensado mucho. No tengo derecho a exigirle eso a Esperanza... ahora.

No ocultaba nada. Nos daba a todos por enterados, como, en efecto, era. Prosiguió:

—Me voy a Madrid. Tengo intereses allí. Pero a ella creo que le gustaría volver a su casa.

A su casa... Alfonso miró en torno y sus ojos se detuvieron en el retrato de Esperanza, que colgaba sobre la chimenea. Cuando me casé, intenté cambiarlo, pero Cati no lo consintió. Esperanza estaba muy guapa en él: recordaba a la abuela.

—Sobre todo —nos pidió Alfonso—, no digáis nada a vuestra madre. Bastante disgusto tiene ya. —Inesperadamente añadió, con una gran delicadeza—: Hay que cuidarla mucho.

A través de la ventana se veía a madre. Cortaba flores en el jardín. Vestía de luto y sus ademanes eran lentos; de vez en cuando se detenía, como si las tijeras le pesasen. Pero seguía cortando. Todas las mañanas renovaba la provisión de flores de villa "María Rosa". Las flores tenían aún gotas del rocío que caía de madrugada. En el saloncito, junto al piano, había un cacharro de bronce, muy pesado, que rebosaba siempre las flores de madre.

—Bueno, Alfonso—tranquilicé a mi cuñado—. Lo que tú quieras. Que venga Esperanza; por nosotros no ha de quedar. Pero, te insisto, ¿lo has pensado bien?

—Desgraciadamente lo he pensado... Quizá demasiado. Gracias, muchas gracias.

Ya en la puerta se volvió.

—Y... perdonadme.

Cruzó el porche, y salió al sendero. Cati y yo le vimos partir en silencio. Instintivamente nos cogimos de la mano. A través de la ventana vimos como Alfonso saludaba a madre. Hablaron un poco, y, después, madre le dió un brazado de flores. Supongo que serían para Esperanza, pero, después de lo que habíamos hablado, el acto resultaba pueril, sobre todo visto, sin palabras, a través de los vidrios de una ventana.

Alfonso dejó las flores a su lado, en el pescante del coche; agitó las riendas y dirigió al caballo hacia el faro, cuyo blanca cúpula se divisaba sobre el cabo. Cuando el camino terminó, cruzó los campos y llegó hasta las rocas.

Allí los acantilados se cortan a pico. Es un trozo de mar especialmente abierto y grandioso. Levanta un ronco rumor y, llevadas y traídas por las corrientes, sus espumas forman dibujos blancos, como encajes. Asusta este mar, de color gris, oscuro, sobre el que siempre parece que anocheciese. Ya en la costa, se remansa en algunas calas escondidas, donde transparentan los corales.

Alfonso llegó hasta su borde. El mar asaltaba las rocas con una fuerza sorda, y después se retiraba, aferrado a ellas, arrastrado, como si las arañase. El viento le batía y amenazaba arrebatarle, tan fuerte era. Alfonso cerró los ojos. Mientras rezaba, escuchó el son del viento, y el del mar, y sintió las gotas de agua que le salpicaban, pese a que las olas rompiesen abajo, muy hondo.

— ...y bendito sea el fruto de tu vientre, Jesús...

Alfonso tiró las flores, como se hace en los barcos cuando muere un tripulante. El viento las esparció, y fueron a caer, aquí y allá, sobre el mar, confundidas con las espumas.

V

Una de las características de Aneli es que odia dramatizar.
Como, después de la derrota, nosotros nos dedicamos a dramatizar día y noche. Aneli retrasó su regreso, y, según ya dije,
no volvió hasta pasado algún tiempo, cuando, para remediar
nuestros males, los cerebros más ilustrados se aprestaban a
derribar los Pirineos, barrera nefanda que nos separaba de
Europa y su civilización. Quizás Aneli quiso llegar antes que
tan notable transmutación geológica se llevase a cabo. Parece
que la huelga de los cocheros, con que la recibimos, fué uno
de los medios que se debían utilizar para acabar con la cordi-
llera, y que, si no dió resultado, fué porque se escatimó la
dosis. En vista de ello, se insistió. Un día sí y otro no, teníamos huelga. Por un quítame allá esas reivindicaciones, los obreros se encerraban en sus casas, o se paseaban, amenazadores,
por las calles, clamando por sus derechos. El Pico era un semi-
llero de disgustos. Alberdi y Lemor comentaban:

—Creo que en Sevilla han celebrado un Congreso pidiendo
que se rebajen a la mitad los alquileres. Es lástima que el socialismo no pueda aplicarse a la ruleta para rebajar las pérdidas. ¡Puah!

Ambos eran muy jugadores y aficionados a las mujeres.
Fué Lemor quien llamó "la Viuda" a Aneli. Cada vez que hablaban de ella, ponían los ojos en blanco con ese gesto super-
lativo que sólo las obras maestras en la naturaleza merecen.

—Una hembra como no hay dos—convenía Alberdi—.
¿Qué, cómo no hay dos? ¡Cómo no hay ni media!

Sí, Aneli era muy seductora en aquella época y creo que

merezco alguna disculpa por mi debilidad hacia ella. Aparte que aquello no significaba nada, absolutamente nada. Vi varias veces a Aneli, con ocasión de mis viajes. Nos encontrábamos cerca de la frontera o pasábamos dos o tres días juntos en su piso de París. Al separarnos me repetía siempre, tranquilizado, que aquello no era más que un puro, leve y pasajero entretenimiento. En tanto, nació Arturito y Rosa se puso en camino; Rosina y Luis Aznar se casaron, por fin, apresuradamente, entre luto y luto, por la serie de desgracias que nos sucedían; Esperanza acompañaba a madre cuando repartía las flores por villa "María Rosa"; la Reina visitó a los heridos en el nuevo hospital y me felicitó por él. Realmente el Hospital estaba muy bien, con los pabellones separados, como si fueran casitas, y jardines en medio, cuidados y vistosos. Gerardo se mostraba muy orgulloso de su instrumental alemán; sor Ramona, de su cocina.

Apenas pasada la puerta del Hospital, sobre la fachada del primer pabellón, se veía una lápida con mi nombre. Fué cosa de Gerardo y sor Ramona, que quisieron perpetuar así mi gesto.

"Este Hospital fué construído
Gracias a la magnificencia de
Arturo Pardo y de Ponte,
cuya generosidad nunca olvidaremos".

No puedo decir que la lápida me disgustase. Los ortodoxos de este tipo de conmemoraciones la reprochaban que no dijese nada concreto, ni una fecha, ni un reinado; a mí me agradaba precisamente por esto, porque tenía algo sentido dentro de su sencillez, algo muy de Gerardo y sor Ramona.

La Reina habló largo tiempo con los heridos y enfermos. Se la veía triste y conmovida. A veces, se inclinaba sobre alguno de ellos, y su ademán era muy maternal. El Gobernador, el Alcalde y las fuerzas vivas la seguían; yo iba a su lado, con Gerardo y Solís, el joven. La Reina parecía ignorar a Solís y sólo hablaba con Gerardo.

—¿Cuántos casos de fiebre amarilla tiene usted, doctor?

—Más de cuarenta, señora. Cuarenta y tres exactamente.

— ¿Graves?

—Graves, sí. Llegan en mal estado y muy desnutridos.

Creo que a la Señora le agradó Gerardo por su entrega absoluta a los enfermos. Era una mujer delgada, de la que no podía decirse que fuera hermosa, pero, cuando se detenía junto a una cama, todo cambiaba en ella, se volvía más dulce. Vestía de gris, con un alzacuello que le llegaba hasta casi la barbilla y un largo collar. Era viva y nerviosa. Me preguntó.

— ¿Por qué construyó este hospital? ¡Es admirable! —añadió en seguida, porque se dió cuenta de lo frío de su pregunta.

—Sor Ramona andaba siempre diciéndome que los ricos se condenarían si los pobres continuaban hacinándose en el hospital viejo —repuse—. Cuando murió mi padre, me planteé el problema y opté por la salvación de mi alma. Creo que sor Ramona va a darme un certificado de garantía.

La Señora sonrió; sor Ramona me hizo gestos de amenaza, asomando tras la comitiva.

Cuando salía del hospital, a la Reina le llamó la atención la lápida. Se detuvo ante ella, con gran azoramiento mío.

— ¡Por Dios, Majestad! —me disculpé—. ¡No lo tome vuestra Majestad en cuenta! Es... una broma de Gerardo... del doctor Séjournant, y de sor Ramona.

—No opino yo así —me respondió la Reina —. Por el contrario, la considero oportuna y justa. Pero falta algo. Sí, falta algo... Arturo de Pardo y de Ponte.

Repitió mi nombre y mis dos apellidos como si quisiera fijarlos en la memoria. A partir de aquel momento fuí ya, prácticamente, marqués de Pardo.

Es extraño, pero a Goyo no le gustó que me concediesen el título. No pudo disimularlo, por más empeño que puso en ello, y se le atropellaron las palabras con las que pretendió felicitarme.

—Enhorabuena... yo... bueno, ya sabes que yo no creo en esas... monsergas. Pero... enhorabuena.

Estaba rabioso. "¡Qué raros somos los hombres!" pensé. La rabia de Goyo me hacía gracia, y, al mismo tiempo, me daba

qué pensar. No podía dudar de su lealtad, pero el que la reina
me hubiese hecho marqués le ponía frenético.

—La Reina Virtudes—dijo despectivo, y cuando amoscado, intenté hacerle callar, me cortó la palabra—. ¡Oh, no te
sulfures! Son tus amigos los carlistas los que la llaman así.
Velasco y tu pariente Santamaría, el de las cintas.

¡Bueno, había que tomarlo con paciencia! Al fin y al cabo,
Goyo tenía otras ventajas.

Cati se atragantó cuando supo la nueva y sor Ramona comenzó a batir peroles como hacen los marineros en la procesión de la Virgen. En cuanto a mí, la cosa me llegó muy
hondo. Procuré disimularlo, pero, en mi cuarto, me miraba al
espejo y me decía:

—Marqués..., señor marqués de Pardo...

El espejo me devolvía la imagen de un hombre de treinta
y tantos años, alto, fino, con el pelo un poco despejado, de
ojos tranquilos y agradable de mirar. Como Hermine hubiera
dicho, era muy guapo. Tenía, además, un aire de innata aristocracia, que no sé de dónde me venía, porque no me parecía
a padre ni a madre. Madre me acarició tiernamente la cabeza
cuando recibí la distinción de la Señora.

—Podías haber sacado cuantos títulos quisieras—dijo—.
En Santifría sobran. Pero éste le has ganado tú.

Por unos momentos recobró su antigua energía y majestad. Dijo a la servidumbre:

—Desde ahora llamaréis Marqués al señor.

A Aneli le impresionó también mi flamante aristocracia,
no puede negarse; muy francesa, tenía la debilidad por los
pergaminos de todos los que creen en la declaración de los
derechos del hombre. Se lo escribí y me contestó felicitándome.
Cuando llegó al coche, el día de que hablaba, cuando, por fin,
volvió a la ciudad y Gerardo y yo fuimos a buscarla, me miró
los puños, que había descubierto para ayudarla a subir.

—¡Oh!—dijo—. Llevas ya la corona.

Es una corona pequeña y nada ostentosa. Hace muy bien
en los gemelos y bordada en la camisa.

Aneli abrió su piso en el Muelle y se instaló en él, para

mucho tiempo, según parecía. Se trajo una doncella francesa,
a la que llamaba Colette, y que revolucionó a los mozos y costó
más de un torozón a las mozas de la localidad. Era rubia, cha-
tilla y muy descarada; era, no puede negarse, eficaz y discreta, como una dueña bautizada en el Sena. Poseía todos los
secretos de Aneli, y, algunas de las pocas veces que fuí a su
piso, las encontré echadas, juntas, sobre la cama, comentando
el último número de "L'Illustration" o los modelos del "Jour-
nal des Demoiselles". Aneli me tendía los brazos y Colette se
retiraba, con una reverencia y una sonrisa.

Pero no me gustaba encontrarme allí con Aneli y me sentía a disgusto y nervioso. El piso tenía algo artificial, con sus
cortinas de gasa, sus volantes, sus rosas, sus pantallas con
cristales y sus luces veladas e incitantes. Aneli parecía en él
una cortesana. Me daba un poco de repugnancia, pero, no obstante, terminaba desechando estas ideas. A veces, Aneli iba
hasta el balcón.

—Voy a abrir. Un poco, sólo un poco. Adoro el olor del mar.

El olor del mar, llegaba hasta nosotros. Un olor áspero, duro,
excitante y fuerte, a sal, a yodo, a peces extraños, a flores que
se abren bajo el agua como estrellas majestuosas. Yo sentía un
cansancio muy dulce, que me invadía como una música. Se
extendía por todo mi cuerpo y cantaba en mis nervios como
en las cuerdas de un violín.

En Puente Alamo el olor era distinto; olía a campo, a yerba seca, a río. Las truchas remontaban la corriente y Celes,
el marido de Toñuca, era muy hábil en pescarlas. Nos las servía, fritas, con un trozo de jamón, y daba gloria comerlas. Era
un lugar tranquilo y pintoresco, con una cocina sabrosa, aleja-
do y muy discreto. Aneli, además, parecía distinta en él, sencilla, alegre, jugando con todo y descubriendo cada día cosas
nuevas, como una chiquilla. A veces bajábamos al río y Aneli
gustaba descalzarse para mojar sus pies en la corriente, que
era muy clara, con el fondo de piedra. A la orilla crecían los
juncos; un poco más allá, se apretaban los álamos. Había muchos y sus puntas se aguzaban como cirios. La brisa era fresca,

y las piedras del puente, viejas, marcadas por los siglos, como
si hubiesen sufrido viruelas.

Todo esto duró algunos meses. En la ciudad se hablaba
de Aneli y de su criada Colette, guiñando los ojos, como quien
está de vuelta de todo. Varias veces, al entrar yo en el Círculo,
se hizo un silencio repentino y muy significativo. Yo pensaba
entonces: "Esto tiene que acabar. ¡Tiene que acabar! ¡Qué
tontería!"

Preocupaciones, tenía pocas. Dicen que el dinero las da, pero
a condición de preocuparse de él. En mi caso, eso correspondía
a Goyo. Goyo era el administrador ideal; el administrador que
jamás niega lo que se pide y que no os cansa con cuentas
ni inversiones. Solamente en lo de la mina se puso un poco
pesado, pero yo comprendía que era por mi bien. Los Quejada
sabían lo que se hacían y el negocio del Pico exigía entender de él. Sin embargo, de no ser por la intervención de Julio,
el capataz socialista, creo que todavía estarían suplicándome
que llegásemos a un acuerdo.

Julio vino a verme un día. Mi despacho no era como el de
padre y Max, sino mucho más lujoso, y Julio desentonaba en
él. Pero no parecía cohibido. Por el contrario, entró muy sereno, con la gorra en las manos; quizá la diese demasiadas
vueltas, pero nada más. A ruegos míos se sentó. Le interpelé:

—Y bien, Julio, ¿qué te trae por aquí?

—Pues verá usted, señor marqués.

Pareció paladear el título y yo sonreí, comprensivo. "Al fin
y al cabo —pensé— el socialismo desciende directamente de
los Derechos del hombre".

—Verá usted. Se trata de la mina.

—¿De la mina? ¿Otra vez el comedor? Ya te dije...

—No, no es el comedor. O sí lo es, pero no ése. Los obreros...

—¿Qué les pasa a los obreros?

—¿No lo sabe usted? Don Gregorio anuncia que va a des-
pedir a... no sé; a veinte por lo menos.

No lo sabía, pero, naturalmente, no quise reconocerlo.

—¿Y qué? —repuse—. Eso díselo al Gobierno, que ha de-
cretado la política de economías. Ya ves, sólo en el Arsenal

de El Ferrol ha despedido a más de trescientos. Los veinte míos no son muchos en comparación, ¿eh?

— Son veinte — repuso, tozudo, Julio — y son de aquí. ¿Qué me importa lo que el Gobierno haga en El Ferrol? — En seguida se dió cuenta de que había ido demasiado lejos y rectificó —. Bueno... no me importa tanto. Para eso está el Comité nacional.

— Socialismo a ultranza, ¿eh, Julio? Bien. Y si, a pesar de todo, los despedimos, ¿qué haréis?

— La huelga — repuso, lacónico, Julio —. Es nuestro derecho.

Di un puñetazo en la mesa.

— Si crees que vas a asustarme, estás aviado — dije, con el acento que había aprendido de pequeño, en mis correrías por el puerto, y vi que los ojos de Julio se animaban; parecía contento de entenderme —. ¡Soy capaz de hacer saltar el Pico antes de ceder! Díselo así a tus compañeros.

— Un momento — me pidió Julio, cortando mi ademán de despedida —. Yo, con perdón, yo creo que usted no puede hacer eso.

— ¿Que no puedo? ¿Por qué?

— Usted es amigo nuestro, déjenoslo creerlo, señor marqués. Le hemos conocido de niño, cuando subía a la mina. Ni su padre ni Don Maximiliano hubieran procedido así...

Padre y Max. ¿Qué hubieran hecho padre y Max?

— Y luego... usted construyó el Hospital. Le costó mucho más caro que veinte obreros, y es para el pueblo. Piense en la situación de esas familias. Usted no es un explotador como tantos. Como lo era Mirachichas, con perdón.

¡Diablo de comparación! Estaba perdido. De pronto pensé que no sería ninguna tontería acceder a la colaboración que me pedían los Quejada.

Cati y Esperanza, cuando les hablé del asunto en la sobremesa, de pasada y como quien no quiere la cosa, se pusieron de parte de los obreros. Las mujeres siempre serán unas sentimentales. Cati añadió, frunciendo el ceño:

— ¿Y Goyo? ¿Por qué tiene que tomarse tantas atribuciones?

Cati no quiere a Goyo; lo sé, y no me explico la causa. En cambio, Aneli le estima de veras. No tiene nada de particular, porque le conoce de antiguo. Al explicarla lo que sucedía, se encogió de hombros.

—¿El socialismo? —dijo—. "Je m'en fiche". Deja a los Quejada que toreen ese toro.

Le torearon. La mina fué expurgada de rebeldes y no hubo huelgas. Pero Julio dejé de saludarme cuando, por casualidad, me cruzaba con él.

Goyo consiguió un contrato muy ventajoso, que dejaba la administración en mis manos, o, por hablar en plata, en las suyas. Era lo mismo. Confiaba en él. Yo tenía dos únicos amigos verdaderos: Goyo y Gerardo. Pero con Gerardo se comprendía que nos hubiésemos distanciado un poco. Según supe, Gerardo y sus padres habían sostenido una discusión muy fuerte con Aneli, en la que mi nombre sonó varias veces. A consecuencia de ella Gerardo dejó de verme. Al terminar la temporada, los Séjournant marcharon para Cannes, con el pretexto de que el clima invernal sentaba mal a Anne Marie.

En lo demás, las cosas marchaban viento en popa. La ola de inseguridad social que barría España no me afectaba lo más mínimo, porque mi barco poseía velamen suficiente para capear temporales más serios que aquél, y yo era buen marino... en todos los sentidos. Algunas veces me hacía a la mar en mi balandro, que tenía un nombre fanfarrón y emprendedor: "El Valiente". Pintado de blanco, parecía que cortase el agua cuando el viento le empujaba. La costa corría atrás, según él avanzaba, y, cuando la brisa era fuerte, se escoraba hasta el punto de rozar el agua con la borda. Si atravesaba la barra, el mar perdía su tranquila serenidad, para rizarse en pequeñas olas, o para oscilar, en grandes vaivenes. Lejos se veían las playas, las casitas de los pinares, la pequeña ermita de San Roque, el hotel a punto de acabarse, el casino. Primo Juan me acompañaba con frecuencia, y nadie como él para soltar la cangreja, si el viento arreciaba.

También Aneli montaba en "El Valiente", pero, al contrario de primo Juan, que no sabía estarse quieto, permanecía inmóvil, con los ojos semicerrados, como si cediese a alguna voluptuosidad. Al principio tomábamos precauciones; después, Aneli embarcó en el Muelle, desdeñando el espionaje de los miradores. El viento nos daba de cara, el agua nos salpicaba. A Anelli le gustaba el mar libre y siempre me pedía que, enfilando el faro, la llevase hasta el trozo que ya he descrito, al que Alfonso tiró las flores y en el que pensé cuando regresaba con los Groux de Baden-Baden. Era difícil mantener el balandro junto a la costa, porque las olas empujaban mucho y las corrientes tiraban muy fuerte. Debíamos arriar la vela y mantenernos a fuerza de remos. Las olas eran grandes, venían de muy lejos, y nos alzaban hasta su cima, para, después, al descender por su vertiente, ocultarnos el horizonte. En seguida la ola pasaba y divisábamos las rocas, las calas, umbrías, el faro y las algas que el agua peinaba al retirarse. Aneli me pedía:

—Acércate un poco más.

No sé como no nos ahogamos. "El Valiente" ganaba, por fin, una de las calas, y quedaba quieto, parado sobre un cristal. El agua era fresca y misteriosa; al fondo se veían rocas de muchos colores y peces transparentes. Lejos, el mar se abombaba, pero, al llegar a la cala, perdía todo su poderío y altura; se llenaba de humildad y diríase que se hubiese arrodillado.

Aneli gustaba de bañarse en estas aguas quietas. Se despojaba de sus ropas, y saltaba desde popa, haciendo oscilar "El Valiente". Aprovechaba la zambullida para bucear hondo. A veces la veía asirse a una piedra, y quedar quieta, mientras sus pies se movían. Cuando surgía, con los ojos cerrados, no podía evitar estremecerme, porque hacía pensar en un ahogado.

Al principio intenté acompañarla, pero, apenas tocaba el agua, su frío, su silencio, la sombra de las rocas, los ruidos pequeños y misteriosos que nos rodeaban, me llenaban de pavor. El corazón comenzaba a latirme, y los oídos se me llenaban de un ruido continuo, como el de un motor en marcha. Nadaba, entonces, muy de prisa, hasta "El Valiente", y me izaba de un solo tirón, dejándome caer sobre la borda. La luz parecía lejana; Aneli y yo estábamos rodeados por una sombra especial, que se diría de otro mundo. Escuchaba el ruido que hacía al nadar, y su respiración, si se acercaba. Me repetía:

— ¡Todo esto tiene que acabar! ¡Tiene que acabar!

No hubiera sido difícil. Quizás, entonces, todo pudo haber acabado sencillamente, diciéndonos adiós. Aneli tampoco se hubiera opuesto, porque no era mujer que creyera en la eternidad de las pasiones. Me hubiera dicho, sencillamente, como me dijo Hermine:

— ¡Adiós, Arturo!

A mí se me dice con facilidad adiós. Sólo Cati no me lo dirá nunca, porque Cati me quiere. Aneli... Bueno, yo sé que lo de Aneli hubiera podido terminar entonces, y ser sólo un episodio, un recuerdo, una pequeña pena, quizás; una pequeñísima pena. Pero la obra del Casino había terminado hacía tiempo. Era inevitable que, una noche u otra, me encontrase en él con Aneli.

Pradilla — cuya muerte sumió en tinieblas el corazón de Marisa Villarreal — resuelve una de sus novelas, la que más fama le ha dado, con una terrible galerna que desvasta las costas del Cantábrico. Sus personajes no le molestan más, porque se ahogan. A los pocos que no se ahogan, los casa. Indudablemente, como Pedro Quejada, flamante alcalde de la ciudad, dijo el día de su entierro, Pradilla es un clásico.

Pero en la vida las cosas son más complicadas, aunque menos aparatosas. Por ejemplo, no cabe duda que mi ruina arranca de la tarde aquella, cuando, con el día ya declinante, subí las escaleras del Casino para acompañar a Aneli. Hasta entonces nada irremediable había sucedido. Incluso admito que empezaba a cansarme un poco de las complicaciones que Aneli me traía. En efecto, no faltaban más que sus audacias y descaros para soltar las lenguas de la ciudad. Más de una vez la aconsejé:

— Prudencia, Aneli, prudencia. No lo digo por mí. Al fin y al cabo...

— Pues por mí tampoco — cortaba Aneli —. No te preocupes, hijo. Hay dos cosas en que no creo; en el ahorro y en la reputación.

En el ahorro no creía, desde luego. Ya por entonces me pedía dinero, no mucho ni muy seguido. Si tenía una mala racha en el Casino, al encontrarnos, me decía, sin volver la cabeza:

— Querido, ¿no tendrás unos "sous" para mí? Olvidé recoger dinero... ¡Soy tan terriblemente descuidada!

Debo reconocer que siempre intentó devolverme mis préstamos, aunque naturalmente, yo no accediese a ello. Llevaba la mano a la cartera, e introducía los billetes en su bolsillo, o, si estábamos en su cuarto, en el tocador, bajo la borla de polvos.

Primo Juan era visita constante de Aneli; también venían Alberdi, Lemor y algunos jugadores de la armería. A mí la cosa no me preocupaba, porque sabía que sólo se trataba de tirar de la oreja a Jorge, pero, en cambio, sí me extrañó cruzarme con Goyo en la escalera. Ahora pienso que el encuentro tuvo también influencia en lo que después siguió. Ya he dicho que yo no me encontraba a gusto en el piso de Aneli, pero aquella tarde, sin saber por qué, me sentí un poco triste y deseoso de su presencia. Dejé, pues, el Círculo y los insípidos comentarios de López de Ansina, y me dirigí en su busca. Goyo me saludó sonriente, pero no se detuvo a hablarme. Cuando le expresé mi extrañeza a Aneli, se echó a reir.

—¿Goyo? Pero ¿no sabes? ¡Está loco por Colette!

A mi vez reí, asombrándome de encontrarme más alegre y como liberado de un peso. Aquello era muy propio de Goyo. Recordé cuando, de estudiantes, piropeaba en el Muelle a la criada de los Quejada.

Fué una tarde perfecta, hasta que la luz del otro lado de la bahía, al cambiar de color sobre los montes, anunció que la noche se nos echaba encima. Me recliné en el diván.

—Mira, el pico de Alisas —dije a Aneli—. ¡Qué día más claro!

—Sí —respondió inopinadamente Aneli—. Debe de ser tardísimo.

Sus manos temblaban y comenzó a vestirse apresuradamente. Tomó dinero de un cajón y lo introdujo en su bolso. Miró impaciente su pequeño reloj.

—¡Ese imbécil de Juan, que no viene! —murmuró una o dos veces—. ¡Y mi hora es la primera, lo sabe de sobra!

Creo que ya me había acostumbrado al gesto de su boca, pero fué la primera vez que descubrí su mirada. Normalmente los ojos de Aneli son tranquilos, un poco burlones. Pero pueden hacerse duros, crueles y desesperados. Fluctúan entonces,

indecisos, y no se fijan nunca en los del interlocutor; apenas
lo hacen, huyen, y parece que tuviesen miedo, y, a la vez, bus-
casen algo en torno. Le dije:

—Pero, mujer, ¿qué te sucede? ¿Tan importante es que
venga Juan? Anda, siéntate aquí. No puede tardar—la tranquilicé, preocupado ya por su nerviosismo.

— ¡Oh, no entiendes! — suspiró Aneli —. ¿Cómo puedes entender? ¡Arturo! — gritó de pronto.

— ¿Qué?

— ¡Llévame al Casino! ¿Te importa? Le dejaremos recado
a Juan.

Comenzó a escribir nerviosamente, mientras yo protestaba.

— ¡Pero, Aneli, ya sabes! Hay que tener prudencia, te lo
he dicho mil veces. ¿Qué adelantamos llegando juntos al Casino para que todo el mundo comente mañana?

—Déjame tu coche entonces.

—Sería lo mismo; mejor dicho, peor. ¡Ten calma, por Dios!

— ¿Es que no te atreves?

Su aspecto me asustaba. Nunca la había visto así y me parecía otra mujer.

— ¿Atreverme? ¿Por qué no? Pero...

— ¿Vamos, entonces?

Me encogí de hombros.

—Bueno, al fin y al cabo... ¡Vamos!

Aneli se detuvo en medio de la habitación. Parecía que
también ella me veía bajo otro aspecto, y que algo, no podía
decir qué, le causase remordimientos. Lo cierto fué que dió unos
pasos hacia mí, como quien deshace lo andado para reparar
alguna falta. En seguida tomó su manguito y partió taco-
neando. Yo la seguí.

En aquel momento empezó todo. Probablemente estaría escrito desde el principio de los siglos; desde que se decidió que
dos minúsculos y misteriosos gérmenes se unirían, un día, para
producir a Arturo Pardo y de Ponte, marqués de Pardo, pero,
si yo no hubiese acudido aquella tarde al piso de Aneli; si, al
sentarme solo en el Círculo, no hubiese percibido tan viva su
nostalgia, quizá si el Pico de Alisas no se hubiese transparen-

tado en la distancia, todo pudo no haber comenzado siquiera
y yo me prepararía a morir ahora como un finchado y satisfecho varón, que conservó cuanto le legaron sus mayores, que
lo aumentó incluso, y que, allá por los años de su juventud,
echó alguna que otra cana al aire.

Y, sin embargo, ya veis... Si me preguntaseis si preferiría
que nada hubiese sucedido; si me lo preguntaseis ahora, en
este cuarto de villa "María Rosa", que llena por completo la
presencia de mi padre, entre los recuerdos que amó y para los
que tan poco significan las cosas de hoy, no sabría qué contestaros. Estoy aquí, recordando mi pasado, como sin duda hacía
él las veces que se encerraba, y Niña Rosa, su mujer y mi
madre, alzaba inquieta la cabeza por ver si distinguía el sonido de sus pasos.

No sé si mi padre atravesó por los mismos momentos que
yo. No sé si, una vez que los hechos se produjeron, volvió
sobre ellos, se asomó a su interior e intentó comprender
su razón y su secreto. Posiblemente no, porque somos muy
distintos, aunque, a medida que envejezco, sorprendo en mí
mucho de mi padre. Este afán de encerrarme y recordar, por
ejemplo. También gestos, ademanes, el modo de caminar, que
se me ha hecho más pausado y más firme sobre la tierra. Madre me lo dice.

—Es extraño; recuerdas a tu padre.

Adivino en su acento una íntima resistencia. Madre me
quiso mucho, pero nunca me admiró; en cuanto a Cati, ni la
admiró ni la llegó a querer. Para madre, Cati era la intrusa,
la señora de villa "María Rosa", una casa que construyó para
ella el único hombre al que amó. Cati había ocupado su puesto. Esto se producía muy dentro de madre, a pesar suyo, sin
duda, pero no lo podía remediar. Espero que yo fuese el único
en notarlo, porque poseo una sensibilidad especial para estas
cosas que no es común. Esta postura, íntima e irremediable, de
madre frente a Cati, explica que callase todo lo que se refería
a mis devaneos. Aunque la ciudad habló mucho de ello, hasta
que, por fin, se aburrió de comentar y me dejó por tan imposible como a tío abuelo Juan, en villa "María Rosa" jamás

se pronunció una palabra. Creo que ni se permitió crecer un pensamiento. Y ello porque Cati sabía sufrir y porque madre no estaba dispuesta a compartir el sufrimiento de Cati.

No, probablemente padre no escudriñó así en el interior de los hechos. Yo, sin embargo, los analizo día tras día; en realidad, me analizo a mí mismo. ¿Hubiera, de verdad, deseado que nada de esto se hubiese producido? ¿Hubiera, de verdad, deseado separarme de Aneli cuando, todavía, una mera relación carnal me unía a ella; cuando aún no la había visto, al fondo de la sala, sentada en su mesa, un poco inclinada hacia delante, con la boca dura y las dos arrugas que de ella nacen marcadas en un rictus? No lo sé. No he podido encontrar la respuesta. Todo hubiera sido mejor, y, sin embargo...

Sin embargo, yo no hubiera gozado aquella fiebre, aquel temblor, aquella espera que detiene todos los sonidos del mundo, para centrarlos únicamente en el de una bolita que salta, en el de unas cartas que se descubren, chas, chas... No hubiera experimentado la inigualable sensación de poderío que da dominar la fortuna, cogerla, una noche de suerte, por su único cuerno, como un torero valiente, y, obligarla, sumisa, a embestir una y otra vez, rendida al engaño, sin escape posible. Porque hay veces en que esto sucede, en que se adivina, con una extraña clarividencia, dónde se agazapa la fortuna, qué número y qué color saldrá premiado, qué carta va a levantar Jean; una carta nueva y crujiente, que brilla como si la hubiesen barnizado. Entonces uno se siente crecer y domina todo el panorama como un general victorioso. Esto aquí, esto allí... Las fichas se colocan, la bolita rueda, las raquetas empujan las fichas hacia vosotros. Se ganó una batalla, otra, otra... Marengo, Austerlitz, Arjona... En vuestro torno se agrupa la multitud, porque la multitud ama a los triunfadores. Seres ávidos, obsesos de un mismo vicio, con los rostros tensos, los ojos fijos, las respiraciones contenidas. Un número. Todas las bocas exclaman: ¡ah!

—Faites vos jeux, mesdames, messieurs. Faites vos jeux.

Yo he llegado a conocer la voz de Jean como se puede conocer la de la mujer que queremos. La de Jean; la de Georges, el francesito, que, por las mañanas, iba al gimnasio donde comenzaba a ascender la estrella de su tocayo Carpentier; la de Braunn, que se llamaba Otto, pero que tenía la coquetería de hacerse llamar Guillermo, como el Kaiser... He recorrido todas las ruletas, he escuchado el crujir de todas las cartas, que deciden vuestra suerte en un segundo y que sólo se emplean una vez; los objetos de vida más efímera del mundo.

—Ne va plus, mesdames, messieurs; ne va plus...

Estas voces son lo único inalterable del juego, como una costumbre. Creo que, cuando estalló la guerra y Georges y Braunn se enfrentaron, uno a cada lado de las trincheras, debieron decir también, antes de apretar el gatillo.

—Faites vos jeux, messieurs...

Hay algo taumatúrgico en el multiplicarse del juego, algo que mezcla el milagro a la pasión del oro. Las fichas suben, como una pequeña torre de Babel. En torno suenan voces.

— ¿Permite, señor?

Siguen vuestras puestas con los ademanes cautelosos del que quiere robaros. Son seres lamentables, que no saben volar y que persiguen vuestra sombra a ras de tierra. Otros pretenden derrotaros, porque no fían en la suerte, sino en las estadísticas, no juegan con el corazón, sino con un sistema. Éstos esperan, seguros de que un número no puede repetirse, de que un color no puede aparecer seguido cierto número de veces. Y se equivocan. Se equivocan, como todos los matemáticos, porque dos y dos no han sido cuatro nunca. Si estáis de racha podéis tirar, sin temor, de las barbas a Pitágoras. Todo os será dado y os alzaréis sobre el mundo y podréis arrojar billetes a los pobres seres que os siguen y creer que nada iguala vuestro dominio. Podréis gozar la voluptuosidad más grande que jamás inventó la civilización; aquella que está hecha de una mezcla de triunfo sobre el misterio... y de miedo.

De miedo... El miedo acecha allí, en el fondo del juego, como acechaba entre las sombras del Palacio. Es el miedo de toda mi vida, que he vuelto a encontrar después de algún tiempo en que le olvidé. No parece guardarme rencor por ello y co-

labora conmigo como si nada hubiese sucedido. Hay veces,
cuando me siento en la banca, o cuando la puesta es muy alta,
que me invade de tal modo que pienso si no voy a desfallecer.
Es una sensación llena de una extraña voluptuosidad. Existe
algo único y apasionante en este terror a lo desconocido, en
esta lucha entre la esperanza y la fatalidad con que comienza cada nueva puesta. Porque todos los jugadores sabemos
que estamos condenados. Es como si nos estuviésemos jugando los maderos con que levantarán el tablado de nuestra guillotina.

La noche no acaba nunca para nosotros. La noche enlaza
con la siguiente y el día se reduce a una simple espera. Poco
a poco, las salas se van vaciando y sólo quedan en ellas los ini-
ciados de esta secta en la que ningún juramento se pronunció, pero a la que nadie piensa nunca traicionar. Nos conocemos todos, aun sin habernos visto. Hay entre nosotros mujeres jóvenes y hermosas y ancianas que parecen agonizar en
cada puesta; militares a los que acompaña el tintineo de
las medallas y negociantes que, de pronto, se pasan la mano
por la frente como si quisieran recordar algo; europeos pálidos, y asiáticos, y africanos de ojos que dan vueltas siguiendo la ruleta; advenedizos que sacan, apretados, los billetes,
y banqueros que los apilan y los cuentan con aire profesional. Es lo mismo. Todos podemos distinguir, con sólo mirarle, si el nuevo jugador llegó allí movido por la curiosidad,
o si es uno de los nuestros; si arriesgará unas monedas o si
ha arriesgado ya su vida. No puedo explicar en qué consiste;
quizás en el modo de mirar; quizás en la atención que presta
al "croupier"; quizás en los movimientos de sus manos.

Hasta que comencé a jugar no creí que las manos pudieran ser tan expresivas. Las manos se abren, se adelantan, re-
troceden. Los tendones marcan su juego en ellas y los nudillos
palidecen, como cuando se aprietan mucho. De pronto las manos tiemblan, y dan pena, porque parece que unos sollozos
las agitasen. De pronto asen, ávidas, su ganancia; entonces
las odiáis porque las veis llenas de avaricia. Algunas sostienen el cigarro sin encender; otras le aplastan, como si qui-

sieran abrasar a alguien. Las hay finas, de uñas cuidadas y piel marfileña; las hay martirizadas, mordidas, retorcidas. Es lo mismo. Todas hablan su lenguaje. Es frecuente que las veáis avanzar para apoderarse de la ficha que dejasteis olvidada. Estas manos producen una lástima infinita, no sé, como si alguien las adelantase para robar un pan. Otras, arrojan los billetes como si disparasen, compran fichas como quien compra municiones. Algunas buscan, desorientadas, en torno, cuando ya sus fichas han terminado. Después quedan quietas. Nunca vi mayor desaliento que el de estas manos inmóviles.

Mis manos temblaban, no con temblores finos y seguidos, como las de la mayoría, sino espaciados y rítmicos; temblaban según el latir de mi corazón. El corazón me latía tan fuerte al jugar que juzgaba imposible que no se le oyese. A veces me parecía que Aneli me contemplaba preocupada, y le hacía un gesto para tranquilizarla. Veía mi mano entonces, y me daba la sensación de que no me perteneciese, que no fuera mi mano, sino un objeto ajeno. Cuando la noche agonizaba y en las ventanas del casino asomaba una luz lechosa y cansada, mis manos me parecían dos cuajarones de nieve. Recuerdo que, cuando iba al Instituto, quedaban muchos de ellos, junto a los árboles, como si los hubiesen tirado.

Las manos de Aneli arañaban la franela. Aún, en mis desvelos, me parece escuchar el ruido que producían las uñas de Aneli al arañar la franela. El rumor de las palabras, la voz del "croupier", los suspiros, las respiraciones, le callaban, y sólo, mirando hacia Aneli, podía verse el movimiento de sus dedos. De pronto, al rodar la bolita, se hacía el silencio. Diríase que la sala girase también, empujada por las miradas que seguían la ruleta. Entonces se oía el rítmico arañar de las uñas de Aneli: chac, chac, chac.

Sólo las manos de primo Juan permanecían inalterables. Eran unas manos fuertes, anchas, de uñas cortas; tenían un montoncito de vello en la falange, como el sello de una sortija. Reposaban en el borde de la mesa, o fumaban un pitillo, o cogían una taza de café, serenas, tranquilas y vulgares. Eran las manos de un trabajador, como podían haber sido las de Julio, el jefe de los socialistas. Ya he dicho que amaba los deportes, cuanto más arriesgados mejor. Contemplando sus manos se comprendía su personalidad. Estoy seguro de que primo Juan jamás sintió miedo.

Esto se produjo sin que me diera cuenta. No lo digo por disculparme. Procuro enfrentarme serenamente con mi vida, y puedo asegurar que no tuve conciencia de lo que me sucedía; que todo fué como una enfermedad que no se anuncia, y que, de pronto, ha llenado ya de gérmenes nuestra sangre. Todo desapareció frente a ella. Sólo contaba disponer de dinero para la noche siguiente, y para la otra, y para la otra. No me importaba lo que pudieran decir de mí. Aparte de que nadie decía nada.

Sólo la luz de nuestro cuarto me turbaba, cuando, al llegar a villa "María Rosa", la veía encendida. A veces era ya de día y la luz tenía un tono pálido. Cati evitaba mirarme.

— ¿Trabajaste mucho, Arturo?

— Sí.

Un silencio. Comenzaba a desvestirme.

— Estuve en el Casino. A dar una vuelta.

— Claro.

Cuando me acercaba a ella, me sentía más bueno. Despreciadme si queréis. Junto a Cati, todo desaparecía y mis manos olvidaban desvelos y temblores. Cada noche tenía la misma y renovada emoción nupcial. Seguía besando con la misma ingenuidad. Si sus labios se abrían ahora, no era por malos deseos, sino como si quisiera decirme algo.

La herí, lo sé, día tras día; la causé un dolor del que ni siquiera se le ocurrió quejarse, un dolor que no era sólo por ella, sino también por mí. Creo que cuando los sacerdotes antiguos descubrieron que sus dioses eran falsos, debieron sentir algo semejante; desconcierto, temor, pena, y, en seguida, esa tremenda reacción de Cati, esa desesperada ferocidad con que se defendía.

— ¡No! ¡Es verdad! ¡Es verdad!

Yo era su verdad. Todos necesitamos tener una verdad en la vida. Cati defendía la suya a base de fe. Creía en mí, a pesar

16

de todo. No es que disculpase mi pecado, es que lo ignoraba. Cuando nació Rosina, me preguntó:

—Esta... esta noche ¿te quedarás en casa?

¡Claro que sí; claro que sí, Cati, nenuca! Aquella noche las luces del Casino no se encendieron para mí.

Cuando volví a él, Aneli apenas si alzó la cabeza.

—¿Qué tal, papá?

Le hubiese pegado. Fué la primera vez que deseé pegar a Aneli.

* * *

Cuando octubre llegó y las puertas del Casino se cerraron, nos reunimos en el piso de Aneli. A veces venían Alberdi, o Lemor, el Moro, al que llamábamos así por lo cerrado de su barba, o alguno de los primos, a los que arrastraba Juan; también gente desconocida, a la que no volvíamos a ver. Pero otras jugábamos solos, los tres, sentados frente a frente, como enemigos. Jean, el "croupier", levantaba la carta. A poco, daba señales de impaciencia.

—"Colette est en arrière" —le decía Aneli.

Jean nos dejaba solos, con visible alivio. A su manera, Jean era un artista y necesitaba ambiente para desarrollar sus dones; por eso despreciaba el pequeño saloncito de Aneli, en el que los tres nos espiábamos como tres enemigos. Las cortinas estaban echadas y el aire se espesaba hasta hacerse denso, de color azul. Arriesgábamos sumas cada vez mayores. Y nos odiábamos ferozmente, según la suerte se decidiese por uno o por otro. Nos vigilábamos, seguíamos el movimiento de nuestras manos, bebíamos, con ademanes rápidos, que vaciaban de un golpe las copas, de prisa, para no perder tiempo. La boca de Aneli se volvía más y más dura. Primo Juan doblaba las puestas como un autómata.

Corríamos las cortinas, para evitar que la aurora nos avisase su llegada, para cumplir así, dentro de lo posible, el máximo deseo de todo jugador; asesinar el tiempo. El día, no obstante, llegaba hasta nosotros, inexorable. Primero era un ruido, después una voz, más tarde los pregones, los carros que saltaban sobre el empedrado, las sirenas y las campanas. Las campanas comenzaban a sonar lejos, pero en seguida se acercaban, como si se contagiasen unas a otras. San Roque, tintín; los Carmelitas, ton-ton; La Compañía y la Catedral, tantan... Después, la gran algarabía, con los sones mezclados en el aire. Las primeras puertas se abrían y los pescadores se alzaban de sus bancos, con los ojos aun cerrados, para dirigirse a sus embarcaciones. Mujerucas de mantilla negra cruzaban, pegadas a las casas, con el misal contra el pecho, como si quisieran darle calor. En la Casa Rosa, Raquel y la Cubana contaban sus ganancias, mientras las mujeres desfilaban hacia sus lechos, cansadas, somnolientas, limpiándose la pintura de los labios con el revés de la mano.

Aneli lo hacía también. Se levantaba, lanzaba una última mirada a la mesa y bebía la última copa. Después se dirigía hacia la puerta. Diríase que arrastraba un peso. Su mano frotaba sus labios, fuerte y despacio; era un ademán agrio, con el que Aneli parecía querer desprenderse de algo, borrar alguna huella. Una vez en la puerta, se volvía:

—¿Vienes?

No miraba a nadie. Yo me abrochaba lentamente los botones del chaleco. Primo Juan guardaba sus ganancias. Después, seguía a Aneli.

Sí, hasta eso. No tenía importancia; por lo menos no tuvo la importancia que en un principio podía haber tenido, y, en cierto modo liberaba mi conciencia. Ya no era la carne ni el pecado lo que me unía a Aneli; en todo caso, no aquel pecado. Era algo más hondo, más irremediable, más doloroso. Algo que me hacía odiarlos, a ella y a primo Juan, y desear su muerte, a condición de poder resucitarlos, la noche siguiente, para proseguir la partida.

Y, sin embargo, si me preguntaseis si preferiría que nada hubiese sucedido; si me lo preguntaseis ahora, cuando el fuego pasó y hasta las cenizas se enfriaron, no sabría qué contestaros. Sólo sé que voy a morir. Después de todo, ¿qué importa? Aparecido y desaparecido; ésa es la historia de un hombre.

VII

El piso de Aneli en París radicaba en la orilla izquierda del Sena, en una calle tranquila, que se abría a una plaza. La plaza tenía unos árboles espaciados y unos pequeños jardines; sus casas eran antiguas, y, algunas, muy pintorescas, con sus tejados en pico, sus vigas y su fachada rosa, o amarilla, desteñida por la lluvia y el tiempo. Había un restaurante, que se llamaba Père José, y que estaba especializado en "escargots". Aneli solía decir, cuando los comíamos, rociados con burdeos blanco, y ella se tapaba, prudentemente, la boca con la servilleta:

—Los "escargots" son unos vulgares delatores.

En los jardines jugaban los niños y tomaban el sol unos viejecitos napoleónicos. Ventana por ventana de la nuestra, Alphonse ejercía su oficio. Alphonse era peluquero, y, en las vitrinas bajas de su comercio, se veían las muestras que proclamaban su habilidad; pelucas, postizos, tirabuzones y dos muñecas de cera, con las pestañas muy largas y la boca muy pequeña, en forma de corazón. Eran blancas, sonrosadas y opulentas de busto, por más que lo tuviesen cortado, como si hubieran sufrido algún accidente. Pero parecían tan contentas, miraban de tal modo con sus protuberantes ojos de cristal, que en seguida se comprendía que, si no había completado sus encantos, era por no distraer la atención de su cabellera. Como Alphonse hubiera dicho, una cosa es el "amour" y otra los negocios.

Las clientes de Alphonse se sometían, estoicas, a sus manejos. Las veíamos, cubiertas con el peinador blanco, con la cabeza un poco inclinada, mientras el peluquero se las componía para dar forma y arte a sus cabelleras. Cuando doblaban la esquina, bien a pie, bien en coche, todas se tocaban su peinado, con delicadeza, como si tuviesen miedo de que les fuera a doler. Alphonse, al quedar solo, se acercaba al espejo y se peinaba su bigote. Tenía un bigote rizado y vuelto hacia arriba, que producía la sensación de estar sostenido por algún invisible andamiaje.

En el piso de encima de Alphonse, Monsieur Lecomt daba lecciones de música. Sus discípulos sólo le ocupaban la mañana; por las tardes cerraba sus ventanas y no se volvía a saber de él. Era un hombre muy grande, que debía de asustar a sus discípulos. Cuando alzaba la mano, para llevar el compás, parecía que fuese a pegarles. Los discípulos se sentaban al piano y él les pasaba las páginas de la partitura. Cuando se iban, la guardaba, bajaba la tapa del piano y colocaba flores sobre él. Después cerraba la contraventana.

Un poco más allá, en una casa más lujosa, con verja baja ante la escalera, vivía Mademoiselle Renoir. Mademoiselle Renoir era muy guapa y elegante. Tenía unos ojos claros, que, desde lejos, daban un aspecto extraño a su rostro, porque parecían demasiado grandes para él, unos labios rojos y una cabellera dorada. Quizá su apellido influyera en su concepto cromático de la belleza, porque resplandecía como una tela impresionista. Usaba sombreros muy grandes, boas de piel, manguito y falda larga, que ella procuraba acortar, sabiamente, al sentarse. Todas las tardes venía un coche a buscarla y el cochero se inclinaba desde el pescante para recibir órdenes. Mademoiselle Renoir se reclinaba en el asiento y se miraba en un espejo pequeño, que sacaba del manguito. Por la mañana bajaba algunas veces a la plaza, y terminaba hablando con la florista de la esquina, Madame Roget, una viejecita que vendía también periódicos, y que nunca se quitaba su sombrero de paja negra, con una pluma atravesada, y con Monsieur Rigot, el carnicero, cuya tienda tenía como muestra una cabeza de caballo. La plaza quería a Mademoiselle Renoir, y decía que había tenido mucha suerte, sí, pero que se la merecía.

¿Qué más? A las seis se alumbraban los faroles; a las siete dos guardias daban una vuelta a la plaza; a las siete y media, Louis, el camarero del Père José, encendía las luces y arreglaba los manteles de las mesas, de modo que no colgasen unos más que otros.

Como comprenderéis después de leer todo esto, tenía poco que hacer, durante el día, en el piso de Aneli. Algunas veces me entretenía tocando el piano; las notas resonaban graves, como si estuviese vacío. Era un piso amplio y lujoso; la casa, sin duda, la mejor de la calle y la plaza. Entre Colette y Edouard la tenían siempre a punto y limpio como una patena. Creo que era Edouard el que corría con la mayor parte del trabajo. Se llamaba, exactamente, Edouard Bonnefous, y tenía un aspecto tranquilo y respetable; parecía de bastante edad, aunque sus ojos lucían notablemente jóvenes. Era mudo, pero comprendía a perfección a Colette y Aneli y no separaba los ojos de sus labios. Debía de ser muy fiel y Aneli confiaba mucho en él. A mí me obsesionaba. Apenas sentía su mirada fija en mí, cuando ya me notaba inquieto y desasosegado. Nunca lo dije, pero, además, creo que me daba mala suerte.

Edouard Bonnefous era anarquista. "¿Qué importa? — decía Aneli —. Podemos contar con él. Nunca me traicionará." "Sí, a ti no — le contestaba yo —, pero ¿y a los demás?" Entonces Aneli reía. "Descuida, hombre, que no te tirará una bomba. No eres lo bastante importante para eso. ¿Tú sabes lo que cuesta una bomba?"

Se refería al atentado que sufrió nuestro Rey, Alfonso XIII, el segundo año que estuvimos en la capital. Yo acababa de llegar, lo recuerdo, y el atentado me impresionó mucho. Miré a Edouard con ojos que echaban fuego.

—Déjale — bromeó Aneli —. Estuvo todo el día aquí, te lo aseguro. — Después añadió, ya seria —: Eso ha sido cosa de los masones. ¿Tú crees que Edouard tiene aspecto de masón?

Edouard parecía no oírnos; acaso no nos oyera. Colette sufría accesos de violenta indignación.

—Le pauvre roi... Si mignon!...

Por la noche se habló también del asunto. El conde de Filkenstein —Graf von Filkenstein y Deustchland über Alles— no disimulaba su indignación.

—Son las ideas francesas, "heim", la corrupción francesa —decía—. ¡Logias, bombas, libertad! ¡E igualdad! ¿Es posible la igualdad entre todos los hombres? "Aber nicht!"

El príncipe Waleska le daba la razón. El príncipe Waleska hubiera dado la razón a su mayor enemigo con tal que se comenzase a jugar cuanto antes. Era un hombre dulce, de pelo completamente blanco, pero tan abundante que llamaba la atención; tenía el cutis muy sonrosado, y, si le interpelabais directamente, enrojecía. Había algo suave y sentimental en aquel hombrecito. Vestía con exquisita corrección, pero arcaicamente, al estilo del imperio todavía, y llevaba en la solapa la cinta de alguna condecoración que yo nunca acerté a conocer.

Cuando Louis encendía las luces del Père José, los salones de Aneli empezaban a animarse. Primo Juan salía de sus habitaciones, limpio y pimpante, después de haber llenado los campos de Versalles o Saint Denis con el estruendo de su De Dion Bouton; Edouard se calaba su librea y montaba guardia en la puerta, atento al movimiento de la campanilla, cuyo son no podía escuchar; Colette iba de aquí para allá, muy pimpante de taconeo, y yo me decía que, en cierto modo, Goyo no andaba tan descaminado en su afición por las clases inferiores. Los íntimos iban llegando, con un poco de anticipación, para ayudar a recibir a los otros invitados. Según como sonase la campanilla, podíais reconocerlos. El príncipe Waleska la tocaba tímidamente, muy poco, y, no obstante, Edouard le abría en seguida, antes que a nadie. El conde Filkenstein, breve y fuerte; la campanilla quedaba vibrante e inmóvil, como si la hubiesen sujetado. Guy Gaillard la hacía bailar; tan alegre resultaba su sonido Paul y Leon Deplat, los dos hermanos, le arrancaban dos tonos diferentes, como si una vez la tocase uno de ellos y otra el otro. Dodó Bombard no la tocaba de modo especial, pero Aneli levantaba siempre la cabeza.

En este grupo de íntimos sólo Filkenstein, Waleska y los dos Deplat podían considerarse como tales. Gaillard era un banquero con el que yo mantenía correspondencia, y que, en cuanto entró en el piso de Aneli, quedó encantado de él. Tenía también el vicio del juego, pero lo disimulaba con un alegre humorismo, que le hacía muy simpático:

—Me encanta perder; esto aumenta la reputación.

—Pero, Guy, ¿cómo dices eso?

—Un banquero que pierde, da confianza a los clientes. Se sienten más unidos a él.

Guy era gordo, divertido y sensual. Le gustaban todas las mujeres, incluída Aneli. Y, privadamente, Colette.

Los hermanos Deplat se reían mucho con él. Los hermanos Deplat se reían con todo el mundo, incluso con Dodó Bombard, que era un tipo trágico, moreno, muy alto y con aspecto oriental, de moro que cree que el mundo estará perdido si no se traslada la Meca al centro de Montmartre. Los Deplat tenían un negocio de papeles pintados, y ellos nos presentaron a Dodó, que era pintor, o, por lo menos, presumía de serlo. Los Deplat se parecían como dos gotas de agua, y las hacían recordar; calvos, gordos, temblones y muy limpios. Jugaban siempre juntos, con una sola puesta, a una sola carta. Eran muy metódicos y previsores. Su unión resultaba verdaderamente ejemplar. Se decía:

—A ver, una taza de café para los Deplat.

—¿Les servimos una copa, hermanos Deplat?

Los hermanos Deplat reían. ¡Tanto no, tanto no, por Dios! Todo eso eran exageraciones. También lo era aquello que Dodó decía de que hubiesen encargado ya un solo féretro para el día de su muerte.

Dodó Bombard tenía debilidad por las bromas macabras; no podía remediarlo. La vida comenzaba para él en el preciso instante en que acababa para los demás. Su producción artística estaba saturada de osamentas más o menos completas y cadáveres más o menos descompuestos, especialmente ahorcados. En cuanto Dodó encontraba un modelo que le interesase, le colgaba de un árbol. Todo el movimiento, tan pujante, de los Gauguin, Lautrec, Van Gogh y demás apóstoles de lo fulgurante, no le rozaba siquiera la epidermis. Si acaso Van Gogh, que pintó el hospital de Saint Remy. Porque Dodó, en sus concesiones a lo viviente, llegaba, generoso, hasta las camas del hospital.

Van Gogh, con su alucinada fantasía, con aquel padre pastor, que le inculcó la gran retórica del alma, con sus trazos relampagueantes, le seducía, aunque se resistiese a aceptarlo. En cuanto a los Deplat, hablaban con lágrimas en los ojos del "pauvre Vincent".

—Un genio—exclamaban—. Hay que dar gracias al "bon Dieu" porque su sufrimiento nos haya proporcionado tanta belleza.

Si se les discutía a Van Gogh, cuya pintura no todos comprendían, contestaban:

—Sí, quizás esta belleza no se vea. Pero es que la belleza, como el alma, no se ve.

Si no se les forzaba, cambiaban, rápidos, de tema. Reían, en seguida, y aceptaban toda clase de cuchufletas y bromas. Pero si alguien insistía, defendían su punto de vista con una tenacidad imprevisible en ellos. Años de ganar su vida vendiendo pintura en serie y por metros les había dado una veneración por el arte auténtico que se parecía mucho al fanatismo. Creían en Van Gogh primeramente, pero después creían en todo aquel que pintase. Hasta creían en Dodó.

El último descubrimiento de Dodó era la pintura "de almas". La anterior temporada le habíamos dejado con la pintura "de los espacios"; los espacios que median entre esta pícara tierra y el más allá, desde luego. Le conocimos al final de ella, presentado por los Deplat, y no le dimos importancia. Sólo primo Juan dijo:

—Creo que Aneli le encuentra interesante.

—¡A ese idiota! ¡Pero si no tiene un gramo de cerebro!

—¿Y quién te ha dicho a ti que a Aneli le interesa el cerebro?

Creeréis que primo Juan desprecia a Aneli. Y no; sencillamente, la comprende.

Físicamente, Dodó podía resultar interesante. Era joven,
muy alto, atezado. Sonreía con crueldad, y tenía el rostro
tallado en planos, como el de algunas imágenes aztecas. Su-
bia mucho a la Torre Eiffel, lo único que había quedado de
la Exposición, para mirar París a sus pies, los dos brazos del
Sena, La Isla, la arquitectura chata de Nôtre Dame, el Obe-
lisco, L'Étoile, la mancha verde del Bois, que el invierno trans-
formaba en gris, como si hubiese envejecido. La bruma cercaba París, sus barrios lejanos y pobres, su cinturón de
campos, como los que rodean el Pico. Montmartre ascendía su
colina. De noche podían verse las luces encendidas, como para
una "kermesse", y la algarabía multicolor de la Place Pigalle,
que hacía el efecto de que alguien hubiese esparcido las brasas de una hoguera. El aire soplaba siempre arriba, cantando
entre los hierros de la torre. Dodó pensaba que la Torre Eiffel
parecía un esqueleto, que era alta, muy alta, la construcción
más alta del mundo... ¡Si alguien se hubiese ahorcado, desde
lo más alto! Su sombra oscilaría — tic, tac — como el péndulo
de un reloj, sobre París.

Dodó y los Deplat daban un tono bohemio a las reuniones,
muy en boga entonces. Los Deplat, además, elevaban su nivel,
porque eran muy inteligentes y conocían a fondo la pintura.
Contaban anécdotas del viejo Degas, que era un clásico ya
para Dodó, casi como Millet o Delacroix.

—Degas preparaba con mucha minuciosidad sus ensaladas:
tanto de aceite, tanto de vinagre, un poco de ajo, la cebolla...
Todo esto debía reposar el tiempo preciso, serenarse. Pissaro
le volvía loco, porque no tenía en cuenta nada de esto. "¡Claro,
te crees que es una impresión!", le decía Degas.

De todo aquel grupo, Dodó sólo respetaba a Daumier y a
Toulouse-Lautrec. Al entrar en el "Moulin" ponía los ojos en
blanco. Yo creo que le gustaba Lautrec por lo que tenía de
monstruo, de hombre ahorcado antes de nacer, con sus piernas pendientes, de aquí para allá.

Aparte los citados, venían muchos más al piso de Aneli.

A veces Mademoiselle Renoir, al cruzarse con ella, la miraba con una mezcla de admiración y envidia. Los invitados se repartían por los salones, formaban tertulias caprichosas, bebían, hablaban de arte, de mujeres, de finanzas... El príncipe Waleska se impacientaba.

—Aneli, querida, ¿qué hacemos aquí? Podríamos empezar nosotros, si tú tienes que atender todavía a... todos éstos.

Waleska despreciaba a los invitados de Aneli, los nombres de muchos de los cuales ni siquiera conocía. Él era el que nos arrastraba hacia el saloncito del fondo, donde esperaban la pequeña ruleta y las cartas, con sus dibujos antiguos y coloreados. Sólo a Guy le guardaba una especial consideración, probablemente porque le prestaba dinero.

Era notable verlos jugar. La personalidad de primo Juan se imponía a todos. Apenas la noche avanzaba, los Deplat dejaban de reir; Guy hacía montoncitos con las fichas y se esforzaba en llevar una escrupulosa contabilidad; Dodó se pasaba la lengua por los labios, y la dejaba fuera, suspenso, en tanto la jugada se decidía; Von Filkenstein bebía copa tras copa de coñac. Despreciaba el champán, la bebida preferida por los demás, por blanda y poco militar. A veces, Aneli se reía de él.

—¡Pero si a mí el "champagne" me hace sentirme verdaderamente marcial! Yo creo el marido de esta viuda debió de morir en la guerra.

Primo Juan era el único que conservaba la serenidad. Sus manos permanecían inmóviles. Todo lo más, las apretaba, como si condujese el volante de su automóvil.

A mí me gustaba hablar con el conde Filkenstein. Nos unía nuestra común admiración por Alemania. Al alabar su ejército, su organización, su disciplina, nos vengábamos, inconscientemente, de aquella Francia que nos tenía seducidos, y, sobre todo, de París. También de Dodó, de Guy, de los hermanos Deplat... y de Aneli. Tanto Filkenstein como yo éramos dos víctimas de Aneli, aunque Filkenstein me envidiase porque disfrutaba del reconocimiento oficial de sus favores. Había algo patético en la pasión de Filkenstein por Aneli; una pasión sin esperanzas, vejada y triste. Durante las temporadas que pasé con Aneli en París, acabé por perder toda fe en lo que a su fidelidad se refería, si es que alguna vez la tuve. No me importó. Ya entonces había muerto casi todo lo que por ella pude sentir. Poco a poco, yo sentía nacer en mí una infinita compasión hacia Aneli. El tiempo la hería cruelmente y luchaba contra él con un ansia que conmovía. No es que su belleza se marchitase, pero perdió frescura y espontaneidad; a veces su rostro envejecía y las arrugas hacían su aparición. Eran breves momentos, pero quedaban impresos en mí, y ya no podía mirarla sin recordarlos. Creo que lo notó. Cuando jugábamos, la sorprendía mirándome, y sus ojos me hacían recordar los de Goyo.

También Goyo fué a París aquellos años. Yo no estaba siempre allí, sino que alternaba con temporadas en la ciudad, en las que intentaba, vanamente, ocuparme de mis asuntos. Terminaba rindiéndome y abandonándolos. Santa María, mi cuñado, me decía:

—No te comprendo. Has dejado la presidencia del banco, has arrendado la mina, los barcos los controla Goyó exclusivamente. En cambio, te enorgulleces del tranvía, que te cuesta más cuanto más gente viaja en él, y de la compañía de electricidad, que no te da ni para comprarte una bombilla. Aparte que el Ayuntamiento acabará por quedarse con ella, como con el abastecimiento de aguas...

Sí, pero el túnel se había acabado y los tranvías surgían de él como de una caja de sorpresas. Sí, pero la ciudad se encendía y la luz del faro ya no alumbraba fija, sino que giraba, y su haz parecía acariciarnos. Reverberaba en los balcones de villa "María Rosa", rítmica, como un latido. Se extendía sobre las aguas, como un río de oro; en seguida desaparecía y diríase que el oro fué a aumentar los tesoros del fondo del mar. Durante la noche, yo esperaba la aparición de la luz del faro en nuestros balcones. Una, dos, cien veces... Dormía muy poco y el resplandor de la luz me acompañaba. Me permitía ver a Cati junto a mí, y las sólidas camas nupciales, el papel de la pared, rameado, la silla, donde descansaba su ropa, como la de una colegiala. Entonces me decia:

— Todo esto es la verdad. Habrá algo bueno en mí mientras exista todo esto.

Lejos quedaba la plaza, con sus acacias ciudadanas, el balcón de Mademoiselle Renoir, los postizos de Alphonse y su bigote, inverosimilmente armado. Lejos quedaban Dodó, Guy y su banco, los hermanos Deplat, que amaban la pintura y vendían papeles como el que cubría nuestra habitación. Lejos quedaba el pequeño Waleska, y Filkenstein, con su pasión por Aneli. Debido a un extraño capricho, Aneli nunca aceptó sus cortejos. Filkenstein me decía:

— Pero ¿no ve usted qué Guy? ¿Y Dodó? ¿Qué aguarda usted para cruzarle la cara a Dodó? "Mein Gott, ich verstehe kein wort!"

Mi indiferencia le hería casi tanto como la de Aneli. El pobre Filkenstein no podia comprender que Aneli no era l̄ mujer del César. Ni siquiera la del Kaiser.

Al dia siguiente jugaba nervioso, en la Armería o en el Círculo. También habíamos inaugurado un pequeño local, en el que lo mejorcito de la ciudad se dedicaba a desplumarse sin temor a plebeyas contaminaciones. Ocupaba una antigua cuadra del regimiento de Arapiles, que daba guarnición a la ciudad. La ciudad, deslumbrada por nuestros dispendios, la llamaba, entre despectiva y orgullosa, "la ex-cuadra de gastadores".

Me sorprendió ver jugar a Goyo en ella. No lo hizo muchas veces, pero sí con sorprendente facilidad. Le dije:

— ¡Caramba! ¿Es que Aneli te ha contagiado? ¿Conoces ya el saloncito? ¡Pero, Goyo! — le reproché en broma —. ¡Yo que creí que tu único vicio era la contabilidad!

De sobra sabia que tenía otros y cuáles eran. Pero le quería, y por eso me gustaba burlarme de él. Y, desde luego, Goyo merecía mi cariño. Si hubo alguien leal, fué él. Incluso se prestó a ir a París, varias veces, a ruegos míos, para resolver unos hipotéticos asuntos que me permitiesen luego inventar otros, no menos hipotéticos, que debía resolver yo. A Goyo le gustaba París. Hablaba un francés imposible, a tropezones, muy duro, como si hiciese rechinar las palabras. Nada tan inesperado como oirle tararear "Je suis né dans le faubourg Saint-Denis".

"Je suis né dans le Faubourg..." "Pour étre heureux" "J'en ai marre", "Titine..." Todavía los sones de estas cancioncillas llegan hasta mi. Todo se ha apagado, incluso el sonido de las fichas, incluso el chasquido de las cartas, como una bofetada diminuta, pero estas canciones sobreviven y las repito a veces, y otras creo que las cantan a mi lado, bajo, al oído. Era la época en que Europa cantaba y bailaba, los bellos años seis, siete, ocho, cuando los anarquistas ponían bombas en las bodas de los reyes, Salmerón abrazaba a Rusiñol y a Solferino, un poeta como Rubén podía ser nombrado embajador, en el centenario de la guerra de la independencia se celebraba una exposición hispano-francesa, los caídes moros cobraban de los financieros españoles y "El Siglo Futuro" le tiraba el Syllabus a la cabeza a don Antonio Maura. Los bellos años de Francisco José, de las fuentes de Belvedere y de la romántica leyenda de Schoenbrunn, donde un estudiante intentó asesinar a Napoleón llevando el retrato de su querida sobre el pecho. Todo esto dominado por frufrú de faldas, por un tintineo de copas, por la voz de la Mistinguette, que os confiaba: "Tout ça n'arrive qu'avec moi..."

Todo esto no llegará más. La única voz que escuchamos es la de un cañón al que pusieron un feo nombre de mujer. Claro que a un cañón no se le puede llamar Titine, ni siquiera mademoiselle Renoir. Las muchachas se han cortado el pelo y primo Juan vuela, un poco melancólicamente, para mantener el recuerdo de sus proezas. En cuanto a Waleska, Filkenstein y Dodó, han desaparecido. También Braun, el "croupier" que conocimos en Passau y que decía de Aneli que era "Wunderbar". Al decirlo se llevaba los dedos a los labios y parecía que alabase algo comestible. Cuando Graff von Filkenstein entraba en la sala, Braun se cuadraba, inconscientemente, porque Filkenstein era alguien en la vieja y querida Alemania.

Braun ha desaparecido, junto con Georges, que sustituyó a Dodó en la primacía sentimental de Aneli, y que era ágil y fuerte como un atleta. Georges, "croupier" de oficio, boxeaba por afición. Tenía un retrato de Carpentier vestido de etiqueta y dedicado. Georges lo exhibía con un orgullo tierno, como algunos padres hacen con la fotografía de sus hijos.

— Es un genio — decía —. No se le puede alcanzar.

Y Georges bailaba, sobre la punta de sus pies, como si boxease con un adversario invisible. Al decir "no se le puede alcanzar", dejaba caer los brazos con un desaliento impresionante y auténtico.

Viajamos mucho, aunque nuestra residencia habitual fuese París. El automóvil de Juan estaba siempre dispuesto a hacer de las suyas y a demostrarnos que el rayo y el trueno eran auténticas tortugas comparados con él. Atrás se instalaba Aneli junto con sus tres mosqueteros: Waleska, Filkenstein y yo. Delante, junto a Juan, el cuarto, que, como en el libro de Dumas, era el que contaba la verdad; Dodó primero, más tarde Georges. E, interpolados entre ellos, algún descubrimiento que Aneli nos presentaba con un candor realmente genial. De esta manera, entre mucho sol y bastante polvo, conocimos esa geografía en la que el dinero sólo tiene valor relacionado con un número o una carta: los pequeños casinos populares, escondidos en las montañas o asomados a los lagos, como balnearios, y los grandes y ostentosos palacios, que acaparan fortunas y sostienen principados. Vimos amanecer sobre sus paisajes, abiertos al mar o a los jardines, y en las tabernas de los mercados, entre mozos de carga, con grandes carros parados a la puerta. Las viejas piedras de Francia nos dieron su sombra y los ríos nos remontaron por su corriente. Si nos preguntasen, seguramente sólo podríamos decir de todas estas localidades si tuvimos o no suerte en ellas.

Filkenstein nos llevó a Passau. Poseía un castillo allí, un poco apartado del pueblecito, sobre el Inn. Guardo un grato recuerdo de Passau, de sus casas, de su iglesia, de su carillón y de su arco, en el que una mano devota había escrito "Salve, Señora de los Cielos, Patrona de Baviera". Era un pueblín tranquilo y recogido, rodeado, como un navío, por el Inn, el Ilz y el Danubio. Cada uno de los ríos bajaba con distinto color, y, al unirse, formaban muy bella variedad. El pueblo era antiguo, estrecho de callejas, silencioso; en las paredes de las casas lucían frescos pintados, casi todos alusivos a escenas de caza. La torre de la iglesia lanzaba al aire el más fabuloso carillón de Baviera. El "Ángelus" se cantaba en Passau con mil voces de plata, que así sonaban las campanas.

El castillo de Filkenstein, asentado sobre una colina, había sido reformado, pero aún guardaba vestigios de su lucha contra Napoleón. En una de sus paredes se veía una bala de cañón que el corso tiró, como al desgaire, antes de pulverizar las huestes de Federico. Passau recibió a Napoleón con el más leve simulacro de resistencia de toda su historia militar. En el fondo le tenía simpatía. Aún se la tiene, y el mismo Filkenstein entorna los ojos cuando se refiere a él. En el gran salón del castillo hay varios recuerdos del paso de Napoleón. Cuando, ante la gran chimenea de piedra, Filkenstein y yo gustábamos, lentamente, esa delicia embotellada que se llama "Würzburg 1893", mi amigo se enternecía.

—Estuvo aquí, figúrese — me decía, con el orgullo de un viejo castellano —. ¡Napoleón!

Una vez, por hacerle rabiar, le pregunté:

—Pero, Filkenstein, Napoleón era francés. ¿Cómo se explica que le admire tanto?

Creí que iba a pegarme.

— ¿Cómo francés? — rugió —. ¿Quién lo dijo? ¡Era italiano! ¡Ni siquiera italiano, era de Córcega! ¡Y tenía ascendencia alemana!

Tanto fanatismo me cargó un poco. Secamente repuse:

—Pero su ejército era francés; eso no me lo negará.

Filkenstein miró a trasluz el vino, color de oro. Después suspiró.

—Sí. Por eso le derrotaron en Waterloo.

Tanto Filkenstein como Braunn resultaban impermeables a toda idea francesa. Braunn era un mozo gigantesco, con aire de vinatero, como los que, con un delantal de cuero, sir-

vèn en las bodegas del Rin y el Mosa. Pero tenía las manos
más ligeras que he visto y repartía las cartas del "Chemin
de fer" con la gracia y la levedad de un prestidigitador. Filkenstein se le trajo para animar nuestra estancia. Braunn era
muy partidario del emperador. Como ya he dicho, aún llamándose Otto, se hacía llamar Guillermo.

Georges y él congeniaron bastante. Cuando tallaba en la
ruleta, Braunn lanzaba en francés, a regañadientes, la frase
sacramental:

—"Faites vos jeux, dames, messieurs..."

Pero en seguida, como un desagravio hacia el idioma de
Goethe, añadía:

—"Bitte, meine Herren, bitte."

más ligeras que he visto y repartía las cartas del "Oheim
de fer" con la gracia y la levedad de un prestidigitador. Filkenstein se le trató para animar nuestra estancia. Braun era

VIII

Tanto rodar por el mundo, y, sin embargo, nunca como
entonces me sentí tan perteneciente a la ciudad. Cuando,
llamado por la nostalgia del juego, de Aneli, de las acacias
de la plaza, de Filkenstein y sus conversaciones sobre Alemania, tomaba el tren para unirme a todos ellos, la veía desfilar y diríase que algo muy fuerte me sujetaba a ella. "Revolución" braceaba ya a lo largo del nuevo paseo que unía el
Puerto con el barrio de los Pinares, y al que se dió el nombre
de la joven esposa del Rey. La avenida de la Reina Victoria
es uno de los paseos más bellos del mundo, bordea la costa
y se abre después al mar. Colocado en alto, tiene la bahía a
sus pies, como un espejo que, confusamente, por su lejanía,
reflejase el cielo. Hay pinos en su borde, y grandes rocas en
cuya cúspide crece la yerba. Y castaños de anchas copas, color
verde oscuro, y frutos erizados que, cuando se entreabren,
recuerdan los labios de una herida.

"Revolución" le dejaba atrás, trotaba por el Muelle y llegaba a la estación. Una rampa muy pendiente desembocaba
frente a ella, sostenida por grandes pedruscos, que llevaba el
nombre de la máxima heroína de Pradilla. A la rampa, por
sus paredes de piedra, la llamaban, comúnmente, el Paredón.
Cuando Pedro Quejada, que compartía la admiración por Pradilla que había hecho de Marisa Villarreal una auténtica viuda
virgen, hizo colocar una lápida con su nuevo nombre. "Bajada
de Sotileza", la ciudad sonrió, socarrona. Hubo hasta sus coplas
y todo:

"Bajada de Sotileza
llamarán al Paredón;
eso será desde arriba,
pero desde abajo no."

El Paredón cerraba uno de los lados del paisaje; del otro se extendia el mar, gris junto a los campos, azul más lejos, como si la proximidad de la tierra le manchase. Eran los campos del Pico, y las chozas semejaban absurdamente pequeñas vistas desde el tren. El suelo era fangoso, color ceniza, como cuando llueve sobre un rescoldo; los hombres, en mitad de los campos, parecían esos animales locos que se apartan de los rebaños y que se desesperan en su soledad.

En seguida el tren desdeñaba el mar, para adentrarse en la montaña. Prados pendientes, de jugosa verdura; rocas cortadas, por las que se despeñaba, dividida, el agua; valles hondos, como caídos, con sus casitas y su río inmóvil; bruma en lo alto, coronando, vagamente, los picos; los eucaliptos, que escalaban las laderas, muy juntos, anchos de hojas y plateados. Yo me reclinaba en el asiento y abría "El Atlántico". "Viajeros ilustres". "Ha salido para París"...

Siempre, al iniciar mis viajes, me sentía invadido por una gran melancolía. Recordaba a Cati en la estación, con Arturo a su lado, tan alto casi como ella, y Rosina agitando sus brazos... Arturo era ya un hombrecito que traía de cabeza al Padre Rendueles, de los Corazonistas. Porque Arturo fué a los Corazonistas, como debe ser... y como ordenó Cati. Rosina era una niña vulgar, pero yo la quería mucho. Tenía la misma mirada de su madre; una mirada agradecida. Morenucha, de pelo lacio, le gustaba acercarse a mí, y estarse quieta a mis pies, mientras yo leía o trabajaba. Muchas veces no la sentía llegar, y me asustaba sorprenderla allí, como un animal pequeño. Contemplaba los leños de la chimenea y decía:

—Estas chispas se vuelven luego estrellas.

Lo decía gravemente y a nadie se le ocurrió nunca contradecirla.

Eran malos momentos aquellos, mientras el tren corría entre los riscos y su vapor regaba las plantas enredadas de las laderas. No creáis que no mantuviese una dura lucha en mi interior. Si no os hablo más de ella es porque no quiero que penséis que intento disculparme. Esta lucha se desencadenó poco a poco, pero fué siempre en aumento. Al principio encontré que mis relaciones con Aneli me "hacían bien", según entonces se decía; no comprometía nada en ellas, y, en fin, si yo no las había comenzado, en cambio podía acabarlas cuando quisiera. Después, aquello fué más complicado y más difícil. En un principio Aneli estaba en mi carne y en mi piel, en el agua que la bañaba, en el sol que hería sus cúspides, en el rumor de los árboles del Puente Alamo. Su atractivo se mezclaba con el de esta tierra que canta cuando está triste y que pone una pasión casi carnal en sus piedras, en sus plantas, en su agua, en su humus, oscuro y fértil. Y de pronto, todo acabó. Aneli no me decía nada en el presente. En el pasado sí, y pecaba de pensamiento al evocarla. Seguramente no lo entenderéis, pero así es, y no puedo expresarlo de otra manera.

Quizá se deba a que dos pasiones no pueden convivir sin que la una termine por devorar a la otra, así son de insaciables. Aneli me descubrió la gran pasión del juego, y, poco a poco, mi otra pasión por ella se apagó hasta el punto que, hiciese lo que hiciese, nada era capaz de conmoverme. Pero, cosa curiosa, todo resultaba diferente si no jugaba con Aneli, y ni las partidas de la Armería, ni las del Círculo, ni la misma del Casino, lograban arrebatarme tan completamente como las del saloncito privado, cuando Aneli se sentaba a la banca y sonreía a sus invitados.

— ¿Va?

Tensos, fruncido el ceño, anhelantes, poníamos una pasión absoluta en estas partidas, como un duelo del que no queríamos que nadie se enterase. La noche corría, el cuarto se llenaba de humo, las botellas descansaban a nuestro lado, y nos servíamos sin mirar, vertiendo parte del licor. Aneli vaciaba copa tras copa. Poco a poco primo Juan y Aneli se despersonalizaban. Sólo quedaban sus manos, que iban, venían, daban las cartas, aplastaban los cigarros. Al fondo del salón, Edouard, el mudo, miraba los labios de Aneli.

Cuando estaba con ellos todo esto me parecía, si encontraba serenidad para reflexionar, sucio y vergonzoso; sí, desde la ciudad, lo evocaba, adquiría una seducción irresistible, que me

ganaba sin remedio, hasta que terminaba por coger el tren y
partir, como el sediento que descubre el oasis. Las últimas
veces que lo hice, llevaba conmigo una nueva impresión. Ignoraba la causa real, pero tenía la sensación de caminar sobre
un abismo, sin saber dónde se abría, dónde empezaba ni
dónde daba fin. Yo conocía su existencia, pero nada más.
Cuando se sueña se experimentan a veces estas sensaciones;
movemos las piernas sin correr; caemos, caemos, y, al final,
vemos nuestro propio cadáver, que revive para morir a la noche siguiente. Es común que nos desdoblemos y que asistamos
como espectadores a nuestra agonía. A veces los sueños comienzan de otra manera, rosas, amables; pero nosotros sabemos que el abismo existe, que caeremos en él y que nos veremos caer.

Quizás esta sensación mía no fuera diferente de la de
toda Europa, aunque yo no conociera su motivo. Filkenstein
solía sentarse a mi lado y decirme:

— "Nous les aurons."

Al decirlo miraba a Aneli, gozoso de poderla mezclar en
su revancha bélica, de incluirla en aquella especie de posesión
armada con que Alemania amenazaba sin cesar a Francia.
Filkenstein creía en la guerra como puede creerse en el des-
quite. Si, "nous les aurons", los tendremos, aquí, rendidos, y
Guy Gaillard perderá su banco y Dodó tendrá que pintar retratos de Guillermo II. Se acercaba más a mí.

— Usted es un hombre de negocios, "heim!" Colabore usted
con nosotros entonces. Los Krupp necesitan dinero. ¡Oh, no,
"Um Gottes Willen", no crea usted que les falta! Ganan millones, miles de millones. Pero tenemos proyectos grandiosos. Armas nuevas, cañones. ¡Un cañón que alcanzará París desde
Berlín!

— Y sobre el que vendrá usted montado, mi querido Filkenstein.

— No lo tome a broma. Éste es el defecto de ustedes los
latinos; no realizan grandes cosas porque empiezan riéndose
de ellas. ¿Recuerda lo que dijo nuestro Nietzsche? "Cuando

el hombre se pone a reir a carcajadas, supera a todos los animales en vulgaridad."

—¿Incluído el mismo Nietzsche?

Von Filkenstein reía de un modo que hubiera sonrojado a su filósofo.

—Me gusta usted, Pardo. Usted me entiende, nos entiende. No olvide lo de la Krupp, hágame caso.

—No lo olvidaré conde. Muchas gracias.

—Y hay más: la Inge Chimique. Millones a ganar. La próxima guerra será química. Hágame caso, invierta su dinero allí; le dará el mil por ciento. Cuando ganemos...

Su rostro tomaba una expresión de infinita beatitud. Soñaba entrar en París, a caballo, sobre una multitud de aterrorizados franceses, y esto le hacía feliz. Cuando Filkenstein era feliz, se sentía bueno y rebosante de generosidad. De pronto, como quien repara una imperdonable falta de cortesía, me preguntaba:

—¿Cómo va lo de sus, "heim", lo de sus morros?

No se refería, naturalmente, a mi mayor o menor prominencia labial, sino a la guerra de Africa, que nos costaba mucha sangre y mucha vergüenza por entonces. Nosotros no teníamos cañones que alcanzasen París desde Madrid ni siquiera Melilla. Nosotros no teníamos un pueblo que amaba las paradas, los desfiles, las maniobras, y que consideraba a Remigton como uno de los genios benefactores de la humanidad. Además, lo de Marruecos nos había impresionado a todos mucho más de lo que pudiera pensarse, porque Gerardo estaba allí.

Gerardo fué el que primero me hizo sentir esta sensación de marchar sobre un abismo a la que he hecho referencia y que aumentaba día tras día. Fué extraño cómo se produjo. Hacía mucho que no le veía. Desde que sus padres se fueron, llevaba una vida muy retirada, sin salir casi del Hospital y yo, por mi parte, no tenía grandes deseos de presentarme ante él. A veces nos cruzábamos, y Gerardo alzaba la mano para decirme adiós, igual que de niños. Desde lejos tenía un aire vagamente romántico, como los pintores amigos de Dodó. Siempre fué original en el vestir, acaso porque no le diese importancia.

Ahora pienso que lo de su hermana debió de afectarle mucho, aunque obró de aquella manera suya, discreta y callada. Renunció a toda clientela particular y tenía fama de un poco lunático. Las gentes, además, se reían de él por lo de Aneli. "Francés al fin y al cabo — decían de Gerardo en la ciudad —. A los franceses no sólo les engañan sus mujeres; les engañan sus hermanas."

Nunca se habló así delante mío, pero yo lo sabía. Me gustó que, una vez que lo hicieron en presencia de Goyo, éste saliera a la defensa de Gerardo y Aneli con una fuerza y un calor del que no le creía capaz. No es que Goyo no fuese valiente; lo que no le creí nunca es tan generoso. Sucedió en el Círculo. Antonio Gómez, el hijo del socio de Enrique del Real, estaba despachándose a su gusto sobre el sabroso tema de la Viuda y... sus liberalidades. El padre de Antonio fué tonelero, en tiempos; después se asoció con Enrique del Real y ganaron una fortuna fabricando muebles. Antonio Gómez no tenía pelos en la lengua, sobre todo si los había rociado previamente. Bebía como un cosaco, o como los nihilistas dicen que beben los cosacos. Era un hombre de mi edad, poco más o menos, quizá más. Con el vaso bien repleto, se entretenía en contar historia tras historia de Aneli. Tenía éxito. En realidad, el asunto daba bastantes facilidades para ello.

De pronto Antonio Gómez sintió una mano posarse en su hombro. Goyo estaba tras él, echando chiribitas por los ojos.

—¡Repite eso! — grito —. ¡Repite esa sarta de puercas mentiras y te tiro al agua! ¡Como hay Dios que te tiro! Agarrado por los pantalones y el cuello vas al agua, ¡como hay Dios!

Antonio Gómez se rebulló, intentando librarse de tan molesta presión. Fué inútil. Goyo tenía la mano fuerte y dura.

—¡Déjame! — chilló Gómez —. ¿Qué te va ni te viene en esto? ¿Es... por el Marqués?

—No — Goyo había palidecido, y, como era tan negro, el color se le volvió ceniza —. No es por el Marqués, como tú dices. Es... ¿quieres saberlo? Es... por Gerardo. Gerardo es amigo mío... ¿Sabes lo que significa eso, maldito invertido?

Los contertulios se habían levantado. Lemor, el Moro, intervino desde el fondo.

—Tiene razón. Del Olmo. Dele explicaciones, Gómez, y tengamos la fiesta en paz.

Antonio Gómez se liberó, por fin. Arregló el desorden de su corbata e intentó recuperar una dignidad que nunca había poseído por completo.

—¡Me batiré con usted! —gritó a Goyo—. ¡Con espada, con pistola, o con lo que quiera! ¿Me entiende?

Pero Goyo se había tranquilizado ya.

—Vamos, hombre, no lo tome por lo trágico —repuso. Después su voz se endureció—. ¿Conviene conmigo en que... bueno, digamos que todo eran bromas de mal gusto?

—Yo...

—Pardo está en París —advirtió Lemor, como quien no quiere la cosa—. pero le esperamos para la semana que viene. Hay junta general de la Compañía.

Antonio Gómez vaciló aún unos momentos; después balbuceó unas excusas, para salir, dando un portazo. Goyo miró, triunfador, en torno.

—No se puede hablar mal de Aneli —dijo en tono desafiante—. ¡No se puede!

—No se debe —puntualizó Lemor—. Poder, lo que se dice poder...

Apenas llegué a la ciudad, me lo contaron, y, como ya he dicho, el gesto de Goyo me sorprendió. Le dije, en broma, cuando, en el despacho, pretendía imponerme sobre la marcha de mis asuntos:

—Creo que Aneli tiene un nuevo Sir Galahad ¿eh? Gracias, Goyo.

—Gracias ¿por qué?

Me sorprendió el tono de su voz.

—Hombre, gracias... por haberte portado bien. A todos nos toca un poco. Aneli te lo agradecerá. Aunque, bien mirado...

—No irás a insultarla tú también...

—¡Caramba, Goyo! ¿Qué te sucede? —Me eché a reir; Goyo será siempre un bicho raro e incomprensible—. No, no

voy a insultarla. Me insultaría a mí mismo —añadí con tristeza—. Pero no te esfuerces en hacer conmigo el caballero sin
miedo ni tacha. Comprendo que no se debe hablar mal de
Aneli, pero, créeme, a ella le importaría bien poco. Me la ima-
gino echándose a reir y diciendo: "¡Bah! Mientras hablan mal
de una mujer es que se conserva joven."

—Pero Aneli ¿no ha cambiado? Digo últimamente, desde...
unos meses.

—¿Aneli cambiar? Goyo, nunca pensé que fueses tan inocente. ¿Por qué va a cambiar Aneli? Además, no puede. En lo
único que ha cambiado es en que ya no me pide dinero. Debe de
tener una buena racha. Y, hablando de dinero, vamos a ver
esas cuentas. Te pondrías enfermo si no.

Yo estaba triste y cansado aquella temporada. A veces me
sucede; pierdo el gusto por todo y en la garganta se me posa
un absurdo deseo de llorar. Aparte esto, que es innato en mí,
estaba un poco preocupado por mi corazón. Mi corazón había
aumentado la fuerza y el ritmo de sus latidos. De noche, si me
echaba sobre la almohada de modo que tapase uno de mis oídos,
le escuchaba, tan fuerte, que temía interrumpiese el tranquilo
sueño de Cati. Algunas mañanas, al levantarme, me daba como
un vértigo; una luz amarilla deslumbraba mis ojos, y, al des-
vanecerse, dejaba una ligera niebla, oscilante, que desaparecía
poco a poco. En seguida todo volvía a la normalidad. Pero
aquello se repetía cada vez con mayor frecuencia, y, como
digo, empezaba a preocuparme. Al tiempo, mi sensibilidad se
había exacerbado mucho y la sensación de marchar sobre un
abismo era cada vez más fuerte y angustiosa. Empecé a mirar
en torno y a percibir detalles en que, hasta entonces, no había
reparado. Algo sucedía, aunque yo no supiese qué ni dónde.

En estas condiciones la visita de Gerardo no me produjo
tanto desasosiego ni molestia como pudiera suponerse. Además, Gerardo tuvo la gentileza de avisarme y yo le esperaba
ya, curioso, algo inquieto, pero sin sorpresa. En cuanto le vi
entrar, me alegré de ello. Mi corazón no estaba para impresio-
nes y ver a Gerardo de uniforme era lo último que hubiera
imaginado.

Se detuvo cerca de la puerta y sonrió levemente al comprobar mi asombro. Vestía el uniforme azul de los oficiales de Sanidad, con las ramas y la cruz de Malta en oro, a la izquierda del pecho: los galones eran rojos, como los de los soldados, y la gorra muy chata, pequeña. El uniforme le hacía parecer más delgado, más niño. Había algo desvalido en Gerardo, que me conmovió. Maquinalmente se quitó la gorra, con un ademán ya militar. Sus cabellos habían clareado todavía más y su frente parecía muy grande y que la luz se concentrara en ella. Pero, pese a todo, su aire de adolescente mal crecido persistía. Cuando avanzó hacia mí, pensé en los viejos tiempos. Me dije que quería mucho a Gerardo y también que, si me abofetease, no podría responderle porque no tenía ningún derecho a hacerlo.

Así con estos pensamientos en mi mente, comenzó nuestra conversación. Mis palabras, sin embargo, fueron las normales.

— ¡Gerardo! — exclamé —. ¿A qué se debe esto?

Gerardo sonrió de nuevo al ver mi asombro.

— ¿Esto? ¿A qué te refieres? ¿A mi visita o al uniforme?

— Pues... a las dos cosas. Al uniforme sobre todo. ¿Qué idea te ha dado de repente? ¿O es que te han movilizado?

— ¡Oh, no! Realmente, me he movilizado yo. Faltan médicos en Africa.

— Sí, falta de todo. Pero, ¿por qué has de ir tú precisamente? No vas a arreglar nada y... pueden desarreglarte a ti — añadí débilmente, intentando echarlo a broma.

Le vi encogerse de hombros.

— Si todos obrasen así — repuso —, nada importante se haría en el mundo.

— Pero ¿tú crees que Marruecos es muy importante?

— Debe de serlo, a juzgar por el afán de tus amigos los banqueros por asegurárselo. ¡Qué curiosa gente sois los ricos! ¡Pensar que en Sidi Alí pueden matar a un muchacho de Palencia, o de Cataluña, o del Valle de Liendo, porque lo ha decidido el Consejo de las Minas del Rif! Yo... estoy del lado del muchacho.

—Es una postura — repuse algo amoscado —. Y ¿sólo se debe a esto tu marcha, o hay algo más?

En cuanto hube pronunciado estas palabras, me arrepentí de ellas. Pero era tarde ya.

—Pues... quizá sí — me contestó Gerardo. Se pasó la mano por la frente, y yo recordé su viejo gesto cuando se encontraba ante un problema o alguna dificultad —. Creo — añadió mirándome —, que Aneli piensa instalarse otra vez aquí. ¿Qué sabes de eso? ¡Oh, por favor, Arturo, no te hagas el desentendido! ¿Qué más da? Mira — sus ojos se volvieron cariñosos y un poco burlones al fijarse en mí; después huyeron, y parecía que estuviesen mirando lejos, al horizonte o más allá —, Aneli no me importa nada; es un caso perdido y los médicos renunciamos a esos casos. Es... un enfermo incurable. Tampoco tiene la culpa de serlo, pero el hecho de su enfermedad subsiste. Si me preguntases por quién siento todo lo ocurrido, te contestaría que por ti. Por Aneli... ¡bah! Es inútil emplear el sentimiento cuando se trata de Aneli.

Estuve a punto de protestar, pero me callé. ¡Curiosa situación! Yo no podía defender a Aneli contra su hermano. Gerardo estaba hablando mal de ella, con una serenidad incomprensible, sin exaltación, sin tristeza. Insistió:

—Desde pequeña fué así; después, probablemente, su matrimonio con un viejo acabó de exacerbarla. No es sólo culpa suya. Mira..., su marido era un monstruo. No creas que voy a ofenderme contigo porque hayas... admirado a Aneli. Además, tendría que enfadarme con toda la ciudad. Lo que le reprocho es que nos haya separado a los tres.

Pensé en Goyo, en los días del Instituto, en el almacén de carbón, en la chalupa que se acercaba a los barcos. ¡Qué diferente aquel Gerardo de este otro, impasible, desapasionado, y, ¿por qué no decirlo?, vencido y amoral como nunca le creí capaz de ser! Sólo su uniforme y el romántico rasgo de haberse alistado para ir a la guerra le unía con el Gerardo de antaño. Le pregunté:

—¿También te has despedido de Goyo?

Tuvo un estremecimiento.

—No, de Goyo no —lo dijo como quien explica algo y yo quedé mirándole, interrogante —. Goyo es distinto. Tampoco pensaba despedirme de ti, te lo confieso. Pensaba irme... irme sin decir nada a nadie, y volver, un día, cuando todo hubiese pasado.

—Pero ¿qué es lo que tiene que pasar? Hablas como si poseyeses el secreto de las cosas. No le des vueltas, Gerardo; las cosas no tienen secretos. Son, nada más. Y ya es bastante.

En el Instituto, cuando le contrariaban, Gerardo movía la cabeza de un modo especial. Volvió a repetir el movimiento.

—Oh, sin embargo, hay muchas cosas que tú ignoras, ¡príncipe Arturo! —me dijo cogiéndome, cariñoso, del brazo, y yo, pese a que su postura me desagradaba, sentí una emoción que creí haber olvidado—. Si tú fueras capaz de escucharme... Pero no... No me creerías.

—No te comprendo, Gerardo.

—Tampoco yo a ti, Arturo. Tu vida, lo de Goyo... En fin, dejémoslo... ¿Y Cati?

—Bien, Cati bien.

—¿Te molesta que hable de ella? Claro, después de lo otro. ¿Y los niños? A Arturo le veo alguna vez. Está hecho un hombre. Le tendrás que vestir de pantalón largo.

De pantalón largo... Era verdad. También él se vestiría de pantalón largo. Y descubriría su cuerpo en la Casa Rosa...

—Hoy no tengo suerte en lo que digo —comentó Gerardo—. ¿Por qué estás tan pálido? ¡Oh, Arturo, si fuera posible! —al ver mi gesto helado se detuvo—. Bueno, como quieras; no sé por qué te he hablado de esta manera. No pensaba decirte nada, ni siquiera adiós.

—¿Por qué has venido, entonces?

—No lo sé. A pesar de haberte avisado, no quería venir. Bajaba del cuartel y me detuve para comprar "El Atlántico". Entonces pensé en ti. ¡Pobre hombre, hasta dónde ha caído! Y sin embargo —añadió reflexivo— hay algo especial en este crimen. A pesar de que sea monstruoso, parece, no sé, parece como si le comprendiéramos.

—Pero ¿de qué hablas?

— ¿No has leído "El Atlántico"?

— No, no lo he leído. Publica una novela de Pradilla en folletón. Comprenderás...

Esperaba ver aparecer la antigua sonrisa de Gerardo, pero esperé en vano. Me tendió el periódico.

— Léelo entonces. Quizá comprendas por qué te he hablado de... algo que deseaba guardar para siempre dentro de mí. Ha sido en vano, ya lo veo. Incluso me despreciarás; tienes razón. Soy el hermano engañado, todos lo dicen. Pero hoy recordé nuestra amistad. Me voy, me dije. Entonces subí.

Repentinamente, Gerardo me pareció muy solo. Debía de haber sufrido mucho y no tuvo a nadie a su lado.

— Gerardo — le dije —. ¡No te vayas!

— ¿Y qué quieres que haga? — me contestó —. ¿El cuarto en la partida?

Fué su único momento de rebelión en todo el diálogo. En seguida su voz bajó de tono.

— Perdóname. No acierto hoy, y lo siento. Adiós, Arturo. Te dejo "El Atlántico".

Quise abrazarle, pero algo en su expresión me detuvo. Nos dimos la mano y él cruzó el cuarto. Repentinamente sus espaldas parecían haberse hundido.

Maquinalmente cogí "El Atlántico". Un suelto en primera página llamó mi atención. Tras una primera mirada, le acerqué a mis ojos, estremecido. Entonces leí que el conocido fisiólogo, Profesor Jurgen Groux Stolz había dado muerte a un adolescente, en el jardín de su casa, en Heidelberg, en cuyo hospital explicaba fisiología.

CUARTA PARTE

EL ADOLESCENTE

Aquella noche me levanté y, despacio y sin hacer ruido, me acerqué al cuarto de Arturo. También mi padre hizo esto muchas noches, cuando sus desavenencias con madre. Como él, atravesé el corredor, y, como él, me detuve frente a la ventana; que fuese en el Palacio o en villa "María Rosa" no constituía gran diferencia. Después empujé la puerta del cuarto y quedé contemplando a mi hijo.

Tenía casi catorce años ya. Catorce años desde que dije a Cati que la quería y Don Mario nos casó en la Colegiata de Santifría; desde que me uní a Aneli, a las cartas y a la bolita. En aquellos catorce años habían sucedido muchas cosas, y, sin embargo, parecían bien pocas. Padre y Max murieron; Ito desapareció, gloriosamente, en Santiago; vinieron Rosina y Arturo; se fué la Cabuca. A la Cabuca la encontraron muerta en las cuadras de Santifría. Había pedido a madre volver a la Villa.

— Vuélveme allá, Niña. La luz debe apagarse siempre en el mismo horizonte.

Hablaba reposadamente y con el tono de los romances. Estaba muy viejina, pero no acabada. Madre la dejó marchar, aunque se vió que le costaba mucho.

La Cabuca apareció muerta una mañana. Tenía las ropas secas, lo que, como llovía, hace pensar que fué hasta las cuadras en cuanto se sintió mal. A su lado encontraron una botella llena de vino. Ella, que jamás lo probó, le trajo consigo en sus últimos momentos. La botella estaba intacta, aunque descorchada. Quizá la Cabuca quisiera llevársela a Curro para completar el repuesto de su nube...

18

En cambio Groux... No podía alejar a Groux de mi mente. Catorce años; Arturo tenía casi catorce años. Poco más o menos, la edad del muchacho que asesinó Groux. "El Atlántico" decía que le encontraron, inmóvil, junto a él. Los mármoles recortarían sus torsos sin sexo; el jardín reluciría su luz dorada...

Suavemente bajé el embozo de Arturo. Me gustaba mirar su carne blanca, el hueso del esternón, las delgadas clavículas y el subir y bajar de su pecho. El vello se iniciaba, cubriéndole con una sombra ligera. Los brazos eran delgados y largos, como los de los nadadores A Arturo ie gustaba mucho la mar y siempre andaba a vueltas con "El Valiente", o, si no, con las traíneras del astillero o de Pedreña, un pueblín del otro lado, donde remaban como los ángeles. Uno de los brazos de Arturo se extendía a lo largo de su cuerpo; el otro se doblaba bajo su cabeza. Arturo parecía que mantuviese una carrera en sueños, aunque su respiración era tranquila. Mejor que correr, se diría que descansaba después del esfuerzo, tendido sobre la yerba. Volví a pensar en Groux y en su crimen; entonces, como una oleada, me invadió un gran cariño por mi hijo. Me incliné para besar su mejilla. Pero tuve miedo de despertarle, me abstuve de hacerlo, a medio movimiento, y salí de puntillas de la habitación.

¡Qué extraña cosa! Hasta entonces, aun queriéndolos mucho, no me había preocupado excesivamente de los chicos. Los veía, al volver a casa, cuando se me acercaban, para marchar en seguida a sus estudios o a sus juegos. Si Rosina se sentaba a mis pies, me parecía un ser extraño, cuyos actos no llegaba a comprender. Cuando Arturo comió ya con nosotros, me ocurrió olvidarme de su presencia, y hablar sólo con Cati, de extremo a extremo de la mesa; de pronto caía en que mi hijo estaba allí y me esforzaba en mostrarme amable con él.

—¿Qué hiciste en el colegio, Arturo?

—Lo de siempre, papá. Esta semana ha sido otra vez Quejada el primero en la clase.

—Sí, esos Quejadas llevan camino de quedarse con toda la ciudad. ¡Como su padre es alcalde!

—No hables así delante del niño —intervenía Cati—. Tu primo Max ha sido primero más veces que él, ¿no? ¡Ese chico es un portento!

—¡Listo es! —concedía Arturo—. Pero flojo. De remar, ni esto.

Max, el hijo de María y Santa María, era un muchacho débil, muy adelantado, que, pese a tener dos años menos que Arturo, cursaba los mismos estudios. Venía poco por casa, porque ni Rosina ni Arturo sentían especial devoción por él. Esto hería a Santa María y aumentaba su natural susceptibilidad. Era ya alguien en la ciudad, donde se había impuesto por su constancia y su instinto de los negocios. Formaba parte de nuestras sociedades, y, aunque todavía no me llevaba la contraria en las juntas, se le veía deseoso de hacerlo; a los tíos, en cambio, no les dejaba abrir la boca, cosa que desconcertaba a los cuatro "erre que erre", que acabaron tomándole un saludable temor. Primo Juan decía de él:

—Es un hombre recto y virtuoso; no se le puede invitar a comer.

Porque, poco a poco, primo Juan había ido asimilando el modo de hablar de Aneli.

Según Rosina y Arturo, al pequeño Santa María tampoco se le podía invitar a merendar. A él no le gustaba villa "María Rosa", ni los juegos de mis hijos y sus amigos, bárbaros, atrevidos, aunque, desde luego, saludables, conviniendo que un brazo medio roto o una pierna quebrada no tengan nada que ver con la salud. En cambio podía vérsele con su padre, merendando en el Suizo, o en el Royalty, un nuevo café que habían abierto a una punta del Muelle. A veces veíamos a Santa María pasar, con su hijo de la mano. Serios, apocados, de mal color, parecían un viudo y su retoño consolándose mutuamente.

Todo esto lo había vivido día tras día, así como los juegos de Arturo, sus aficiones marineras y las fantasías de Rosina, que habitaba un mundo quimérico, escasamente enlazado con la realidad; pero nunca le di importancia. Cati se encargaba de los niños y nada más. De repente, aquella noche, tras haber dejado dormido a Arturo, todos estos detalles se agruparon en mi mente, junto con otros muchos. La habitación estaba oscura, pero mis ojos se habían habituado a la oscuridad. El faro relampagueaba su dorada intermitencia. Cati dormía junto a mí en la misma postura de Arturo. Yo notaba que los quería entrañablemente y que el cariño por Cati no se podía separar del cariño por mi hijo, y al revés. Me entraron ansias de aprovechar todos los minutos, todos los segundos de sus vidas, porque me parecía haber perdido muchos, y que, cuando quisiera gozar de ellos, habrían terminado ya y los niños serían hombres y sus existencias no guardarían un hueco para mí. Esta ansia se mezclaba con un oscuro sentimiento, hecho de miedo, curiosidad y repugnancia, que el crimen del Profesor Groux provocó en mí.

Comencé, pues, a salir con mis hijos, especialmente con Arturo. Muy en breve nos comprendimos y congeniamos a maravilla. La amistad de mi hijo me devolvió, en parte, la calma, y disfruté una gran felicidad a su lado, al timón de "El Valiente", o siguiendo los entrenamientos de las traineras, que doblaban los remos a la vera del Arenal. Lejos, casi invisibles, cabeceaban las boyas, en torno a las cuales debían girar para iniciar una nueva remada. Al llegar a ellas, los remos de una banda se alzaban y los de la otra apretaban fuerte, mientras el patrón hincaba el suyo, como si quisiera clavarle en el fondo. La trainera se detenía, y giraba, como un caballo al que tiran brutalmente de las riendas; casi se la veía torcer la cabeza para huir del martirio del bocado. En seguida los remos caían, los brazos se tensaban y las espaldas se disponían al esfuerzo; una voz del patrón, y la trainera saltaba hacia la otra boya. Los toletes rechinaban, al girar en los estrobos, y los cuerpos, hacia adelante y hacia atrás, acompasaban el ritmo. Desde lejos sólo se veía la leve espuma blanca que los remos levantaban al hundirse en el agua.

La rivalidad entre las tripulaciones era tradicional y antigua: venía de los tiempos de los dos Cabildos, el de arriba y el de abajo, cuando triunfar en la regata suponía tener al rival sometido y humillado en todo lo que quedaba de año.

Los días de regata la multitud ocupaba las machinas, los barcos, la draga, que limpiaba la bahía, hasta las pequeñas chalupas de los pataches, que nunca se supo como podían sostener tanto peso. El jurado iba en una gran barca, con el viejo "Veneno" al frente, fuerte todavía y siempre con su gran vozarrón. Las embarcaciones particulares corrían de aquí para allá y la mayoría de las familias pudientes ocupaban los balcones y miradores del Muelle. Todo el mundo ponía mucha pasión en estos encuentros y hasta las tranquilas y miradas compañeras de Cati, en el Ropero, o en la Junta de Damas, se excitaban cuando las embarcaciones se disponían a tomar la ciaboga.

— ¡Astillero va delante! ¡Miréle como se ciñe!

— ¡Sí! ¿Y Pedreña? Va por fuera para ganar la corriente ¡Lo que no sepa el Escatudo!

El Escatudo era el patrón de la lancha que, dos veces por jornada, cruzaba la bahía. Todos tenían mucha fe en su experiencia y sabiduría. Pese a sus años, se aseguraba que era el mejor patrón del Norte. Nunca se supo su apellido y le llamaban por el apodo, lo mismo que a su padre y abuelos, Escatudos todos y todos marineros.

Que Clara Velasco o Marisa Villarreal se excitaran hasta el punto de nombrar al Escatudo con la misma confianza que a cualquiera de los contertulios del Palacio o de Villacorrida, indica hasta qué punto apasionaban las regatas. Las tripulaciones salían de una taberna frontera a la meta, donde se habían concentrado. La multitud les abría paso.

— ¡Animo, Manolín!

— ¡Darles fuerte, que no tienen riñones!

Si se hacía el silencio, alguno aconsejaba gravemente:

— Pégate al muelle, que la canal tira mucho.

Las tripulaciones asentían sin oir. Eran grandes mocetоnes, de gestos lentos, anchos de espalda, con cuellos como toros. Tenían las manos pesadas y el mirar tranquilo. Las boinas se pegaban a sus cabezas como un caparazón. Arturo me decía.

— ¡Mira a Tolín! ¡Tolín! ¡Adiós, Tolín!

Tolín, remero a proa, le sonrió. Hasta alzó su mano, grande como la muestra de una guantería. Arturo quedó muy orgulloso, porque, si algo había importante para él en la vida, era la amistad de Tolín.

Los chiquillos seguían a los remeros con mucha admiración, rozándose con ellos, adelantándolos y caminando hacia atrás, por no perderlos de vista. Los remeros avanzaban como autómatas hacia la machina, sin percibir los gritos, estrechando, con la misma indiferencia, manos amigas o desconocidas; una vez allí bajaban por la escalera de hierro.

La multitud, apretada, se movía, cantaba canciones alusivas, conversaba a voz en cuello o venía a la greña, con el menor pretexto. Siempre había campeones de estas peleas, las más de las veces del sexo femenino. En torno a ellos se apretaba el estado mayor, dispuesto a corear con sus risas los dichos ocurrentes y a recalcar los aciertos de su adalid.

— ¡Contesta a esa, magañosa, que eres una magañosa!

— ¡Te la dijo bien! ¡Vas para atrás como patelo!

— ¡Si, para atrás! ¡Al dique vais vosotros, al dique! ¡En el mar de la Concha quebró Carnero!

Había que conocer los secretos de este hablar para poder seguirle, porque el habla de la tierra mezcla el mito con la conversación vulgar y da como reales las meras fantasías. El patelo es un cangrejo verdioscuro, que trae la niebla y las tormentas; Carnero, un marinero de Castro, que pescaba muy poco. A veces las cosas pasaban a mayores y lo de ir a la greña tomaba auténtica significación, puesto que las reñidoras se asían por el poco, o mucho, moño que tuvieran. Se armaba un gran revuelo entonces, y siempre un viejo veterano terminaba por imponerse.

— ¡Calma! ¡Calma os digo! ¡Que es día de la mar!

Era día de la mar. Cuando las traineras se alineaban, un gran silencio corría sobre la multitud, como una ola. Alberdi me decía:

— ¿Por quién estás?

— Por el Puerto. ¡Rema, Tolín!

— ¿Van diez mil por Astillero?

—Van.

Se jugaba mucho, y, aunque aquello no tuviera la emoción de la ruleta, tampoco era desdeñable. Goyo se animaba.

—Yo tomo otras diez mil... No... cinco.

La lucha entre su entusiasmo y su sentido administrativo hacía reir. Alberdi le miraba muy serio. Alberdi sentía una antipatía innata por Goyo y nunca entendió nuestra amistad. Sin embargo, el juego era el juego. Tomaba la apuesta a regañadientes y se apartaba en seguida de nosotros.

Apenas partían las traineras, la multitud recuperaba la voz; era un rumor sordo al principio, apagado, pero después crecía, hasta convertirse en un gran clamor. Algún grito resaltaba; alguna voz, singularmente aguda, se elevaba sobre él, como un clarín. Pero lo más impresionante era aquel clamor igual, sinuoso, que llenaba el aire e impedía escuchar las palabras, aun dichas muy cerca. Había que gritar, hablarse casi al oído, y, no obstante, las palabras no alzaban. Se oía:

—¡Astillero va delante!

—¡Animo, Escatudo! ¡Dale fuerte, que están comidos!

Al llegar a las boyas, las traineras frenaban su marcha. Se veía alzarse una banda de remos y como la otra levantaba mucha espuma, por remar fuerte y más aprisa. La multitud callaba. Después, vencida ya la ciaboga, gritaba unánime: ¡Ah!...

Las ciabogas nos daban las ventajas de las embarcaciones. Dependía mucho de cual tocase, pues las aguas "tiraban" de diferente manera, y se sorteaban escrupulosamente. De vuelta, las traineras aceleraban la remada. De pronto, de un barco surgía un clamor de campanas y cacharros golpeados. Se veía ya clara la victoria de una tripulación y sus partidarios daban suelta a su alborozo. Pronto la algarabía se extendía, como una traca. Entre ella, los remeros se esforzaban, extenuados, agotando sus últimas energías. La multitud semejaba hervir. Vista desde los balcones, ofrecía un aspecto abigarrado, multicolor, con manchas rojas, amarillas, verdes, pero, sobre todo, azules. Los peroles y las campanas aumentaban su estruendo. Las sirenas de los barcos comenzaban a sonar y el humo sur-

gia a bocanadas, como si le fumasen. Los remeros cruzaban la
meta entre un aullido general, y se derrumbaban sobre los
bancos. Alguno intentaba alzar el remo, para demostrar su
entereza, pero los más renunciaban. Caídos, jadeantes, cubiertos de sudor, sus grandes cuerpos tenían algo de animal marino.

Si ganaban los "de acá", don Pascasio salía disparado hacia San Roque para tocar la campana. La ciudad gritaba, cantaba, bebía y celebraba la victoria hasta muy entrada la noche. En villa "María Rosa" yo preguntaba a mi hijo la eterna
pregunta en todos los padres:

— ¿Qué te gustaría ser, Arturo?

— Me gustaría ser como Tolín.

II

Pero aquel año de 1909 las tripulaciones de las traineras mostraron muchos claros en sus filas. Pese a las manifestaciones de las mujeres, que llegaron a tenderse ante los trenes, a Marruecos iban, preferentemente, los obreros, ante los que flameaba, como una bandera, la barba de Pablo Iglesias, los mineros, que seguían a Julio con una expresión torva y anhelante, y los pescadores, que, al recibir el boleto, movían la cabeza como si embistiesen.

—¡Y bien! ¡Iremos! Nunca llovió que no escampase.

Lentamente la guerra de Africa se insinuó en nuestras conversaciones y tomó presencia en nuestros días. Era una guerra lejana, lenta, monótona, en la que estábamos seguros de triunfar, pero que nos infería heridas inesperadas y dolorosas, que dañaban, al tiempo, nuestro orgullo y nuestros sentimientos. Las cabilas andaban muy revueltas, sobre todo desde la derrota de el Roghi por los beniurriagueles, y siempre temíamos una nueva sorpresa o una nueva traición. Marruecos vino así hasta nosotros, por las cartas de los mozucos que guarnecían Melilla, por las crónicas de "El Atlántico", al que le había entrado un furibundo afán africanista, por las miradas de las mujeres, que preguntaban a Cati:

—Y dígame, señorita, ¿es cierto que los moros dejan a los prisioneros incapaces como hombres?

Si llevaban un rapaz de la mano, le apretaban, instintivamente, contra ellas. Si no, la hundían en su regazo, esperando la respuesta. Había una angustia cálida en esas miradas, una elemental y primitiva angustia de hembra en soledad.

Las pescadoras que voceaban la merluza, las pasiegas que nos vendían mantequilla envuelta en hojas de higuera, las cargadoras de carbón y las asistentas que se alquilaban para las limpiezas semanales, interrogaban a Cati con un afán que la turbaba. Era madre, entonces, la que contestaba. Madre las entendía muy bien y le gustaba hablar con ellas. A veces, alguna vieja le decía:

—Y, bueno, esto no será peor que la carlistada, cuando mataron al señorito Juan Carlos.

Volviéndose hacia las demás, explicaba:

—El hermano de la señora murió en la guerra grande.

Las mujeres asentían gravemente. Aunque respetaban mucho la muerte de tío Juan Carlos, ello no las impedía pensar en sus ausentes y en las bárbaras mutilaciones que la voz popular atribuía a los moros.

Mediado febrero recibimos carta de mi hermanastro Juan. Aquello constituía un acontecimiento, porque Juan pasaba años sin dar señales de vida. Cuando Ito murió, escribió a Esperanza; cuando Luis y Rosina se casaron, a madre; cuando Arturo y su hermana hicieron la Primera Comunión, a Cati y a mí. Abrí la carta, y, después de leerla, parpadeé conmovido. Juan me anunciaba su propósito de ingresar en la Compañía de Jesús, que tenía unas misiones muy importantes en Quito.

"Habrá que llevarle la carta a Marta", pensé. "Los "otros" son mejores que nosotros."

No podéis imaginar lo que la profesión de mi hermano influyó en mí: como siempre me sucede, mis pensamientos se refirieron a muy atrás, a los tiempos de mi infancia. Apenas si le recordaba, y siempre acompañado por las escenas que vivimos juntos; cuando pescaba pulpos y yo le escoltaba orgulloso, atemperando mi paso al suyo; cuando padre sufrió tanto por culpa de su rebeldía; la pena que sentía de no tener madre y lo mucho que quería a la mía; aquel carnaval en que le perdimos y en el que Marta y yo estuvimos tanto tiempo esperando, entre el bullicio del baile... Cuando llevé su carta a mi hermana, me dijo:

—Ahora somos dos a rezar por ti.

Sé que Marta lo dijo inocentemente. Pero bajé los ojos como si me hiciese un reproche.

Los meses transcurrieron lentos. Poco a poco comencé a pensar de nuevo en París. Goyo estaba allí desde hacía tiempo y esta vez no pretextó ningún negocio para marchar. Era extraño; realmente era extraño. Por fin, al apuntar la primavera, partí a mi vez. En realidad, necesitaba hablar con Goyo, porque había tenido un disgusto muy serio con mi cuñado Santa María.

Aún me estremezco de rabia al recordarlo. Una mañana se presentó en mi despacho y me exigió que le entregase la parte de capital de su mujer que yo continuaba administrando, como el resto de la fortuna de mi madre y mis hermanos. La pretensión me sorprendió de tal modo que no supe qué decirle. No me importaba en el fondo, y aun me alegraba desprenderme de esta responsabilidad, bastante molesta por otra parte, porque Santa María era el único entre mis parientes aficionado a husmear y a meter las narices en todo. Pero me sentí vejado y como si dudase de mi eficiencia. En realidad, era la primera vez que alguien prefería obrar por su cuenta a fiar en mí. Debo confesar que, después de mi primer asombro, me entró una especie de ansiedad. De nuevo me sentí caminar sobre un abismo. Era tonto que esto se produjese a causa de mi pequeño cuñado, pero tampoco cabía negarlo. Le dije, en tono altanero:

—Desde luego, puedes disponer de ella. Pero, sin embargo, ¿me permites preguntarte el porqué de tu decisión? ¿Es que no tienes confianza en mí?

Murmuró algo como "naturalmente" y después cerró, tozudo, la boca. Parecía que la apretaba para impedir que se abriera.

—¿Es que crees que nuestros negocios van mal?

La boca de Santa María se abrió para murmurar, "no, no, ¿cómo podría creer eso?" y volvió a cerrarse, más hermética que antes.

—¿Es que te han dicho algo? ¿Sabes algo?

Aquí vacilé y Santa María vaciló también. Con palabras torpes se explicó:

—Verás, no es que yo dude. Tienes una posición muy sólida y basta que muevas un dedo para que toda la provincia se ponga a tu disposición. Tus negocios son seguros, tu padre sabía lo que se hacía. Pero yo quiero llevar los míos.. Creo que se presentarán grandes oportunidades.

—Y quieres aprovecharlas—le interrumpí—. ¿Piensas que yo no sabría hacerlo?

Su mirada fué de auténtico asombro.

—¿Tú? ¡Pero tú eres otra cosa! ¿Por qué te vas a preocupar tú de eso? Mira, no creas que no te entiendo; te entiendo muy bien. La vida te lo ofrece todo y serías tonto si lo desaprovechases. Yo... bueno, yo soy un comerciante. No pienses por un momento que te reprocho nada; quizá, si fuese como tú, obraría igual. ¡Ojalá tuviese tu crédito! Sólo tú puedes permitirte perder lo que la otra noche perdiste en el Círculo sin que tu crédito se altere. Sin embargo...

Sin embargo... Era verdad que, últimamente, había tenido una mala racha, pero resultaba ridículo preocuparse por ello. ¿Qué diría mi cuñado si me hubiese visto jugar en París o en el Casino, cuando la noche avanzaba y sólo quedábamos los contumaces? Era inútil discutir. Pero, a pesar de todo, sentía aumentar mi intranquilidad. Había algo tras aquella petición que no alcanzaba a ver. Le contesté:

—Bueno, de acuerdo. Te haré una liquidación. Sólo que tendrás que esperar a que venga Goyo.

—Yo había pensado...

—¿Qué has pensado?

¡Ya lo creo que lo había pensado! Vino a la entrevista sabiendo lo que quería y decidido a obtenerlo. Le vi tragar saliva y cómo su nuez se movía de arriba a abajo.

—Los barcos...

—¿Los barcos?

De pronto Santa María recuperó la serenidad. Le descubrí dueño de una insospechada energía, y, a medida que hablaba, tan seguro y tan claro, me iba sintiendo dominado por él. Intenté disimularlo, le contemplé de cara, y le vi desviar los ojos. Pero su voz era fría y me daba la sensación de que no retrocedería por nada.

—Sí, los barcos. El capital que le corresponde a María equivale, poco más o menos, a la línea de navegación. ¿Para qué vas a molestarte en liquidar otros asuntos, en lo que quizá tendrías dificultades? Los barcos no son ningún gran negocio, pero yo creo en su futuro, ya ves si te hablo claro. En tus manos... no te ofendas, pero ya te dije que tú no estás hecho para eso. Es un negocio que requiere ¿cómo te diría yo? pocas condiciones de caballero. Eso es, de caballero. Un comerciante puede hacerle prosperar.

—Muchas gracias por reconocer mi caballerosidad. Por lo menos, por eso.

Sonrió de un modo vacilante. Sentí que le despreciaba, y, me dije que los hombres somos algo bajo y estúpido. Pero siguió insistiendo. Su voz subía al exponerme sus argumentos.

—Me harías un gran favor. Las cosas andan mal con tanto revuelo como hay, tantas huelgas y tantas reivindicaciones obreras. Y, por si fuera poco, ahora lo de África. Créeme que necesito trabajar mucho para mantenerme... Si tú quisieras...

¡Qué asco! Heladamente le pregunté:

—¿Y el Pico? ¿No querías también el negocio de la mina? Su respuesta fué absolutamente inesperada.

—¡Oh, eso! Los Quejada trabajan ahí, ¿no? En cambio los barcos...

¡Al diablo los barcos, al diablo la mina y al diablo mi cuñado! Todo antes que continuar aquella sucia conversación. Le tranquilicé:

—No te preocupes. Los barcos son tuyos. ¡No, no me des las gracias! ¿Tienes derecho a ellos o no?

—Hombre... sí.

—Entonces ¿por qué has de darme las gracias?

—Has sido muy generoso. Pudiste obligarm...

—No sigas. ¡De verdad, no sigas, o me vuelvo atrás! Si te cedo los barcos es por mi libre voluntad, ¿entiendes?

—Sí, Arturo. Sentiría haberte ofendido.

—¿Ofendido? ¿Tú?

En aquel momento, cuando más entero debía haberme mostrado, la sensación de inquietud e inseguridad se apoderó otra vez de mí. ¿Por qué obraría así Santa María? ¿Qué había escuchado? ¿Qué sabía? Hice de tripas corazón.

—Bueno, creo que te he hecho un buen favor —le dije—. A cambio quisiera que fueses franco conmigo. ¿Por qué me has pedido esto?

—Por nada... Sólo que creo que en mis manos...

—Sí, sí, de acuerdo. Pero, además, ¿no hay ninguna otra razón?

Me miró y le vi dudar. Tuve miedo. Como tantas veces en mi vida, tuve miedo. Hubiera dado cualquier cosa porque Santa María no hablase, por no oír sus palabras. Sin embargo, mantuve la mirada y me dispuse a escucharle:

—Mira... si me lo pides. Pero sólo son hablillas, ¿eh? Yo no creo nada.

—¿Qué es lo que no crees?

—El otro día... Pedro Quejada hablaba de la mina. Como ya sabes, este año liquidó con déficit. Además, ha habido que comprar nueva maquinaria. Decía que tú no habías entregado todavía tu parte.

¿La mina con déficit? ¿Nueva maquinaria? ¡Cuando viese a Goyo le iba a dar un buen tirón de orejas!

—Además, está lo del hospital. ¡Conste que no quiero decir nada! ¡Todos conocemos tu posición!

—¿Qué sucede en el hospital?

Sus ojos se abrieron mucho, y, movido por su asombro, pareció perderme el respeto por primera vez en el transcurso de la conversación.

—Pero ¿no sabes que Gerardo, antes de irse, pagó de su bolsillo la cantidad que tú entregas todos los años para sostenerle? ¿No te lo dijo?

Me miró con sospecha. Yo sentía aumentar mi ira contra Goyo. ¡Aquellas idas a París!... Seguí:

—¿Hay algo más?

—No lo tomes así. No, no hay más. Comentarios, hablillas...

lo que quieras. Ya sabes lo que es la ciudad. Pero, no hay motivo para ello ¿verdad?

Conque ¡así estábamos! Yo era la comidilla de todo el mundo por culpa de Goyo. Y Goyo... ¡Había que ir inmediatamente a París!

Pude haberle mandado llamar, pero, al escuchar a Santa María, al experimentar de nuevo, aumentada, la sensación de intranquilidad que últimamente me había acompañado, sentí un ansia inmensa de Aneli, de primo Juan, de Filkenstein y Waleska, de todos y de todo, en fin. Necesitaba jugar y jugar allí, en aquella compañía. Arturo, Cati, Gerardo, la sombra de mi hermano Juan, todo desapareció en un momento. Creo que hay enfermos que dejan de beber una temporada y que, repentinamente, no pueden vivir sin alcohol, y se embriagan de él, ferozmente, sin placer siquiera. Esto me sucedía a mí, como una embriaguez.

Santa María partió, satisfecho, con sus barcos debajo del brazo metafóricamente hablando. Cuando, a la noche, me arreglaba ante el espejo, Cati penetró en nuestro cuarto.

—¿Vas... vas a trabajar... otra vez? —me preguntó.

—Sí —repuse irritado—. Voy a trabajar.

—Muy bien.

Al partir escuché su voz en lo alto de la escalera.

—¿No das un beso a los niños?

—¡No! ¡No doy un beso a los niños!

Me senté en la mesa del Círculo, en el salón privado. Ante mí tenía a Alberdi, a Lemor y a Pedro Quejada. Dije:

—Vamos a jugar fuerte hoy. Aunque pierda, todavía podré comprar otra maquinaria para el Pico y construir otro hospital. ¿Estamos?

Les vi bajar la cabeza y comencé a repartir las cartas.

III

Goyo aguantó mi rapapolvo con sorprendente docilidad. Había algo en Goyo que no lograba entender, que no entendí nunca. Tan pronto se mostraba insufriblemente arrogante como rastrero hasta la abyección; tan pronto asombraba por su valor como se echaba a temblar y se le hubiera tomado por el más cobarde de los hombres. Cuando la catástrofe del "Cabo Machuca" se mereció una medalla y la hubiera ganado si la ciudad llega a estar entonces para pensar en recompensas. En cambio, no se atrevía a mostrarse ante Gerardo y hasta se niega a hablar de él. Es un ser extraño, y sólo cabe tomarle o dejarle como es. Después de mi riña, cuando esperaba sus explicaciones, salió por un registro inesperado:

— ¿Y Gerardo? Me ha dicho Aneli que Gerardo se ha presentado voluntario para Africa.

Aneli se conmovió mucho cuando le di cuenta de la decisión de su hermano. Por un momento me recordó la Aneli de antaño. Su mirada buscó la mía pidiéndome protección. Tomó asiento en el pequeño diván de junto a la ventana, desde el que se divisaba parte de la plaza, y parecía a punto de desfallecer. Suspiró:

— ¡Pobre Gerardo! Lo esperaba.

¿Qué es lo que esperaba Aneli? ¿Cómo podía sospechar siquiera lo que Gerardo iba a hacer si, desde hacía mucho tiempo, no tenía el menor contacto con él? Pero tanto Aneli como Goyo parecían saber mucho más de lo que yo sospechaba sobre Gerardo. Cuando Goyo me preguntó por él sentí crecer mi indignación.

—¡No hables ahora de Gerardo! —le grité—. No... no eres digno ni de besar el suelo que pisa... ¡Contéstame! ¿Por qué no has pagado a los Quejada? ¿Y el hospital? ¿Por qué has dejado que Gerardo cargase con la subvención? ¿No te encargué expresamente?...

La explicación era fácil, me dijo Goyo. Había pecado de negligencia, sin duda, pero no quiso molestarme con pequeños problemas. Hasta un hombre tan rico como yo debía esperar para cobrar sus rentas, y como últimamente le había pedido dinero sin cesar... Recordaría que ni siquiera le dejé explicarse. Pero la cosa no tenía importancia. Daría orden de que se efectuasen los pagos, y si deseaba más dinero... Su única falta consistía en no haber previsto el aumento de mis necesidades.

Se las arregló de manera que, poco a poco, acabé sintiéndome culpable de todo. Era verdad, y ni aún en una fortuna como la mía se puede entrar impunemente a saco. Inquieto, le pregunté:

—Pero, todo irá bien, ¿no? ¿Ha habido algún tropiezo grave?

Se echó a reír.

—¡Por Dios, Arturo, no seas absurdo! ¿Qué tropiezo puede haber? Sólo que...

—¿Qué?

—No has debido entregar los barcos a tu cuñado. Si hay guerra se transformarán en una mina de oro.

Fué su flecha final, y, cuando me dejó, quedé alicaído y avergonzado. Era verdad. Los barcos valdrían una fortuna si, como Filkenstein aseguraba sin cesar, la guerra llegaba a declararse.

Aquella noche cenamos en Maxim. Algo había cambiado en Aneli y en el grupo que la rodeaba. Hasta mi viaje, Aneli reinó sobre él como reina absoluta. Si otras mujeres estuvieron en su piso, fueron introducidas por los invitados y siempre de paso; por eso, ahora me doy cuenta, no he hablado de ellas. Aneli era la única en nuestras reuniones íntimas, y, desde luego, en el pequeño saloncito donde jugábamos. A veces me

19

sucedió contemplar las entradas y salidas de Mademoiselle Renoir con una especie de anhelo, como el de un estudiante que espía tras la ventana. Mademoiselle Renoir subía al coche y yo distinguía el revuelo de sus faldas, el pequeño zapato escotado y la media a rayas. El coche partía y yo quedaba algún tiempo en el balcón, mientras, a mis espaldas, Edouard comenzaba a encender las luces.

Pero ahora había ya mujeres entre nosotros; muchas mujeres. Por lo visto, Aneli se avenía a compartir su imperio. Aquella noche cenó a mi derecha, con Georges al otro lado, embutido en su frac azul; Waleska lo hacía junto a una rubia de escote muy pronunciado y falda rematada por puntillas y Filkenstein, a su vez, prestaba una atención visiblemente obligada a una curiosa personita, de ojos ligeramente oblicuos, cuyo traje recordaba los orientales. Ni Guy ni los Deplat habían venido. Goyo sí, y, sentado a un extremo de la mesa, parecía sumido en la más absoluta de las desesperaciones. Tanto que llegué a pensar si de verdad no me habría excedido al reñirle.

Aneli se esforzaba en parecer ingeniosa y la rubia reía sus dichos con una risa alta y llena que desbordaba su garganta. Era un magnífico animal, grande, redonda y maciza, como una estatua. La tercera mujer, por el contrario, apenas si alzaba la voz, y, al reír, se tapaba la boca con una mano pequeña, como si cometiese una falta de educación. Me la presentaron como Madame Kubinye y yo le pregunté si tenía algo que ver con el paisajista.

—¡Oh, no!—me repuso—. Soy americana.

—Pues no se creería—insistí—. Hay algo oriental en usted. Japonés, acaso.

—¡No me compare con Utamaro, por favor!—replicó, riéndose—. Lo hacen todos. Desde luego soy americana. Pero no me importa parecer japonesa. Eso llevo adelante. Probablemente acabarán invadiéndonos.

La afirmación levantó un coro general de protestas. Filkenstein, sobre todo, gritaba hasta desgañitarse contra "aquellos monos sabios". Madame Kubinye sonreía, con su sonrisa pequeñita.

—Pues yo encuentro el Japón adorable. Dicen que pagan a las mujeres por casarse con ellas. ¡Qué halagador!

La belleza rubia intervino.

—Aquí pagan también.

—¡Oh, sí! Pero no por casarse. El Japón es mucho más religioso.

Vi levantar la cabeza a Aneli y mirar fija a Madame Kubinye. Hasta entonces me había parecido distraída. Cuando la cena terminó, la invitó a acompañarnos. La belleza rubia, un poco despechada, se unió a otro grupo.

—¿Cómo se llama? —pregunté a Aneli—. Ni siquiera me has dicho su nombre.

—¡Bah! —repuso Aneli, encogiéndose de hombros—. No se llama; la llaman.

Sin embargo Loulou, "la Blonde", hizo una gran carrera en el Moulin, aquel moledero de francos que proporcionó un millón a Zidler, su fundador, y, después, muchos más a los que siguieron explotándole. Debutó en el cancán, pero en seguida ascendió. Su gran creación fué "Jen ai marre"; su gran descubrimiento, Morgan "Junior"; su gran pasión, los diamantes.

Primo Juan nos llevó a casa en su Victoria descapotable, del modelo que llamaban del rey de España. Primo Juan estaba muy orgulloso de ella y afirmaba que se la había recomendado el propio Thery, el ídolo, momentáneamente, de París, que, durante dos años consecutivos, había vuelto por el honor de Francia al arrebatar la copa Gordon Bennet a los Mercedes Benz. Probablemente sería verdad, porque Primo Juan conocía a infinidad de gente y era muy popular en todos los medios. Francófilo hasta la exageración, no podía ver a los "boches" y traía en continuo jaque a Filkenstein. Pero, cosa extraña, Filkenstein no se lo tomaba a mal. Creo que sentía por él una simpatía irresistible, superior a todo, incluso a él mismo.

Aquella noche tuvo un carácter especial, más enconado aún que otras. Apenas comenzamos a jugar, ya me di cuenta de ello. Por de pronto, Georges miró fijo a Madame Kubinye, como si le pidiera permiso. Después, su voz sonó de un modo diferente, que me hizo recordar la de Jean. Hasta aquel momento, Georges había actuado entre nosotros como un amigo; sólo aquella noche se dispuso a hacerlo como profesional.

Madame Kubinye repartió las fichas frente a ella, cuidadosamente apiladas, pero repartidas de un modo que hacía recordar pequeños idolillos: entre ellas colocó una cajita de oro, muy tallada, como una tabaquera.

En seguida comenzó a jugar, y a fe que pocas veces vi hacerlo con tan desencadenado ímpetu. Parecía que desease arriesgarlo todo en cada puesta, y que la próxima sólo significase la posibilidad de volverlo a arriesgar. Entre jugada y jugada, se impacientaba, se ponía nerviosa y palidecía, con una palidez amarillenta, como la luz de las velas. Poco a poco su rostro cambió y se veía agitarse su pecho, plano y arrosariado, a través del escote. Las cifras que arriesgaba causaban vértigo. Aquella mujer poseía un extraño poder de sugestión y su entrega al juego nos arrastraba a todos. Waleska tenía la mirada muy brillante y su cutis resplandecía. Filkenstein retorcía, sin cesar, las puntas de su bigote, y farfullaba una y otra vez, sus eternos: "¡Um Gottes Willen!". Primo Juan se detenía, y, al ver la puesta de Madame Kubinye, doblaba la suya, con un movimiento cuidadoso, que llevaba implícito un homenaje de admiración hacia ella. Aneli estaba inclinada hacia delante y las arrugas de su boca eran más hondas que nunca. Georges la miraba de vez en cuando y en su mirada me parecía ver una triste piedad.

En cuanto a mí, me sentía arrebatado por un auténtico vértigo. Edouard, silenciosamente, dejaba las cajas de fichas a mi lado; Goyo me ayudaba a colocarlas. No jugó, no se separó de mi lado, ni pronunció una palabra en toda la noche. Yo alargaba las fichas sin contarlas, arrebatado por la prisa de aquella mujer, que parecía tener miedo de morir antes que concluyese la partida. Las fichas chocaban, como huesecillos enanos. A veces crecían como hongos; otras la raqueta de Georges las arrebataba Edouard traía más, alineadas en la cajita. Madame Kubinye ganaba sin cesar. De pronto, con gesto brusco, colocó todas las fichas al 7.

—¿Lo acepta? —preguntó a Georges, pero, en realidad, la pregunta iba dirigida a todos—. El siete es mi número; me recuerda los pecados capitales.

Lo dijo naturalmente, sin pensar casi en ello, y, desde luego, sin pretender alarde alguno de ingenio. Georges consultó a Aneli con la mirada.

—¡Va! —dijo Aneli.

Se levantó y fué al lado de Georges; colocó un momento su mano sobre la de él y Georges le sonrió de modo maquinal. Waleska se pasó un pañuelo por la frente. Lo recuerdo como si lo estuviera viendo; un pañuelo blanco, con encajes, como los que bordan en las "béguinages". Filkenstein se cuadró lo mismo que si contemplase una parada. En cuanto a primo Juan, miró sus fichas y, al comprender que la puesta se cruzaba, exclusivamente, entre la casa y Madame Kubinye, hizo un gesto de disgusto. Después se levantó, para servirse un vaso de combinado. Le preparó cuidadosamente, según una fórmula propia, y le mir5 a contraluz. Georges lanzó la bolita.

Hay un mundo de ansiedad, miedo, delicia y angustia, en los breves momentos que median entre el lanzamiento de la bolita y la parada sobre un número y un color; un mundo breve, y, no obstante, largo, infinitamente largo, lleno de sensaciones, de sueños, de propósitos, de ideales, de renuncia. Nada de esto se concreta, si no que lo sentimos, y lo padecemos, mezclado, como el universo debió de estar antes de su creación, en una magnífica nebulosa, centelleante, roja, cuajada de promesas y catástrofes. Sí, en el juego hay algo cósmico, y sólo así se explica la tiránica influencia que ejerce. ¿Qué tiempo puede mediar entre el lanzamiento de la bolita y su parada? ¿Diez segundos, veinte, cuarenta, un minuto? Es lo mismo. En el juego cuentan más los segundos que los siglos.

Mi corazón latía muy fuerte cuando Georges la lanzó. No obstante, percibía todos los detalles, la enorme tensión del pequeño saloncito y la estupenda y sencilla serenidad de primo Juan, disgustado por no poder jugar y orgulloso de su mezcla. Madame Kubinye abrió la cajita y se llevó un poco de polvo a la nariz, como si tomase rapé. La bolita saltó, giró, volvió a saltar, quedó quieta. La rueda fué separando sus colores según se paraba.

— El siete, impar y negro.

Georges empujó hacia Madame Kubinye casi todas las fichas que tenía delante. Primo Juan se acercó desde el fondo, con el vaso en la mano. Los demás contemplábamos la bolita, parada en el siete, inmóvil, como un caracol. Waleska volvió a sacar su pañuelo.

Madame Kubinye nos miró. Sus ojos lucían mortecinos; eran como dos hendiduras, sin pestañas. Georges preguntó, mientras ella abría de nuevo su cajita:

— ¿Seguimos?

Aneli no se había movido. Su mirada nos recorrió a todos, y, por último, quedó parada en Goyó. Goyo estaba muy pálido, con ese especial color que la palidez da a su piel y que ya he comparado con la ceniza. Sostuvo la mirada de Aneli y la hizo un gesto afirmativo. Aneli, entonces, me miró a mí. Se repuso y hasta llegó a sonreir. Pero ni la sonrisa consiguió borrar sus dos arrugas, frías, hondas, como dos cicatrices. Extendió otra vez la mano y volvió a colocarla sobre la de Georges.

— Dame mi vaso — pidió —. Fuerte, ¿quieres?

Le bebió, rápido. Al fondo del vaso yo veía sus ojos abiertos y sin ninguna expresión. Me parecía que la estuviese contemplando a través del agua. Cuando le dejó, se volvió hacia Georges.

— Ven — le dijo —. Estoy muy cansada.

Georges y Aneli salieron. Primo Juan cogió la silla de Georges y tomó asiento frente a Madame Kubinye.

— ¿Me permite? — preguntó.

Madame Kubinye hizo una pequeña reverencia.

— ¡No sea usted absurdo! — repuso, con su risa apagada —. ¿Qué le parecería a usted que Luis XVI hubiese pedido permiso para colocar su cuello en la guillotina? ¿Jugamos?

Filkenstein y Waleska hicieron un signo afirmativo. Yo extendí una mano para coger las fichas que Edouard me alargaba. Goyó respiró, fuerte, como cuando salía de una inmersión y el agua le rizaba el vello del pecho.

A partir de entonces Madame Kubinye vió cambiar su racha. Era una de las noches buenas de primo Juan, y cuando primo Juan tenía una buena noche resultaba inútil luchar contra él. Nos barrió, materialmente, y dejó a Madame Kubinye reducida a la más ignominiosa de las penurias. Ella intentó defenderse, pero en vano. Poco a poco su montón de fichas fué disminuyendo, y se vió asomar entre ellas la cajita de oro. Entonces su suerte cambió, y volvió a ganar, hasta que las fichas la cubrieron; en aquel momento empezó a perder otra vez. Su fortuna estuvo así algún tiempo, indecisa, como si bailase sobre la cajita; al fin ni la cajita pudo sujetarla. Las dos últimas vueltas acabaron con las últimas resistencias de Madame Kubinye.

Las nuestras habían acabado bastante antes. Yo sentía un extraño vacío en mi interior y ésa era la sensación de vergüenza y arrepentimiento que acompaña a todo jugador derrotado. Intentaba, en vano, llevar la cuenta de mis pérdidas, mientras, exteriormente, mantenía un aspecto lo más correcto posible. Había comenzado con tanto dinero; después pedí otro resto a Edouard; después, otros dos. No, eran tres... Eran... ¡Imposible recordarlo! Sólo sabía que había perdido mucho; no más que otras veces, desde luego, pero ésta me preocupaba. ¿Por qué me preocupaba?

No podía decirlo, pero el vacío aumentaba en mi interior. Al tiempo sentía una gran pena, un gran deseo de abandonarme, de cerrar los ojos y no volver a abrirlos más. Mientras Juan y aquella endiablada Madame Kubinye dirimían los últimos episodios de su combate, yo permanecí inmóvil, dejando pasar las jugadas. Vi cómo Goyó cogía mis fichas y las colocaba aquí y allá. Se lo agradecí con una sonrisa. Yo no podía más. Se había agotado mi capacidad de resistencia y sólo sentía unos inmensos deseos de encontrarme a solas, sin luz, tendido, como un tronco hueco, cansado ya de combatir el viento.

Siempre me sucede así. Comienzo con gran ímpetu, pero, según la fortuna se me mengua, mis ímpetus decrecen. Al principio se truecan en rabia y obstinación. Juego entonces como un loco, apostando a un mismo número, pretendiendo derrotar la suerte a golpes. Al tiempo pienso: "¡Esa maldita vieja, con la sortija de jade! ¡El jade me trae mala suerte!"

Cuando la fatiga y la tristeza me invaden, se me hace muy difícil continuar jugando. Aquella noche, por ejemplo. Además, al repasar mis pérdidas, volvía de nuevo la angustiosa e irrazonable sensación de intranquilidad que iba llenando mi vida. Por primera vez me dije:

—¡Hay que ganar! ¡No puedo seguir así! ¡Tengo que ganar!

Esto marca una etapa en la carrera de todo jugador; la etapa de la decadencia. Todos, en un momento, juegan por recuperar lo perdido; es algo patético, porque, muy en lo hondo de su conciencia, lo saben imposible. Se les mezcla el veneno de su vicio y un ingenuo deseo de reivindicarse, de arrebatar, a su vez, alguna parte de lo que se les robó, y de vivir sencillamente, bajo el buen sol de las gentes normales, que alumbra los jardines y las ventanas. Cuando un hombre se ahoga, no lucha con más desesperación. Y solamente el jugador auténtico, como primo Juan, se salva de esta agonía. Hasta el fin de sus días, arruinado ya, viejo, cliente de tugurios y malas partidas, primo Juan continuó jugando sin más objeto ni más razón que jugar.

Cuando se llevó la última ficha de Madame Kubinye se echó hacia atrás y sonrió. Esto es lo vulgar de primo Juan, que no sabe disimular el júbilo de la victoria. Madame Kubinye sonrió a su vez.

—Ha sido una velada deliciosa —dijo—. Quizá me haya quedado hasta un poco tarde, ¿no? ¡Pero la conversación era de tal modo apasionante!

Filkenstein, Goyo y Waleska la acompañaron. Primo Juan se sirvió otro vaso.

—¡Diablo de mujer! —comentó—. ¡Y luego hay quien no cree en el peligro amarillo!

Se acercó, preguntándome con interés:

—Dime, ¿has perdido mucho? Ya sabes que...

Yo detuve su mano, que se dirigía a la cartera.

— ¡Estáte quieto, Juan!

— Es que te debo...

— Pero ¿desde cuándo pagas las deudas? Estás degenerando.

Me contempló vacilante. Abajo escuché el ruido del coche de Madame Kubinye, que se alejaba.

IV

Después de haberme despedido de Juan — "Buenas noches,
Juan, y gracias, a pesar de todo." — me dirigí a mi habitación
a través del pasillo mal iluminado. A ambos lados, tallas de
negros, con ropas recamadas en oro, sostenían grandes bolas
de cristal con las luces apagadas. Las cortinas plisaban las
ventanas, muy pesadas, con borlas gruesas, como frutos. La luz
de las ventanas era escasa y débil e iluminaba a trozos los
grabados de Reznieck, regalados por Filkenstein, y unos pequeños cuadros de Mann, que trajo como obsequio Guy; vistas
de Hyde Park con niños jugando al aro, caballeros de chistera
y una primavera reducida en cada sombrero de mujer. Eran
bonitos y sencillos y aun en la indecisa luz de la noche parecían llenos de calma.

La noche era tranquila y muy silenciosa. En una de las
ventanas temblaba un farol de gas como si respirase muy
aprisa. Sentí frío y me pareció que estuviese solo en un mundo
extraño del que no podía salir porque más allá me esperaba
el fracaso y el dolor. En un momento vi, con extraordinaria
clarividencia, que todo había cambiado, que se había producido una gran transmutación en mi vida. Fué como un relámpago al que no siguió trueno alguno, sino que dejó su contorno
extrañamente silencioso. Después, todo volvió a su sitio, y las
ideas pasaron, y las sensaciones se refirieron a lo inmediato
y actual. Moví la cabeza, como si hubiese tenido una alucina-
ción. Entonces los sonidos volvieron también, y escuché el
viento en la plaza, el ligero son de los visillos, las tablas que
crujían, aisladas. Detrás de la puerta lloraba alguien. Lloraba

con pequeños sollozos y, al principio, lo creí también fantasía; pero en seguida comprendí que no. Que una mujer lloraba en aquel cuarto donde no había más mujer que Aneli.

Empujé la puerta lentamente. Hacía tiempo que no entraba en la alcoba de Aneli y el perfume de su intimidad me sorprendió, como una bocanada. Estaba hecho de viejos y conocidos aromas, y de otros nuevos, que me herían. Había un elemento agrio en él. Era el perfume de Aneli, desde luego: el de su cuarto, el de su sueño, pero menos igual y menos suave, como si hubiese fermentado. No sé si me entenderéis, pero me parecía que en una orquesta desafinase un violín, chirriante, agudo y sin descanso. Respiré fuerte, y todos los perfumes se mezclaron. El violín calló, sustituído por los sollozos de Aneli.

Nunca la había visto llorar; ni cuando fué herida en la catástrofe del "Cabo Machuca", ni cuando quedó viuda, ni cuando perdía en una noche mala. Por su lado pasaron muchos caprichos y se fueron sin arrancarle una lágrima. Quizá la vez que más conmovida la vi fuera la última, cuando le comuniqué la resolución de Gerardo. Pero ahora lloraba, tendida sobre la cama, revueltas las ropas, el rostro en la almohada. Veía parte de su cuello; estaba lacio y la piel le caía en arrugas.

Me acerqué, y, dulcemente, posé una mano sobre su hombro. Los sollozos cesaron, y, sin levantar la cabeza, me preguntó:

— ¿Eres tú, Arturo?

— Sí, Aneli, yo soy. ¿Qué sucede?

Volvió a llorar, pero esta vez su llanto me pareció menos desconsolado.

— Nada — repuso, y su voz, entre la almohada, sonaba muy lejana —. Es que ¡me sentía tan sola!

No pude evitar una mirada a la parte del lecho próxima a ella.

— ¿Sola?

— Sí, muy sola — levantó la cabeza, incorporándose después. Sus uñas arañaron el embozo como cuando perdía —. No mires más. Georges se ha ido.

— Pero ¿tanto te importa?

—¡Importarme! No me entiendes... ¡Claro!

Parecía haberse serenado repentinamente. Hasta sonrió, y sus dos arrugas se estiraron, transformándose en un ángulo.

—No me importa Georges, naturalmente. No me ha importado ninguno. Es...

Su voz tembló y sus uñas se inmovilizaron.

—Se va porque estoy vieja. ¿No comprendes?

Fué una confesión muy sincera. Aneli me confesó su tormento, y quizás éste no fuera distinto del de tantas mujeres solitarias para las que los años traen la ruina de lo único que en realidad poseyeron: su cuerpo y su belleza. La alcoba transparentaba la luz a través de las persianas. Bajo la ventana se distinguía el tocador de Aneli.

—Al principio todo era fácil. ¡Oh, es tan bueno el amor cuando puede satisfacerse y notamos la admiración por nuestra belleza, el imperio absoluto sobre un hombre! El juego es la lucha contra la suerte; el amor es el triunfo sobre el hombre. Halaga los sentidos, y, si se lleva dentro su llama, es necesario alimentarla siempre, porque con ella terminaría nuestra vida. Tú me has admirado en tiempos, Cheri.

Sí, en tiempos. Sentí la caricia de la mano de Aneli y me dije que éramos como dos viejos soldados que hablan de sus batallas. Como dos viejos soldados que se encuentran y encuentran aún voz para gritar: "Vive l'Empereur!"

—Al principio me preocupaba el placer. Creo que sólo te he querido a ti, y no te lo digo porque estés conmigo. Te quise, no sé, quizá porque, en realidad, fuiste el primero. Además ¡eras tan joven! Tu juventud no consistía sólo en los años que te llevo; no, había algo en ti que te hacía eternamente niño, algo como si aún no hubieras acabado de cuajar. Después hemos seguido juntos, aunque tu amor ya no existiese, y siempre me ha sorprendido algún acto o alguna palabra tuya, llena de infantilidad. ¡Y tú no sabes cómo adoro la juventud! La necesito físicamente. Necesito sentirla junto a mí, sorberla por todos mis poros, como dicen que algunos enfermos beben la sangre de los sanos. Tú no sabes...

La luz, débil, se detenía en el tocador de Aneli. Había pomadas, lociones, pequeños aparatos de masajes, líquidos, frascos de etiquetas prometedoras, polvos, coloretes, pastas, cepillos, esponjas, mezclas de mil colores, un horario escrupuloso para su empleo... Todo ordenado, como un ejército presto a la acción. Y un juego de luces sobre las lunas, de color azul...

—¡Tú no sabes lo que es sentirse envejecer! Primero es la pasión que disminuye en los demás, mientras la tuya aumenta; después, el interés por otra belleza; después, la fatiga y el abrirse a otras preocupaciones, que no son tu amor. Por último, el cansancio, el invencible cansancio físico, que no se parece a ninguno. Hay veces que me acerco a Georges con miedo y en silencio, como si pudiera sorprenderle.

Echó hacia atrás un mechón de cabellos. Sus gestos eran rígidos.

—Y, sin embargo, como te he dicho, no quiero a Georges. No, ni a los demás. ¿Qué tiene que ver el amor en esto? ¡Sólo tengo que ver yo! ¿Sabes lo que me pasa?

Entonces me hizo la confidencia que mejor he entendido de Aneli. Se incorporó por completo, con las manos hacia atrás, apoyadas en la cama.

—Tengo miedo, Arturo. Tengo miedo.

Yo también tenía miedo. Ante el fantasma de la Aneli que había conocido, sentía un pavor sin límites, como si se tratase de mi propio fantasma. Estuvo en un momento mirándome cara a cara y después se dejó caer hacia atrás, pesadamente. Su boca se entreabrió.

—Lo necesito — me explicó, y su mirada me pedía perdón—. ¡Georges!

La dejé llorando; una pobre mujer que lloraba. Al cerrar la puerta todavía vi el espejo, rayado por la luz como la piel de un tigre.

De nuevo recorrí el pasillo. Los negros alzaban sus lámparas apagadas y me sonreían; los cuadros abrían pequeñas ventanas a un paisaje apacible, de verdes deportivos, sombrillas mínimas, y trajes blancos y rosas; el farol temblaba, rítmica y regularmente.

Al fondo del corredor divisé una sombra. Pensé si Georges

volvería, y, a pesar de todo, me alegré por la pobre Aneli. Al cruzar frente a la primera ventana, la luz le dió de pleno y distinguí a Goyo. Le vi un momento, porque en seguida volvió a sumirse en la oscuridad. Pensé que seguramente habría oído los sollozos de Aneli y que esto explicaba su presencia en el pasillo.

Cuando estuvo cerca, me extrañó la tensión de su rostro. Pero mis nervios estaban bastante desatados aquella noche y quizá todo fueran imaginaciones mías. Sin preludios me preguntó:

—¿Quién llora? ¿Aneli? ¿Llora Aneli?

—Sí... Pero déjala, Goyo—añadí, al verle dirigirse hacia el cuarto—. No podemos hacer nada por ella.

Me había parado y le veía de espaldas. Se detuvo. Noté el esfuerzo que le costó volverse, lentamente, hacia mí. Parecía que estuviese agarrotado por una tremenda contracción muscular. Torció más la cabeza y me hizo el efecto de que su cuello rechinaba.

—¡Sí podemos hacer algo! — dijo—. ¡Y lo haremos!

Me dió pena también. Goyo nos era muy leal, pero demasiado simple para comprendernos. Le tomé del brazo.

—Anda, ven — le dije—. Vamos... vamos a dar una vuelta. —La idea se me ocurrió en el momento y me pareció de perlas. Ansiaba el fresco de la noche, y el cielo, y las calles solitarias, y el rumor del Sena, estrellándose contra el Puente Nuevo —.Ven, te digo que lo mejor que podemos hacer es dejar sola a Aneli. Mañana se habrá repuesto. ¡No seas terco, hombre! Ven.

Con Goyo del brazo bajé las escaleras. El aire de la calle me refrescó. Salimos, y, en silencio, enfilamos la plaza. Estaba muy tranquila, y, con todas las ventanas cerradas, parecía una de esas plazas castellanas que despierta el campanario de las monjitas. Los árboles se alineaban junto a las aceras, y los bancos se cubrían de una escarcha leve, como una vieja peluca. El caballo de Monsieur Rigot braceaba al aire, con su medio cuerpo clavado en la madera. Tenía un aire ingenuo y divertido, de circo, como los que Dufy empezaba a pintar.

La calle llevaba un nombre antiguo y monástico; La Rue du Monge. Tiendas tranquilas, de barrio; pensiones de tipo familiar, para los estudiantes que no gustasen del Quartier Latin; "bristrot" de maderas rojas y puertas estrechas, con picaportes dorados; tejados pendientes y casas de dos o tres pisos, irregulares, y pendientes. Alguna muestra se adelantaba sobre las aceras "Antoine", "Chaussures", "Au vieux Sévres", "Services de table!"...

Había algo plácido, entre familiar y artesano, en aquella calle dormida, que Goyo y yo recorríamos, cogidos del brazo. Cruzamos la Place Maubeat, y tomamos otra calle, a cuyo fondo se divisaba un pequeño jardín. Tenía el mismo aspecto que la anterior, los mismos escaparates, cerrados por verjas, con bailarinas de porcelana barata, trajes para niños sobre maniquíes de mimbre, zapatos agrupados en torno a una muestra minúscula y "menús" de precios irrisorios, que os ofrecía un cocinero recortado en cartón y colocado sobre la acera. Próxima a la plaza se abría una cochera, con la parte superior de la entrada en forma de herradura, como la de una mezquita. Un landó aguardaba a sus puertas, sin caballos, con un aire triste de desfile ya acabado. Las puertas de la cochera estaban cerradas. Por dos pequeñas ventanas nos venía un olor caliente, como el de los campos.

—Mira —dije a Goyo—. La iglesia de San Julián.

Pequeña, antigua, con sus ocho siglos pesándole sobre los tejados, la iglesia de San Julián el pobre parecía una ermita. Así era de bella y sencilla. Entraban deseos de llegarse a ella con un presente de frutos o animales, como en los tiempos de las romerías.

—Ya pronto tocará la campana de San Roque —dije a Goyo.

Los dos nos miramos, y, en el fondo de nuestras pupilas, vimos la pequeña iglesia que mandé edificar, su campanario, con la campana sujeta para que no la sonasen los golpes de viento, el altar y la imagen cubierta de conchas peregrinas. Abajo sonaba el mar, que se tendía, delgado, sobre la playa, como si quisiera tomar el sol.

—¡Por favor, vuelve a la ciudad! —supliqué a Goyo—. Vuelve y ocúpate de todo. Dime lo que hay, sin ocultarme nada; no tengas miedo. Yo iré en cuanto pueda, pero tú vuelve ahora! ¡Por Dios! ¡No tengo a nadie más que tú en quien confiar!

La ermita de San Roque se borró de los ojos de Goyo. Dió media vuelta y comenzó a andar, sin contestarme, como si no existiese.

V

Siempre que miro a Gerardo me entristezco, no lo puedo remediar. Los años le han cambiado mucho, pero no es esto lo que me causa pena. Quizá sea su mirada, quizá lo silencioso que se ha vuelto, quizá su manga vacía, metida en el bolsillo de su chaqueta, aplastada y temblona, como una hoja.

Fué en agosto cuando nos lo trajeron herido. La estación veraniega estaba en su apogeo, y, para demostrar lealtad y cariño a la familia real, y — ¿por qué no decirlo? — para competir con San Sebastián, que tenía la frontera demasiado cerca, se hablaba de construir un palacio y regalárselo a sus majestades. El lugar elegido no podía ser mejor; el promontorio que separaba la bahía del mar libre. Poblada de pinos, adentrada en el mar como la proa de un barco, la pequeña península poseía una belleza agreste y solitaria. Las gaviotas anidaban en sus rocas, muchas y que graznaban al tiempo, con un graznido quejumbroso; los mirlos cantaban en sus árboles, y, con la primavera, la yerba se poblaba de flores azules y amarillas; los iris se agrupaban, delicados. En fin, un lugar muy bello, que pedía una edificación adecuada, al estilo inglés, con piedra y tejado de pizarra, gris, como el agua de la lluvia, las nubes y los montes de enfrente.

Cuando Quejada me habló del asunto, le felicité calurosamente.

— ¡Me parece una gran idea, Pedro! Eso dará mucha vida a la ciudad, San Sebastián nos hace una competencia imposible. ¿Sabes cuántas personas había ayer jugando en el Casino? Doce, y, de ellas, tres no contábamos. Con los reyes vendrá gente muy principal, y, además, mucho extranjero. Los extranjeros van siempre donde están los reyes; se sienten más prestigiados.

—Entonces ¿estás de acuerdo?

—¡Naturalmente que sí! Figúrate a mi cuñado Santa María, cuando pueda poner en su tienda "proveedor de la real casa". Doblará el precio de las telas, y así todos. No creas, yo también subiré el tranvía.

—Habrá que abrir una suscripción. El palacio debe regalarse por suscripción popular.

—Desde luego; es lo más democrático. Lo pagaremos los de siempre y el buen pueblo dará unas migajas, unas conmovedoras migajas; la pesetita de la viuda; el honrado obrero que entrega lo que guardaba para comprar picadura. A cambio de eso, cuando le queme, como inevitablemente sucede con todos los palacios, sentirá que quema algo suyo. Esto desarrolla el sentido de la propiedad. Muy bien, Pedro, puedes encabezar la suscripción con mi nombre. ¿Decimos cien mil?

Le vi parpadear, y me contestó, un poco cortado.

—No tengas... tanta prisa. Esto es sólo un proyecto todavía. Ya hablaremos.

Interesado por la conversación, visité la península con mi hijo Arturo. "El Valiente" se separó del muelle y tomó viento en seguida; su vela se hinchó; después se inclinó mucho y Arturo, en parte por precaución, en parte por juego, hizo el contrapeso, saliéndose casi de la borda, como si regatease. Yo le contemplaba con orgullo. En aquel invierno había crecido aún más, ensanchó de hombros y su cuello se volvió más recio. Tenía unas muñecas anchas y sólidas; las muñecas de Cati. Su cara era morena, enérgica, de barbilla saliente y maxilares fuertes, cuyos músculos se marcaban si los apretaba, el pelo negro y espeso, los dientes blancos. Parecía mayor de lo que era y sólo cuando miraba volvía a ser niño y entraban ganas de cogerle en brazos, como hacíamos, cuando era pequeño, en villa "María Rosa". "Ya lleva pantalón largo", pensé, y sonreí, pese a que la idea me causaba desazón. En "El Valiente", Arturo llevaba un pantalón de sarga azul, como los de Tolín. El agua corría a los dos lados del balandro, fresca; Arturo metía la mano en el agua, gustoso de sentirla correr.

Desembarcamos en una pequeña cala. El ancla bajó lenta, hasta posarse en la arena. Arturo y yo trepamos por las rocas y caminamos después entre los pinos. Una vegetación baja y olorosa cubría el suelo, y, a veces, de algún matorral, levantaba el vuelo un pájaro, sorprendido por nuestra presencia. Unas lagartijas verdes corrieron a esconderse bajo unas piedras. Cuando llegamos a lo alto, nos detuvimos, batidos por el viento. Era día de ola y el espectáculo resultaba impresionante. Enfrente los montes, el cabo, la bahía, quieta y alargada, una simple lámina de plata junto a las casas del Astillero. Entre el cabo y nosotros, la isla del faro, que partía la barra en dos y a la que las olas cubrían de espuma. Desde el mar, el viento nos traía olor a sal, a yodo, a algas y a agua, a agua sobre todo, amarga y que no se puede beber.

—Tu abuelo decía que la felicidad es como el agua del mar —dije a Arturo—. Como el agua amarga.

Extrañado de su silencio, me volví. Arturo no miraba hacia el mar, sino hacia atrás, hacia la colina del Alta. Sobre ella, las nubes se habían rasgado y dejaban ver un tono claro, casi blanco, muy luminoso. El sol se filtraba por ese jirón de las nubes e iluminaba el Alta, la yerba de sus prados, los chopos y las casas, espaciadas y humildes las más, vaquerías o de labor. Todo el resto del paisaje era muy oscuro; las nubes, cargadas y color de plomo. Por contraste, el Alta, bajo el haz de sol, parecía alegre, limpia y recién mojada, como cuando sale el Arco Iris.

— ¿Qué miras? —pregunté a Arturo.

—La casa de tío abuelo Juan —me repuso—. ¡Qué bien se ve desde aquí!

Era verdad. La casa de tío abuelo destacaba, como si la mirásemos a través de unos gemelos. Reducida, aislada, podían percibirse sus más pequeños detalles con una extraordinaria claridad. El parque, prieto de árboles, destacaba como una mancha verde, más clara en su parte superior.

Muchas veces había llegado, paseando, hasta ella. Tomaba

la cuesta de frente al Instituto y me disponía a vencer el repecho. Era una cuesta pina, de guijarros desnudos, porque, cuando llovía, el agua se despeñaba por ella como por una torrentera. A su fin, el camino remataba, exactamente, las dos laderas del Alta, ciñéndose a su cima como a una espina dorsal.

La Quinta de tío abuelo sobrecogía vista de cerca. Las yerbas se habían enseñoreado del jardín, la verja se caía de puro herrumbrosa, el viento se llevó las tejas y rompió los cristales, la lluvia lavó todo resto de pintura. La casa era oscura, desconchada, rota, y se adivinaba la suciedad de su interior, las maderas podridas, el agrio olor de las habitaciones y la lenta labor de la carcoma, volviendo al polvo la viguería. El cartel colgaba aún de la fachada, y, si el viento soplaba, se le sentía golpear contra la puerta, que sonaba hueca.

Yo solía pararme frente a la quinta, para, poco a poco, acercarme a la verja y mirar su interior. ¿Sería cierto que las casas guardan el espíritu de sus habitantes y mueren con ellos? ¿Habría amado aquella casa el frívolo y ligero espíritu de Juan de Ponte, y por eso languidecía ahora, inconsolable, como una viuda? ¿Y de la cama? ¿Qué habría sido de la cama de tío abuelo Juan, pesada, maciza, con sus guerreros de bronce, sus hornacinas y sus labrados? Quizá, cuando la casa se hundiese, aparecería aún, inconmovible, férrea, eterna.

Sólo una vez vi a la Cubana allí, aunque era sabido que subía mucho al Alta para quedarse tiempo y tiempo en contemplación de la quinta. Estaba sentada en una piedra vecina a la casa; con la cabeza un poco hacia atrás, la luz le daba de plano. Tenía los ojos más negros aún que antaño y el pelo rayado por muchas hebras grises, que destacaban en él debido a lo cerrado del color. Delgada, su piel lucía un tono terroso. Cuando se puso en pie, me pareció que sus articulaciones crujieron. Era una mujer dura, mayor ya, impresionante. No es que la Cubana hubiese envejecido; es que había cambiado.

No cruzamos palabra. Nos miramos algún tiempo y yo llevé la mano al sombrero. Ella inclinó la cabeza. Cuando se iba, pensé que hay muchas vidas en los hombres y que una criatura con la que tuvimos contacto íntimo, puede, de pronto, parecernos completamente desconocida.

—¿Es verdad que la va a comprar la Cubana?—me preguntó Arturo, y yo me sobresalté, porque me pareció que mi hijo había sorprendido el curso de mis pensamientos.

—¿Qué dices?—pregunté a mi vez, por ganar tiempo.

—Digo la casa, la casa de tío abuelo. Por la ciudad dicen que la va a comprar la Cubana. ¿No sabes nada?

—No, yo no. Si acaso Goyo. Pero, oye, ¿qué tienes tú que hablar de la Cubana, ni por qué estás tan enterado de sus asuntos?

Le vi enrojecer de ese modo tan especial suyo, que pone un tono rosa bajo su color moreno y que le hace parecer más blanco y delicado. Entonces sentí una pena especial, en la que se mezclaba todo, incluso celos por la juventud de mi hijo. La vida es así; pero, cuando se trata de nuestros hijos, todo llega demasiado pronto. Aquel hijo mío, que huía la mirada al solo nombre de la dueña de la Casa Rosa, me recordaba a mí mismo. Me recordaba de un modo sutilmente doloroso y no podía culparle porque me parecía existir una especie de fatalidad que le impulsaba a seguir mis huellas. El pecado debe llevar en sí mismo su condena, puesto que no son sólo los propios los que nos hacen sufrir, sino también los de los que amamos.

Volvimos en silencio. De pronto no pude más y cogí del brazo a Arturo, apretándoselo con cariño. Él me sonrió, todavía un poco avergonzado.

Arturo se exaltó mucho cuando empezaron a llegar las noticias de Marruecos. Hay que reconocer que, en esto, Goyo obró como un vidente. Una mañana recibí recado del Banco.

—Que dice don Alfonso que, cuando pueda, se pase por allí, que no se demore.

—Bueno, dile que ahora iré.

Pitt estaba en el pescante del coche. Por el muelle cruzaban los automóviles, con sus ruedas rojas, sus capotas altas y sus volantes rectos. Mi pareja de alazanes braceó primorosa.

Don Alfonso López de Ansina había sido nombrado presidente del Banco cuando éste pasó de empresa privada mía a sociedad anónima de los demás. Pertenecía a la más fina y azucarada crema de la ciudad, con enterramiento en la colegiata de Santifría; su casona era tan antigua como la de los Ponte. Primo hermano de tía abuela, la legendaria marquesa, se decía que andaba en tratos con Marisa Villarreal, su sobrina, para comprarle el palacio. Era un hombre jovial, no muy alto; tenía aspecto de viejo comodoro retirado. Me recibió sonriente.

—¡Hola, marqués! ¿Cómo te va? ¿Y esos chicos? ¿Y la mujer? En casa, ¿eh? Haces bien, haces bien. ¡Mujercitas, en casa!

Rió y yo miré agitarse los botones de cristal de su chaleco. Solamente él y el viejo Alberdi los llevaban todavía.

—Bueno —prosiguió—, te llamaba para consultarte una cosa. Gregorio del Olmo —era curioso el modo completo y despectivo que tenía de nombrar a Goyo—, tu administrador, ¿no?...

—Sí, mi administrador. ¿Qué sucede con Goyo?

—Ha dado orden de que vendamos tus minas del Rif. ¿Estás de acuerdo?

¿Las minas del Rif? ¿Que Goyo había dado orden?

—Bueno —vacilé—, sí. Es decir...

—¡Claro! —la voz de don Adolfo López de Ansina rebosaba eficiencia—. ¡Si ya lo decía yo! No has pensado el asunto, ¿verdad? Mira.

Acercó su silla a la mía.

—No te dejes influir. Éste es un negocio como para hacerse millonario. ¡No hay otro igual! ¡Cobre, plata y qué sé yo más! Tú tienes un buen paquete. ¡Feliz mortal! Hazme caso, no vendas. ¿Es que necesitas vender?

Busqué desesperadamente un argumento para defender a Goyo.

—Sí, todo lo que dice está muy bien —repuse—, pero ¿y los moros? Ése es el cascabel del gato, López Ansina. Parece que los moros están dispuestos a estropearnos el negocio.

Se echó a reir.

—¿Los moros? ¡Pero, hombre, no seas inocente! A los moros se les paga, y en paz.

—¿Cómo que se les paga?

—Pues claro. ¿Tú has oído hablar de el Chaddy?

No, no había oído hablar.

—Es un cabecilla que manda mucho allí. El amo, prácticamente, desde que echamos a el Roghi. Bueno, ¿sabes cuánto cobra el Chaddy de las minas españolas?

No, tampoco lo sabía.

—¡Pues ocho mil quinientas pesetas, ni una más ni una menos! Y así los demás. ¿Qué riesgo podemos correr? Siembra intereses y recogerás fortuna.

Era un buen lema para un banquero, e, impresionado por él, detuve la orden de Goyo. López de Ansina me palmoteó la espalda.

—¡Si ya lo sabía yo! Tú eres muy listo, hijo. Hay que tener fe en ti, digan lo que digan.

Estuve a punto de preguntarle lo que decían, pero lo dejé pasar. López de Ansina era un magnífico monigote al que no había que hacer demasiado caso.

Cuando le planteé la cuestión a Goyo, vi fruncirse su entrecejo. Colocó sobre la mesa sus manos peludas, muy pesadamente.

—Bien, vamos a poner las cosas en claro de una vez — me dijo —. O tienes confianza en mí, o no la tienes. Yo no puedo estar consultándote todos los asuntos sin cesar.

—¿Por qué no?

—Pues porque la mayor parte del tiempo estás en París. Y, cuando estás aquí no apareces por el despacho, y, cuando se te llama a casa, no te has levantado de la cama. En el casino no voy a hacerlo, como comprenderás. ¿Es así o no?

Era así. Un poco crudamente dicho, pero así.

—Yo obro en tu propio interés y procuro no molestarte. Cometí el descuido de retrasar los pagos de la mina y el hospital; lo reconozco. Pero el hospital no ha cerrado sus salas y la mina sigue trabajando. En lo demás, si veo claro un asunto, deseo tener libertad para actuar. Ese zopenco de López

Ansina, ¿qué entiende López Ansina de esto? Es un muñeco puesto al frente del Consejo, que manejan los Quejada, los Solano y tu cuñado Santa María. En Marruecos habrá lío pronto, todos lo saben menos ese imbécil. Y las minas del Rif caerán por los suelos. Entonces podrás comprar otra vez, si quieres. Por otra parte, yo no tengo interés en seguir siendo tu administrador.

—Bueno, bueno, Goyo. No te pongas así.

—¿Cómo quieres que me ponga? Porque un títere te diga cuatro cosas...

Las minas se vendieron. Y López de Ansina, como Julio, el capataz, dejó de saludarme al encontrarnos. La cosa era algo más pesada porque nos encontrábamos casi todos los días.

Sin embargo, Goyo tuvo razón. Los descendientes de Abdel-Kader andaban predicando guerra santa por las cabilas sin que les diésemos importancia. Cuando alguno, como Gerardo, lo hizo, le tacharon de loco. "El Cantábrico" — un nuevo y flamante rival, de carácter muy avanzado, que le había salido a "El Atlántico" — escribía artículo tras artículo pidiendo el licenciamiento de los reclutas veteranos. Cuando, a primeros de julio, este licenciamiento se efectuó, "El Cantábrico" escribió que comenzaba a creer en los destinos de España.

Era un periódico que presumía de moderno, con nuevos tipos de imprenta y una irreductible postura frente a Maura. Maura no era para él el Anticristo, porque, naturalmente, "El Cantábrico" presumía de ateo, pero sí algo parecido. Publicaba en folletín "Electra", de Galdós, que no hacía mucho había recorrido España en una apoteosis bastante tumultuosa. Lo curioso del caso era que Galdós había sido muy amigo de Pradilla, el puntal literario de "El Atlántico".

"El Cantábrico" estaba dirigido por San Juan, un abogado de origen humilde, pariente de los taberneros de Puerto Pequeño y furibundo anticlerical. Se decía que San Juan había roto con su padre apenas se dió cuenta del apellido que le legó. Era un hombre grande, fanfarrón y muy bromista, que no carecía de talento; en Madrid tuvo dos o tres conatos de duelo. Tenía achicado a Polancuco, el director de "El Atlántico", que siempre que le veía procuraba evitarlo, y que, si era cercado por San Juan, salía del paso llamándole colega.

— ¡Por Dios, hombre, si yo lo comprendo todo! — le decía —. Entre colegas...

En cambio, apenas llegaba a su despacho, Polancuco ordenaba la más feroz de las diatribas contra "El Cantábrico". San Juan bramaba, a la siguiente mañana, cuando se leía llamar "nefando engendro de nefandas sectas que conspiran contra el altar y la corona".

Hay que reconocer que la postura de "El Atlántico" resultaba mucho más popular y simpática que la de "El Cantábrico". Aunque arrastrásemos todavía la depresión producida por las desgracias de 1898, y, si no contra el sepulcro del Cid, como Costa, estuviéramos todos contra nuevas aventuras, no cabe duda que nadie podía aceptar que los moros se salieran con la suya. Por eso cuando Marina ocupó Sidi-Amet y Sidi-Mesa, respiramos aliviados. ¡Claro, si no podía ser de otra manera! Los reservistas podían quedarse tranquilamente en casa y las cabilas se volverían a sus montañas más mustias aún que Carnero, el que se ahogó en Castro. Maura tenía razón al hablar de una operación de policía. Y había que acabar con "El Cantábrico" que, respondiendo a "El Atlántico", llamaba a Maura "nefando engendro al servicio del Vaticano y de los imperios centrales".

Con un crédito extraordinario de poco más de tres millones de pesetas, unos soldados que escudriñaban con recelosa curiosidad los misterios de su fusil, y una oficialidad llena de entusiasmo y valor, nos sorprendieron las jornadas de julio. De nuevo una ráfaga de ansioso patriotismo sacudió la ciudad. Nos precipitábamos en pos de las noticias de África y Gerardo Séjournant alcanzó, de pronto, categoría de héroe. Los más jóvenes y alborotados de entre nosotros se dedicaron a medir las costillas a los socialistas, porque seguían diciendo que la guerra era un crimen. Arturo, mi hijo, andaba muy alborotado y lleno de bélico ardor.

— ¡Hay que asaltar "El Cantábrico"! — gritaba —. ¡Hay que acabar con ese nido de víboras!

— ¡Pero, niño! — le reprendía Cati —. ¿A quién habrá salido este niño?

Madre le miraba con una mirada encendida, en la que alumbraban los viejos recuerdos carlistas de la familia Ponte. Esperanza clavaba en él unos ojos inexpresivos, que, poco a poco, se le iban cuajando de lágrimas.

El Gurugú se alzaba sobre las líneas férreas de las dos empresas mineras, de las acciones de una de las cuales me había desprendido por voluntad de Goyo, cosa que ahora me parecía casi un crimen de leso patriotismo. López de Ansina no cesaba de echármelo en cara, indirectamente, apenas nos encontrábamos en el Círculo. No me hablaba, pero tenía buen cuidado de decir en voz alta:

— ¡Sí, sí, mucho hablar de los soldados, mucho decir que son unos héroes! ¡Pero algunos bien se han cuidado de ponerse a cubierto antes de esto! ¿Y cómo lo sabían? ¿Cómo?

Debajo del Gurugú, casi ocultos por su sombra, se extendían los barrancos de Beni-Ensor y el de El Lobo. Desde la playa, al pie del Gurugú, avanzaban los convoyes, entre el fuego de los "pacos", lentos, a lomo de mula, tenaces, sufridos.

Así transcurrió algún tiempo, durante el que, progresivamente, la lucha se enconó. El 18 de julio se libraron ya durísimos combates, que duraron hasta el 21. El 23, la brigada de cazadores de Madrid inició el desembarco. Pese a todos los denuestos de Pablo Iglesias, las tropas habían salido cantando de la estación del Mediodía. Los vagones rebosaban rostros jóvenes, alegres, de ojos brillantes, con el cuello de la guerrera abierto, el pelo crespo y enredado. Algunos alzaban la bota; otros hacían flamear pañuelos. Los había también silenciosos, con la cabeza un poco inclinada, como si durmiesen ya. La multitud les hizo una gran despedida. A la salida de la estación apaleó a un grupo de obreros catalanes que habían gritado "¡Viva Ferrer!"

Así llegó el 27 de julio y transcurrió sin mayores noticias. El 23 habíamos tenido muchas bajas, entre ellas la del Coronel Cabrera, gran africanista y muy conocido en la ciudad. Los ánimos se excitaron más todavía y se criticó al Gobierno por su imprevisión. "El Cantábrico" arremetió contra él en un editorial furibundo, que se publicó la mañana del 27, y en el que sostenía la tesis de que eran las clases privilegiadas las que debían ir a la guerra, puesto que sólo ellas se beneficiaban de la grandeza y prosperidad de España. "¡Que defiendan la Patria los que la gozan!", venía a ser su grito. El escándalo que produjo fué general y hasta los mismos obreros se impresionaron. Pedro Quejada salió aquel día de la mina sin escuchar un solo grito contra los patronos y los burgueses. Según dijo después en el Círculo, aquello le pareció de mal agüero.

* * *

Hay una canción en la tierra que dice:

"Morenuca, morenuca,
¿qué lavas en el arroyo?
Lavo la sangre que corre
por el Barranco de El Lobo."

Entre esta sangre figura la de Gerardo. La de muchos más, desde luego, pero también la de Gerardo. Gerardo fué herido en aquella trágica acometida de los Cazadores, cuesta arriba, contra el plomo y el fuego, segados por las descargas de los moros, cayendo, volviéndose a levantar, rebotando sobre las piedras, inmóviles junto a las chumberas. Fué un ataque frenético, en el que Gerardo participó, enloquecido, arrastrado por el ardor y la desesperación general, deseando dominar aquella cumbre mortífera desde la que se les diezmaba sin descanso. Se dijo después que los soldados se negaron a combatir. Cuando se habla de esto a Gerardo, os mira con sus ojos azules, que la gravedad parece oscurecer. Luego afirma:

— ¡Sólo se negaron a combatir los muertos!

Los heridos no; los heridos se levantaban, daban unos pasos vacilantes, tornaban a caer. Disparaban desde el suelo y respondían a los gritos de sus camaradas.

— ¡Arriba! ¡Arriba! ¡Viva España! ¡Viva Llerena!

Los moros contestaban, emboscados tras las rocas, dominando la cuesta, en casi absoluta impunidad. El ascenso era duro y nuestras fuerzas no podían detenerse, porque cada minuto costaba nuevas bajas. El monte iba quedando sembrado de cuerpos inmóviles, o de cuerpos que rodaban, cada vez más de prisa, hacia el barranco del fondo. Las manos soltaban el fusil e intentaban asirse a la tierra; después giraban, azotando el aire; las piedras acompañaban a los cuerpos y el sol lucía, metálico, sobre los cañones de los fusiles abandonados. Con estos fusiles continuaron disparando los moros, durante muchos meses, contra nuestros soldados.

Pese a todo, se avanzaba. Abajo relinchaban los caballos, y los mulos coceaban, amenazando derribar su carga, asustados por el estruendo del combate. Gerardo iba de uno a otro herido y los camilleros organizaban como podían la evacuación. El Barranco, al fondo, parecía un río negro. Nuestras tropas progresaban penosamente. Cerca de la cumbre, apareció un nuevo contingente de fuerzas moras. La Brigada de Llerena, que creía ya alcanzada la cima, se detuvo; después se lanzó al ataque; a poco, se detuvo de nuevo. Uno tras otro, en hileras los soldados se abatían según sonaban las descargas. Los oficiales los rebasaron, a pecho descubierto. Gerardo vió a un teniente de pequeña estatura empujar a su tropa hacia adelante, ronco, con la guerrera abierta, como si quisiera ofrecerse de blanco. La tropa vaciló un momento; después fué tras él enardecida.

— ¡No es nada, muchachos! — gritaba el teniente, con el revólver en la mano —. ¡Arriba Llerena! ¡Viva España!

— ¡Salcedo! — avisó Gerardo —. ¡Cuidado, Salcedo!

Había visto el grupo que se infiltraba por la derecha para cortar la retirada a nuestra avanzadilla. Volvió a gritar, y, al momento, comprendió lo vano de su acción. Era imposible que le oyesen y a él mismo le pareció como si se hubiese quedado repentinamente mudo. Un camillero llegó hasta él con la cara extrañamente blanca.

— ¡Los moros, teniente! — le dijo —. ¡Están ahí! ¡Los moros!

Estaban muy cerca, inexplicablemente cerca. En la cima,

a escasos metros de ella, nuestras fuerzas luchaban cuerpo a cuerpo contra las olas de enemigos. Se escuchaban sus gritos inarticulados, y las descargas de las tropas, agrupadas en un pequeño grupo, compacto.

"Han formado el cuadro", pensó Gerardo.

Estaba muy sereno, pero completamente inmovilizado. Él mismo contó después que no se le ocurrió nada, ni siquiera avanzar o huir. De pronto el camillero dió un grito y se arrojó en sus brazos.

— ¡Teniente! ¡Por favor, teniente! ¡Sálvenos!

Gerardo le sacudió, y, como volviera a abrazarle, le golpeó hasta derribarle. El acto le devolvió a la acción. Se volvió a los otros camilleros y al personal de los mulos.

— ¡Arriba! — ordenó —. ¡Vamos a ayudarlos!

— ¡Pero no tenemos armas!

— ¡Coger los fusiles del suelo! ¡Arriba digo!

Cargaron en una carrera loca. Gerardo escuchaba junto a él los gritos de su cabo.

— ¡A por ellos! ¡A por ellos! ¡Huy!

Gritaba como cuando se persigue a los caballos para enlazarlos y su grito tenía también algo de relincho animal. Arriba, el pequeño grupo dejó de disparar. Gerardo vió a los moros frente a él. Una serie de rostros gesticulantes y oscuros:

— ¡Por España, muchachos! ¡Dios está con nosotros!

La última imagen que conservó fué la de un machete que se alzaba. El último sonido, el ¡huy! del cabo, caído ya en tierra y transformado en un quejido.

Después, pasaron las horas. Ben Asar, de la cabila de Beniurraguel, tomó un fusil del suelo, y, tras sopesarlo, apuntó a un pájaro negro, que volaba sobre la loma. El pájaro cayó, con sus grandes alas extendidas.

El sonido del disparo despertó a Gerardo. Lentamente comenzó a deslizarse en dirección al barranco.

VI

Le desembarcaron de un barco blanco, que se pegó al muelle hasta casi rozar los maderos. Tenía las planchas algo herrumbrosas, de un color como el que deja el tabaco. La cadena del ancla estaba tensa y de los costados brotaban chorros de agua.

La escala se tendía, desde la cubierta a tierra. Gruesas maromas sujetaban el barco a popa, y la proa se escoraba, apuntando a la ría. Por la escalera, con sumo cuidado, unos soldados de escasa estatura hacían descender las camillas hasta la ambulancia que aguardaba al pie. Recuerdo que me llamó la atención lo pequeños que eran y las telas que llevaban, sujetas al gorro, para protegerse del sol. Las camillas cruzaban delante de nosotros, antes de cargar en la ambulancia, y veíamos los rostros de los heridos, delgados, con los pómulos salientes, el pelo rapado y la barba larga. "Tienen aire de misioneros", pensé, y estuve repitiendo la palabra durante algún tiempo; "misioneros, misioneros". Junto a la chimenea escapaba un pequeño chorro de vapor. Las lanchas salvavidas colgaban a los lados, con sus grandes panzas redondas.

Cati estaba junto a mí, cogida de mi brazo. Más allá, los grupos de familiares, que aguardaban también, y algunos curiosos. En la borda del barco se veía un oficial, dando órdenes. Las camillas descendían, inclinadas, y se veía pisar a los camilleros con mucha atención los travesaños de la escalera, como si temieran que se les fuese a escurrir la carga. Un fogonero, con camiseta sin mangas, lo miraba todo, sucio de carbón y grasiento.

Aneli, apenas se enteró de la llegada de su hermano, comenzó a ponerse inquieta y acabó por huir. Eso hizo, literalmente, y nunca la vi tan desmoralizada. Llamada por la nostalgia de la tierra había llegado, apenas el Casino se abrió, acompañada de Filkenstein y de Madame Kubinye, a quien la ciudad llamó al punto "la china".

—Pero, Aneli—le reproché, apenas estuve a solas con ella—, ¿cómo se te ha ocurrido traerlos?

—¿A quién?—repuso Aneli—. ¡Bah! Filkenstein es inofensivo; se empeña en que aquí puede haber una magnífica base la próxima guerra. ¿Qué más da?

—¿Y Madame Kubinye?

—Verás; no me podía separar de ella...

En seguida noté que el influjo de Madame Kubinye había aumentado durante mi ausencia. Era triste para Aneli. Hasta el mismo Filkenstein se permitía algún comentario compasivo sobre ella.

—Esa pobre mujer—me decía—. ¿Ha visto usted cómo juega. Parece que se envenena.

—Todos jugamos, Filkenstein...

Era verdad. Todos jugábamos con una desesperación no conocida hasta ahora, yo, sobre todo. Yo jugaba para ganar. Vagamente percibía que las cosas habían cambiado y que el dinero me era muy necesario. "En cuanto gane, lo dejaré—me decía—. Un buen golpe, sólo uno, y me retiraré. La mala suerte no puede durar." Por eso, cada noche, me sentaba a la mesa como quien se dispone a reñir una batalla decisiva. Pero fué una racha catastrófica. En vista de ello decidí seguir el juego de primo Juan. Siempre había tenido suerte. Primo Juan similó no notar mi táctica. Durante algún tiempo la suerte vaciló, indecisa, y ni perdimos ni ganamos. Hasta que una noche se decidió.

Fué la noche que estuvimos a punto de desbancar. Estaría mediada la velada; Aneli y Madame Kubinye jugaban junto a Jean. Yo me separé de ellas y me acerqué al primo. Coloqué unas fichas en su número y el número salió. Las coloqué de nuevo y volvió a salir. Entonces, nervioso, le empujé y ocupé su silla. Le vi vacilar y como, después, se encogía de hombros, continuó a mi lado y apostaba la misma cantidad que yo, dejando caer las fichas para contarlas. El número volvió a salir. Doblamos la puesta y salió de nuevo.

En la sala se produjo ese especial rumor que acompaña las rachas excepcionales. De las otras mesas se acercaron a la nuestra; un grupo ansioso nos rodeó y algunas manos se alargaron para colocar, tímidamente, sus fichas junto a nuestro montón. Enfrente vi agitarse a un hombrecillo triste, de barbita corrida y traje sucio. Prestaba a los jugadores y les compraba joyas. Se llamaba Barquín.

Hacía años que pululaba por el Casino, pero nunca hasta entonces se me había ocurrido fijarme especialmente en él. De pronto sus rasgos se me quedaron grabados y me pareció que su rostro se acercase, hasta que sólo vi sus lentes, de gruesos cristales; la barba, ridículamente recortada; la tez oscura y el traje, muy brillante y escaso de tela. Jean aguardaba, y le hice señas de que la puesta seguía en el mismo número. Vi como los ojos de Barquín parpadeaban, muy rápidos. Recordaban los de los gallos.

Cuando el número salió de nuevo, el rumor volvió a sonar. En torno a la mesa se agrupaba un público numeroso; más concretamente, en torno a primo Juan y a mí. Los demás no tenían importancia, y colocaban sus fichas como por compromiso, sin fe ni casi interés. Sentí que se abrían camino a mi lado, y vi a una mujer, de aspecto pueblerino, que me suplicaba:

— ¡Por favor! ¿No le importaría que jugase a su número? ¡Por favor!

¿Para qué querría ganar aquella mujer? ¿Por qué extraños caminos el demonio del juego llegó hasta ella? Dejó una ficha, que parecía absurdamente pequeña junto a nuestro montón.

Noté la mirada de Jean y levanté los ojos. Por una vez Jean había dejado de ser un "croupier" impersonal y me aconsejaba claramente que me retirase. "Déjelo, "monsieur" —podía leerse en sus ojos—. Esto del juego es un sucio negocio, que nunca se remata. Todo iría bien en él si no se pretendiese llegar hasta el final. Yo le quiero, "monsieur"; su padre me trajo aquí. Déjelo, es una fortuna."

Vacilé y primo Juan se inclinó sobre mí.

—Déjalo, Arturo—me aconsejó también—. Ha salido cinco veces.

—¿Y tú?

—¡Oh, yo sigo! Pero, ya sabes; yo soy diferente. Soy jugador... y solo.

Fué la primera vez que la imagen de Cati y los niños apareció sobre el tapete verde. Le miré, como se mira el agua de cuyo fondo surgen los ahogados.

—"Faites vos jeux, dames, m'sieurs"—pronunció Jean con una leve vacilación.

—Va todo.

Hubo un momento en el que hasta el aire se paró. Después Jean, cansadamente, recogió nuestro montón de fichas. Dos criados, que habían llegado con dos cajas de repuesto, se las volvieron a llevar. Miré a Aneli y la vi sonreirme con mucho esfuerzo.

Introduje la mano en el bolsillo, buscando más dinero. La sala me daba vueltas, y, pasada la excitación, sentía invadirme de nuevo la tristeza. Removí los dedos en el bolsillo vacío. Primo Juan me cogió del brazo.

—Anda, ven; vamos a tomar una copa.

Aneli y Madame Kubinye nos siguieron. Filkenstein, indiferente al juego, estaba en el bar, con su coñac delante, explicando al camarero jefe las ventajas estratégicas del Rin. El camarero le escuchaba como si fuera el mismísimo Klausevicht. Estaba de acuerdo con Filkenstein; el Rin era absolutamente inexpugnable.

—Figúrese—decía Filkenstein—ciento veinte metros de orilla y un fuego aquí, y, otro, cruzando, aquí.

Cuando nos vió, quedó inmóvil, con el dedo puesto sobre la teórica situación del último fuego. Tragó saliva.

—¿Qué, qué sucede Pardo? ¿Se ha puesto usted malo... Krank?

—No—contestó Aneli—. Dame tu coñac.

Le bebí y su calor me resultó muy grato. También el bar, de madera oscura, con grabados ingleses de caza y diligencias.

—Tienes los labios azules—me dijo Aneli—. ¡Pobre Arturo!

Fué la vez que escuché mayor ternura en su voz. Fué, lo sé bien cierto, la vez en que más juntos estuvimos, en que nuestros pequeños espíritus se colocaron al lado, y, por algún tiempo, marcharon al mismo paso. Tontamente, como si ella pudiera comprenderlo todo, le dije:

—Ya ves, Aneli.

Y ella me repuso, con una extraña inmovilidad:

—Sí; ya ves, Arturo.

Filkenstein me sirvió otra copa. Los tres me acompañaron hasta la puerta del casino y dieron orden a Pitt de que no caminara muy de prisa.

VII

La noticia de mi última hazaña se extendió como un reguero de pólvora por la ciudad. Afortunadamente, en ese único sentido, claro, los sucesos de África la relegaron en seguida a segundo término. Todos nos impresionamos mucho con ellos, y, sin querer, recordamos las jornadas del 98, cuando perdimos nuestro imperio. ¡Pero los moros no eran los yanquis! Poco a poco una saludable reacción se operaba en los espíritus. Los excesos de socialistas y anarquistas acabaron de colmarla y nos dispusimos a cortarlos. Cuando, el día 27, nos llegaron noticias de lo del Barranco del Lobo, yo pedí al cielo que no se movieran; de hacerlo, lo hubieran pasado mal. Pero Julio y sus secuaces se mostraban sensatos, o acaso sintieran también la derrota. Arturo reprimía unas lágrimas impotentes.

—¡Y "El Cantábrico", que da la razón a los moros!

Aunque no con la claridad de Pablo Iglesias, "El Cantábrico" lo dejaba entrever así. Los días siguientes, la agitación aumentó. En Madrid hubo un mitin de protesta contra la política gubernamental, con grandes cartelones que decían: "¡Abajo la guerra! ¡Que defiendan la Patria los que la explotan!" Barcelona, Bilbao y Valencia siguieron a la capital. Cuando los batallones salían de los cuarteles, las mujeres se acercaban a los soldados, gritándoles como furias:

—¡No obedezcáis! ¡Dejar las armas! ¡Que vayan ellos!

Ellos eran los oficiales, que vigilaban, con las manos cerca del revólver.

—¡Tirad las armas! ¡A la m... los que mandan! ¡Tirad las armas si los tenéis, calzonazos!

Se escuchaba una orden. Una voz seca e impersonal.

— ¡De frente, march!

Las piernas de los soldados se alzaban al tiempo y un son arrastrado corría sobre el suelo. Los soldados doblaban la esquina como un abanico. Atrás quedaban los gritos de las mujeres.

— ¡No los tenéis! ¡No los tenéis!

En Barcelona había barricadas, se incendiaban conventos y se disparaba contra los soldados desde los balcones. La guarnición era escasa, después de la partida de los cazadores del Rif, y la Guardia Civil y las fuerzas de seguridad no bastaban para enfrentarse con los rebeldes. Cuando nos llegaron las primeras noticias sobre Gerardo, Barcelona ardía ya por los cuatro costados, y, con ella, Mataró, Sabadell, San Feliu de Guixols, Vendrell, Manresa... "El Atlántico" hacía, sin cesar, llamadas al orden y al patriotismo, y Polancuco se convirtió en un personaje muy popular. Se le veía constantemente con Bermúdez, el coronel Bermúdez, un hombre tripudo, con un magnífico historial militar, que había llegado hacía poco para mandar las fuerzas que ocupaban los nuevos cuarteles del Alta. Cuando Bermúdez caminaba, hacía pensar en un lanchón cortando el agua, tan agresiva era su prominencia anterior. Polancuco, a su lado, parecía esconderse para que no le viera San Juan.

"El ejército es el pilar de la patria", escribía Polancuco, y las gentes pensaban que se podía estar tranquilo con un pilar de las dimensiones del coronel Bermúdez.

Fué el coronel el que nos trajo, personalmente, las noticias de Gerardo. Tuvo esta atención y madre se lo agradeció mucho. El coronel se dirigía a ella con gran respeto, impresionado, sin duda, por su aire de gran señora. Hasta juraría que sus ojillos se animaron con un juego galante. Por un momento, madre le miró, divertida; después, la máscara de lejanía e indiferencia volvió a caer sobre su rostro.

— Estuve en casa de su hermana — nos explicó Bermúdez — esa que llaman "la Viuda", y ustedes perdonen. ¡Guapa mujer y buena casa! Me recibió una asistenta china que tienen; su dama de compañía, o lo que sea.

—Madame Kubinye.

—Sí eso. ¡Ya decía yo que era china! La... bueno, la hermana de Séjournant pareció impresionarse mucho con lo que le conté de su hermano. ¡Claro que la cosa no era para menos, puño!

No lo era. Gerardo había llegado, medio muerto, a un blocao de las avanzadas, a la izquierda de Taxdir. Venía exangüe, sin una gota de sangre en las venas. Con la camisa se había fabricado un torniquete, que le apretaba el brazo, destrozado, a la altura del hombro. Pese a él, la sangre empapaba sus ropas. Gerardo olía a carne podrida, a pus y a miseria. En el blocao estuvo cerca de una semana, porque los malditos mohameds volvieron a atacar. Tenía fiebre muy alta y deliraba, llamando sin cesar a una tal Aneli.

—Su hermana.

—¿La Viuda se llama Aneli? ¡Qué raro, nunca lo hubiera imaginado! Bueno, pues la llamaba. El blocao casi no tenía agua y no podían darle de beber y menos lavarle la herida.

—Pero ¿ha hablado usted con él?

—No, pero he hablado con el teniente que mandaba el blocao; el teniente Velarde. Creo que es de aquí.

—¡Claro! El hijo de Isidoro.

—No —intervino madre—, seguramente será el de Fernando. El de Isidoro es muy pequeño todavía.

—Tanto monta —cortó impaciente Bermúdez—. El hecho es que Gerardo le debe la vida. Casi no durmió, vigilándole y espantándole las moscas.

—¿Las moscas? —se extrañó Cati.

—¡Claro que las moscas! Las hay gruesas como puños y llevan veneno en las patas. Huelen a los cadáveres, como los cuervos. ¡Uf!

El coronel Bermúdez era impresionantemente gráfico. Casi se sentía volar las moscas y batir el aire con sus grandes élitros. Llevé la conversación de nuevo hacia Aneli.

—Como les decía —prosiguió Bermúdez—, de poco no se

desmaya. Debe de querer mucho a su hermano. Me preguntó por él con mucho afán. Cuando le dije que le habían evacuado a Melilla y que podía escribirle, pareció cortada; después suspiró de un modo que partía el alma. ¡Puño, y qué bichos más raros son las mujeres! ¡Oh! — se detuvo, confuso — claro que yo no las conozco mucho.

—De acuerdo, coronel — repuso madre —, no se preocupe. Ya sabe lo que decía La Rochefoucauld; hay que elegir entre amar a las mujeres o conocerlas. ¿Viene? Tomaremos el té.

Aunque madre tenía muy poco de pedante, le gustaba citar a la Rochefoucauld, cuyas máximas se vendían en unos libritos muy bien encuadernados, pintiparados para regalos de cumpleaños. Las señoras saboreaban las máximas de La Rochefoucauld, breves y con un aire vago de recetas de cocina.

El pobre coronel Bermúdez tenía de La Rochefoucauld un lejano concepto transpirenaico. Era un franchute y él odiaba a los franchutes. No obstante, siguió a madre, admirado de su erudición y con el brillo de sus ojos más acentuado todavía.

Aneli faltó al Casino dos días seguidos. Al tercero, me envió un recado al despacho rogándome que fuera a verla. Me extrañó, porque hacía mucho tiempo que este tipo de relación había cesado entre nosotros. En París, todavía cubríamos las apariencias. Como decía Aneli.

—Hay que tener un amante oficial, ¿comprendes? Es por la respetabilidad.

Pero en la ciudad no había por qué molestarse. Nuestros coches se separaban a la puerta del casino, y, aunque las gentes siguieran murmurando a propósito de la Viuda y el Marqués del Pardo, no sabían cuán equivocadas estaban. No hay nada más casto que el hastío.

Fui, pues, preocupado, al piso de Aneli, y la encontré rodeada de una montaña de baúles. Filkenstein paseaba, agitado, de arriba abajo, y Madame Kubinye, reclinada en un sofá, parecía completamente ajena a cuanto pudiera transcurrir en este bajo mundo. Sobre una mesita negra divisé una cajita de oro. Tenía razón Bermúdez: parecía más china que nunca.

— "Oh, mein Gott!" — suspiraba Filkenstein —. Pero ¿por qué irse ahora, precisamente ahora, cuando estoy terminando el estudio de la costa, de las playas y los fuertes? ¡Y esta... loca, decide irse, a todo correr, como si hubiera cometido un crimen! ¡Quédate unos días, Aneli, lielelein! ¡Unos días tan sólo!

Me impresionó el aspecto de Aneli. Nunca la había visto tan asustada, sin preocuparse de disimular, como si todas sus reservas de energía se hubieran agotado. Temblaba y yo pensé que, seguramente, volvía a tener frío. Me pidió:

— ¡Por favor! ¡Diles que se vayan y que nos dejen solos! ¡Quiero hablar contigo, Arturo! ¡Díselo!

La invitación era muy directa. Filkenstein dió un portazo al marcharse; Madame Kubinye se alzó lánguidamente, y, al pasar junto a Aneli, le acarició los cabellos, con un ademán de ánimo, sin una palabra.

— ¿Qué es lo que ocurre? — pregunté a Aneli —. He venido a todo correr. ¿Por qué me llamaste?

— Arturo — me dijo Aneli —. ¿Es verdad... que vuelve Gerardo?

— Sí, pero...

— ¿Herido?

— Herido. Sin embargo, creo que no grave. Lo peor ha pasado ya.

Pero Aneli no conseguía dominar su crisis de pánico. Me cogió la mano y me la apretó con fuerza. La sentí temblar y como sus temblores iban aumentando.

— ¡Vámonos, Arturo! — me suplicó —. ¡Vámonos antes de que vuelva!

— Antes que vuelva — repetí, extrañado —. Pero ¿por qué? Al contrario, voy a esperarle. No me he portado muy bien con él, desde luego, pero es mi amigo.

Aneli inclinó la cabeza.

— No me lo reproches.

Fué su actitud desvalida la que me movió a acercarme a ella. Me daba pena. Compartía la lástima de Filkenstein, y, como él, la veía al borde de la ruina, con los nervios deshechos y los años haciéndola sentir su carga, pero muy bella aún, y, cosa extraña, más deseable en su abandono. Creo que fué por esto por lo que accedí a lo que después me pidió.

—No te lo reprocho, Aneli. No podemos reprocharnos nada el uno al otro. Nunca me has engañado y yo... te acepté como eres.

La sentí estremecerse y pedí al cielo que no llorase, como la noche de París. No hubiera podido soportarlo. A la luz, no hubiera podido soportarlo.

—¡Oh, Arturo! —dijo, y calló en seguida. Me miraba con temor, a hurtadillas, como si me descubriese.

—Pero, Aneli —la animé— ¿Por qué tomar las cosas de ese modo? Gerardo está fuera de peligro, te digo. Debes esperarle. No te tiene más que a ti.

—¡No, no! Es que... no sabes ¡No puedes saber!

Por lo visto Aneli será siempre un misterio para mí. Desde luego que no sabía. Y sólo el miedo de Aneli me impedía encogerme de hombros y dejarla por imposible. Pero su miedo era una cosa real e impresionante, que transcendía a sus menores ademanes.

Con un gran esfuerzo consiguió serenarse. Se levantó y me dije que durante los últimos días había adelgazado mucho. Tenía un talle de muchacha, y, si volvía la espalda, recordaba la Aneli de los primeros tiempos.

Se volvió hacia mí sonriendo. Aunque tenía los ojos tristes, consiguió sonreir.

—No hablemos más de eso —me pidió—. Me voy, de todos modos; está decidido. No me atrevo a enfrentarme con Gerardo. Quizás algún día sepas lo ocurrido entre los dos —al ver mi gesto de asombro, se apresuró a cortar mis palabras—. No me preguntes, no te contestaría. Además, no te he llamado para eso.

—¿Para qué, entonces?

Esta vez su sonrisa era más libre: su miedo quedaba, poco a poco, atrás.

—A última hora he descubierto que soy una sentimental. Arturo, ¿te importaría llevarme a Puente Alamo?

Mi asombro no conoció límite... ¡A Puente Álamo! Pero ¿por qué endiablados registros se le ocurría salir a Aneli?

—Aneli, ¿estás loca? Tú sabes que Puente Álamo se ha convertido en un lugar más público que las playas de veraneo. Todo el mundo va allí, a comer, a merendar. No hay excursión que no termine en Puente Álamo y en sus célebres fuentes de entremeses. Parece que les trajimos suerte a Celes y a Toñuca. Por lo menos, a ésos le trajimos suerte.

Aneli estaba junto a la ventana y miraba la bahía. Se volvió, y, otra vez, me sentí impresionado por su afán:

—No te pido que vayamos... como antes... ¡Oh, no Arturo! El tiempo es lo único que no resucita —pareció detenerse a meditar la frase y después se encogió de hombros—. No, quiero solamente merendar contigo allí. Hablar de lo que quieras, de cosas pequeñas, sin importancia. Ver otra vez los árboles y el viejo puente. Y volver... Nada más.

Era una locura. Por si todo fuese poco, habíamos de exhibirnos otra vez públicamente, levantar de nuevo las hablillas, producir quizás, un disgusto irremediable a Cati. Pero en la voz de Aneli había tal nota de ansiedad que no se lo pude negar. Creo que si hubiese llorado otra vez, o, simplemente, si su voz llega a temblar, le hubiera dicho que no. Pero se adivinaba tal esfuerzo en Aneli por mantener tranquila su voz, que callé, derrotado.

—Bueno, Aneli, iremos —dije por fin—. Quizá sea grato volver hacia atrás. Yo también —añadí lamentablemente— tengo ganas de ver los árboles y... el río.

Hicimos la excursión al otro día, bajo un sol ardiente, como pocas veces le vi. "Revolución" arrancó briosa. Y otra vez escuché el ruido de los cascos; cataplit, cataplot.

Cuando divisé el puente, me invadió una emoción inesperada. Sus piedras tenían un tono especial, distinto a todos, y yo le conocía de haberle mirado muchas veces, sin reparar en él; pero quedó en el fondo de mis ojos. Si algo hubiese cambiado, si una piedra hubiese sido sustituída por otra o si el agua no tuviese ya su tono oscuro y fresco, me hubiera parecido que alguien muy mío había muerto. Los grandes pilares verdinegros, la baranda de granito, los arcos, pesados y graciosos al tiempo, me recibían con el saludo de los siglos. No era a mí sólo al que saludaban, sino a todos los míos, que le cruzaron, niños primero, jóvenes después, después ancianos, y que le dejaron de cruzar, y cuyos pasos fueron sustituidos por otros, que siguieron su misma evolución hacia la muerte. El puente y el agua del río eran antiguos, como los deseos de los hombres, y mucho más duraderos que ellos.

— ¿Qué piensas? — me dijo Aneli —. Te has quedado muy silencioso.

A las puertas del mesón estaban parados tres o cuatro automóviles y un número igual de coches de caballos. Toñuca nos recibió con un alborozo discreto.

— ¡Oh, los señores por aquí! Ya los habíamos echado de menos. Creíamos que nos olvidaban y nos apenó.

Vacilante, no se decidía a franquear la puerta. Mirando hacia atrás, dijo al fin:

— Si quieren subir... háganlo con tiento. Ahora viene mucho personal aquí.

— No, Toñuca — la tranquilicé —. Sólo queremos ir al jardín. A cualquier mesa, lo mismo nos da.

— Pero muchas gracias de todos modos, Toñuca — añadió Aneli —. ¡Muchas gracias!

Nos sentamos en la mesa de atrás; una gran mesa de piedra, que cubría un emparrado. Cuando veníamos a Puente Alamo — ¿cuánto tiempo hacía ya? — no había nadie, y el pequeño jardín tenía el aire recoleto de un convento. Crecían macizos de bojes en él, y rosas claras; en el huerto verdeaban los manzanos y los perales dejaban pender sus frutos, como grandes gotas de agua. La lluvia quedaba en el hueco de la mesa y los pájaros acudían a beber en él; alguno se bañaba y sacudía después su plumaje, irisando en derredor. Una vez dos gorriones lucharon, a picotazo limpio, con una saña increíble en sus pequeños cuerpecillos.

Nos sentamos, protegidos por el emparrado. Cerca sonaban las voces y risas de un grupo juvenil, que vino de excursión. Se vió pasar a Toñuca con una fuente repleta, y, después, se

VIII

De todos ellos fué Filkenstein el único que sintió marcharse, por lo menos en apariencia. Vino a despedirse a villa "María Rosa" y conoció a Cati y a los muchachos. Le vi mirar en torno y calibrar la grata sencillez de la decoración, el jardín y el paisaje, más bello que nunca en esta época. Después salimos a la terraza. Me dijo:

—No le comprendo a usted, Pardo. ¡No le comprendo, "heim"!

—¿Quién puede presumir de comprender a nadie? Tampoco le comprendo yo a usted, Filkenstein. A pesar de tenerla lástima ha venido, como un perrito, detrás de Aneli. Y se va con ella.

—¡Bah, detrás!... Bueno, sí ¡y qué pasa, "heim"! Ir detrás de una mujer es normal, ¡pero detrás de unos pedazos de cartón! ¡Y teniendo esto!

—No me sermonee, Filkenstein —bromeé—. Si acaso, mándeme usted; es un prusiano.

—Tiene razón. Perdone, mein Freund.

—De nada. ¿Por qué siente marcharse?

—Aquí hay mucha simpatía por Alemania.

—Sí, en toda España la hay, pero aquí especialmente.

—Cuando estalle la guerra —no, no mueva usted la cabeza—. Cuando estalle la guerra podríamos encontrar ayuda aquí ¿no cree usted? Dinero, apoyos...

Pese a Filkenstein moví la cabeza otra vez, con resignada melancolía.

—Ayuda, quizá; dinero... No sé por qué me parece que los Quejada son anglófilos. Y los demás...

— ¡Pero sería un magnífico negocio! — me interrumpió, indignado, Filkenstein —. Alemania ganará la guerra en un abrir y cerrar de ojos. ¡Nuestro ejército es diez veces superior al de los franceses!

— Sí, desde luego...

— E, imagínese usted: el dinero invertido se multiplicaría por mil.

Se acercó confidencial.

— Las guerras son una mina de oro. Hace tres generaciones los Krupp sólo tenían una herrería.

"Como los Quejada", pensé. "Como los Quejada."

Recuerdo su cara, pegada al cristal de la ventanilla, y Aneli tendiéndome la mano, y Madame Kunbinye, sentada en el departamento, Aneli me suplicó:

— Dile a Gerardo...

— ¿Qué?

— No, nada.

— ¡Pero, mujer!

— Nada. Ya... le escribiré yo.

"¿Por qué estará tan nerviosa? — pensé — lo de Gerardo la ha destrozado" Aneli parecía temer la aparición de alguien. Se veía claramente que estaba deseando que arrancase el tren, y que sólo al mirarme se olvidaba un poco de ello. Entonces su mirada se volvía más tierna. A través del pequeño velo que colgaba de su sombrero tenía un aire vago, más rubio de lo corriente y más blanco.

Al volver a villa "María Rosa" me senté al piano. Ya he dicho que la música me agrada y me calma. Mis dedos se deslizaron sobre el teclado y comencé a tocar una gavota que me había enseñado el tío Max; la gavota de Seminard. La-ra-li-la... Tío Max se acercaba al piano y la tocaba lentamente: a veces volvía sobre las notas, porque se había equivocado.

La casa estaba impregnada de un gran silencio: era como si el silencio calase en los muebles, en las maderas, en los mismos cimientos, confundidos con la tierra. Sonaban los rumores del jardín, el del agua del estanque, la música que nacía de mis dedos, pero nada de ello rompía el silencio, por-

que todo formaba parte de él. En aquel momento me sentí
parte de la casa y de su silencio; sentí que mi respiración, el
ruido de mis pasos, el chasquido de mis labios, el casi invisible movimiento de mis párpados, tampoco le rompían, porque se integraban en él. Sentí viva a villa "María Rosa", con
una vida que no era suya, sino nuestra; de madre, de Cati,
mía, de la pobre Esperanza... Villa "María Rosa" tenía el calor
de nuestros cuerpos y su latido era el de nuestros pulsos.

Me pareció que la mano de tío Max guiase la mía mientras
tocaba aquella música que, no sé por qué, me vino a la memoria. Y de pronto, como un viento, percibí la presencia de
padre junto a mí. La percibí concreta, y, casi, el murmullo de
sus palabras y el calor de su aliento, cuando se me acercaba.
Seguí tocando, maquinalmente, mientras la presencia de padre me traía un sinnúmero de recuerdos. Vi otra vez sus
gestos, el modo que tenía de fruncir los ojos, los ademanes
de sus manos; escuché el tono de su voz, y el de sus pasos,
cuando se alejaba; vi el color de su piel y el de su mirada. Cada uno de los recuerdos pertenecían a una época
distinta, y el padre que yo sentía junto a mí era una mezcla
de todas ellas, sin edad, compuesto por mis primeras evocaciones, y por las últimas, por la última sobre todo, cuando cogió
a Max del brazo y atravesaron juntos la pradera, camino del
"Cabo Machuca". Le vi sentarse, con su especial modo de dejarse caer en la butaca, como si la dominase, y reir con su risa
de las buenas épocas, satisfecho y feliz. Le vi coger el brazo
de Max, aquella mañana de buen sol, y le imaginé bajo la
negra tapa de la caja. Me parecía que quisiese decirme algo,
pero que sólo acertaba a estar junto a mí, como si también
él se maravillase de haber podido llegar a mi lado.

Después, todas estas imágenes cambiaron por otras, más
concretas. Creo que, subconscientemente, mi espíritu había estado buscando la explicación de aquel curioso estado en que
había caído. La gavota seguía sonando: la-ra-li... la-ra-la...;
la gavota de Seminard. Max la tocaba, y, sobre el piano, el
gran espejo dorado devolvía parte del recibimiento y la puerta;
más allá se veía la pradera y el principio del sendero. Había

flores sobre el piano — grandes flores blancas, como las que
madre colocaba cada día en el cacharro de bronce —, que temblaban si la pulsación era muy fuerte. Yo acompañaba a tío
Max, de pie tras él. Y, en medio de una cascada de notas,
sentí esta misma sensación de ahora y supe que padre estaba
escuchando, sin necesidad de levantar la cabeza y verle re-
flejado en el espejo. Me hizo el efecto de un aparecido, de
que su presencia no fuera real. Max dejó de tocar, y padre
se nos acercó, con el rostro muy pálido.

Llevado por estos pensamientos levanté la cabeza y estuve
a punto de lanzar un grito. Una sombra aparecía en la puerta,
en la misma postura en que estuvo mi padre, y, aunque no
pude distinguir su expresión, la postura y los ademanes eran
exactos a los de él. Un poco encorvada, parecía que se dispusiese a atacarme. En aquel preciso momento, caí en que
también padre, muchos años atrás, se acercó a Max como si
sintiese animosidad contra él.

Mis manos recorrieron aún algunas teclas; después se detuvieron, perdido ya todo impulso. Goyo avanzó. Yo le veía crecer en el espejo. Cuando estuvo cerca, me volví.

— ¡Goyo! ¿Qué sucede? ¡Me has asustado!

Nunca había visto aquel gesto, de odio y dolor a la vez, en
la cara de Goyo. Tampoco vi temblar sus manos ni nunca me
miró así, de frente y sin pensar en desviar los ojos. Era un
Goyo nuevo y poseído de una rabia infinita. Posiblemente mil
encontrados sentimientos se disputaban la supremacía en él,
pero, de todos, era la rabia el que prevalecía. Cuando habló,
lo hizo tartamudeando y causaba el efecto de que fuese a
echar espumarajos de un momento a otro.

— ¡Aneli! — rugió —. ¡Se ha ido!

Balbucí sin reponerme.

— ¡Claro que se ha ido! Vengo de despedirla.

— ¡No digas sandeces, imbécil! ¡Se ha ido con Filkenstein!

El asombro me impidió reaccionar. Imaginaos que el ma-
harajá de Kapurtala tirase de las narices al Príncipe de Gales
durante la ceremonia del coronamiento. Algo semejante sentí
yo al oir que Goyo me llamaba imbécil.

—Lo han estado fraguando todo delante de tus narices. ¡Delante de tus narices! ¡Y tú, como un idiota, arruinándote en el casino! ¡Te la ha birlado, imbécil... te la ha birlado y nunca más la volverás a ver!

Tuvo un nuevo acceso de ira y pareció que las palabras se le amontonasen en la garganta. Yo recuperaba, lentamente, la serenidad. Mi primera sensación fué de extrañeza. ¡Goyo interesándose de aquella manera por Aneli!...

—Y a ti ¿qué te importa?—le repliqué—. ¿Quién te ha dado permiso para intervenir en mis asuntos personales? Tú administra mi dinero, y en paz.

Me apretó el hombro con una mano frenética. Su rostro estaba cerca del mío y veía sus ojos, amarillentos, cruzados de venillas rojas.

—Pero ¿es que no vas a hacer nada?—rugió—. ¡Se escapan, te digo! Filkenstein ha andado detrás de ella todos estos años, y, por fin, la ha hecho caer. Se la llevará a su maldito castillo, y no volveremos a verla. Le conozco, es capaz de llenar los fosos y levantar el puente ¿Qué haces ahí, parado? ¡Corramos tras ellos!

Sonreí, ya tranquilo.

—Han salido en el tren de las diez, Goyo. Y es casi la una.

—No importa—insistió—. Nos queda el coche de primo Juan. ¡Podemos adelantarlos todavía, antes de la frontera! ¡No dudes, hombre! ¡Vamos!

Meneé la cabeza.

—No, Goyo; déjalo, más vale así. No lo entenderás, pero más vale así. Que se vaya. ¡Ojalá no hubiera venido nunca!

Me llevé una mano a la frente. Es un ademán que repito mucho cuando pretendo impresionar a los demás con mi desaliento. Es... no sé, como el de un rey al que le pesase demasiado la corona.

—¡Idiota! ¡Cretino! ¡Mal... maldito cretino!

Goyo se ahogaba, materialmente. Alcé la cabeza y le vi plantado frente a mí, con los puños cerrados. Le temblaban los labios de un modo extraño, como los de los caballos cuando han corrido. Instintivamente, retrocedí. Me sabía en un gran pe-

ligro. Aquel Goyo desconocido me odiaba con todas sus fuerzas
e iba a intentar matarme. No se me ocurrió gritar; aquélla
era una cuestión entre los dos. Una fuerza ancestral nos empujaba al uno contra el otro, y, aunque yo no odiaba a Goyo,
me parecía natural su odio y que, a causa de él, fuésemos
a luchar, como dos alces que se encuentran sobre la nieve.

— ¡Cállate, Goyo! — mandé —. ¡Cállate y vete! Después hablaremos.

— ¡Sí, cállate! — repitió, y se fué acercando lentamente —.
¡Cállate, obedece, y que el señor marqués triunfe y goce de
la vida! ¡Cállate, entrega dinero, y que el señor marqués lo
derroche en todas las timbas y casinos. ¡Cállate, Goyo, Goyo el
Negro, perro fiel, que se debe dejar matar antes que le ocurra
nada al señor marqués! ¡Maldito imbécil! ¡Maldito cobarde!

Por extraño que parezca, nada de aquello me asombraba.
Creo que existe en los hombres una especie de intuición que
los avisa de lo que va a ocurrir. Aunque me hubiese negado
a él, este aviso debió de sonar bastante tiempo antes, porque,
si no, no podría explicarse que estuviese escuchando a Goyo,
estremecido hasta la medula de los huesos, sí, pero como si
ya supiese de antemano las palabras que iba a pronunciar.
Las temía, desde luego, y hubiera dado la vida por evitar que
Goyo hablase. Pero, al mismo tiempo, sabía que no podía hacer
nada para evitarlo.

— ¡Cállate! — repetí —. ¡Te prohibo que sigas insultándome!

— Me lo prohibes ¿eh? ¡Orden del señor marqués! ¡El señor Marqués lo manda y todos boca abajo! ¡Yo me quedo en
París; tú defiende mi dinero! ¡Yo me canso de Aneli; tú pre-
para mi vuelta y hazme la cama de Cati!

Si, no la hubiese nombrado, creo que, a pesar de todo, no
hubiera sucedido nada irremediable. Al oir el nombre de Cati
en sus labios, sentí también una furia homicida, unos locos deseos de matar. Entonces comprendí que puede matarse, y
quedar tranquilo, descansando. Avancé hacia Goyo.

— ¡Eres un miserable! — le dije —. ¡Hasta ahora no te he
conocido. ¡Márchate! ¡Márchate, te digo!

Le señalé la puerta. ¡Que se fuese! ¡Que desapareciera de mi vida!

—¡Eso es! — dijo Goyo, y le escuché reir. Era una risa absurda, que nada tenía que ver con nosotros ni con lo que nos estábamos diciendo—. ¡Vete! ¡Cobra tu sueldo, criado, y vete! ¿Con qué me vas a pagar?

Quedé inmóvil, con la mano señalando todavía la puerta.

—No tienes un céntimo, ni un céntimo ¿oyes? ¡Te he arruinado yo! ¡Yo! ¿Te enteras? ¡He vendido tus acciones! ¡He pedido prestado en tu nombre! ¡No te queda nada! ¡Nada, Arturo!

Mi nombre sonó extrañamente familiar. Así nos llamamos de niños, cuando estudiábamos en el Instituto. El Instituto tenía una escalera pina, con muchos peldaños. Ildefonso, el bedel, le pedía un vaso a Colás; "¿Tendrás un vasuco, ye?"

—¡Te odio! — repitió Goyo. Ya no gritaba; parecía como si desease que solamente le oyese yo —. ¡Dios, cómo he luchado para disimular mi odio, para que nadie se diese cuenta de él! ¡Día tras día odiándote, doblegado ante ti, viéndote poderoso, feliz! ¡Tú lo tenías todo! ¿Por qué lo tenías todo? Te serví, arrastrándome como un lacayo, y no me importaba, porque eso mantenía mi odio. Le cuidé como mi única razón de vivir. Creo que si hubiese dejado de odiarte, hubiera muerto. A veces, cuando no podía más, me decía: "Espera. Un día caerá. Un día estará a tu lado, más bajo aún que tú." ¡Ya has caído, Arturo! No tienes nada. ¡Nada! ¡Te lo he quitado yo!

Se detuvo, vencido por su propia emoción. Era espantoso. En la voz de Goyo había una alegría inmensa, una especie de placer carnal. Parecía que gozase físicamente al pronunciar sus palabras, que viviera una orgía arrebatada, un minuto de indecible éxtasis.

—Cuando empezaste a jugar comprendí que mi ocasión había llegado. Te di dinero sin cesar. Tú no preguntabas. Eras tan fácil de engañar como un niño. Sólo vivías para el juego... y para Aneli.

Su voz se quebró. Había algo patético en su acento, en sus **preguntas.**

— ¿Por qué la dejaste? Era poco para ti, ¿verdad? También era poco. No servía de nada que fuera hermosa, tan hermosa como ninguna mujer. Para ti era un capricho, y, en cuanto empezó a ser una carga, la dejaste a un lado. — Añadió lentamente —: ¿No pensaste que sufría?

¿Quién? ¿Aneli? ¿Aneli sufrir?

— ¿No pensaste que la hería tu desprecio? Yo la quiero ¿sabes? La quiero desde siempre, desde que la conocimos, tan blanca, tan parecida al maldito hipócrita de su hermano. Pero ella no reparaba en mí, ni siquiera me miró. ¿Cómo iba a hacerlo? A los dos os gustaba caminar por la vida con la cabeza alta, y yo estaba abajo. Hasta donde yo estaba, sólo llegaban vuestras órdenes. Goyo, dile a Aneli... Goyo, si ves a Arturo... Ella era feliz contigo y la dejaste.

¡Pobre Goyo! A pesar de su monstruosa conducta, a pesar de su traición, Goyo me daba pena. Había idealizado a Aneli como un esclavo puede idealizar a una diosa. ¿Qué importaba lo que la diosa hiciese? ¿Acaso los dioses pueden pecar?

— Cuando me pidió dinero, supe que sería mía, ¡y lo fué! Cada caricia de mis manos la hacía estremecer, pero debía someterse porque la pagaba. La hice sufrir como nadie. En esto, por lo menos, nadie pudo igualarme.

— ¿Le... le diste mi dinero?

Mi voz sonó débil, desfallecida. Goyo se echó a reir.

— ¡Tu dinero! ¡Claro que le di tu dinero! El dinero de la mina, el del hospital, el del banco, el de las acciones, el de todas tus compañías... ¡Claro que se lo di!

— ¡Y ella! ¿Lo... lo sabía Aneli?

— ¡Lo sabía! ¡Lo sabía! ¡Lo sabía! — Goyo repitió las palabras. Las pronunciaba con el aliento, nada más que con el aliento —. Y, ¡óyeme!, eso la hacía feliz. También ella odiaba tu maldita superioridad, tu distancia, el que nunca te manchases porque podías permitírtelo todo. ¡Oh, sí, podías permitírtelo! Pero, poco a poco, te acercabas a nosotros. Y ella te quería. No podrás entenderlo. ¿Cómo vas a entenderlo si eres un ser superior, un estúpido y orgulloso ser superior? Pero te quería, y tú la dejaste en los brazos de los demás, y, cuando pretendió herirte, la miraste con indiferencia. A veces, cuando estaba conmigo, me preguntaba si te odiaba mucho.

Se detuvo y murmuró:

—Siempre me hablaba de ti cuando estaba conmigo.

Quedó callado y me acerqué a él. Me sentía extrañamente sereno. De todo aquello, sólo una cosa perduraba en mí; por fin veía claro. Por fin el abismo que se abría bajo mis pies mostraba su fondo. Pregunté:

—Dime, Goyo. ¿Es mucho lo que le diste? ¿Es... todo?

Alzó la cabeza. Volvió a gritar y la especial y morbosa intimidad que se había establecido entre nosotros desapareció. Era, otra vez, un loco venenoso y herido, una furia vengativa y baja que me odiaba con todas las fuerzas de mi alma. Yo también me sentí arrebatar. Estas cosas pueden sucederos; tan pronto estáis fríos como la nieve; tan pronto los deseos de matar vuelven a vosotros, y los dedos se os hielan como si necesitasen sangre para calentarse. Goyo me había traicionado. ¡Goyo y Aneli!

—¿Todo preguntas? ¡Ja, ja! ¡Estás arruinado, te digo, ¡arruinado! Eres pobre como los que piden en las iglesias, como los que viven en las cuevas del Pico. ¡Oh, he tenido buen cuidado en ello! No es fácil arruinar a un gran señor como tú, sobre todo si es hijo de un hombre como tu padre, que trabajó para que su hijo fuese el más rico de la provincia. Pero lo he conseguido. ¡Lo he conseguido, señor marqués! Tendrás que pedir y suplicar, de despacho en despacho. No podrás dormir y llorarás de angustia. Por fin te faltará algo. Y soy yo el que lo ha conseguido. ¡Yo!

Se puede matar por odio —pensé otra vez, mientras Goyo gritaba—, se puede matar por venganza, se puede matar por codicia. También se puede matar por asco.

—Todos lo sabían y se reían de ti. Hasta tu amigo Gerardo, el puro, el sublime Gerardo, que no se atrevió a hablarte, y que, como única solución, encontró la de hacerse matar. ¡Cobarde! ¡Todos sois unos cobardes! ¡Sólo yo he tenido el valor de perseguir lo que quería! ¡Sólo yo, entre todos!

Vencido por su emoción, se derrumbó en una silla. Como si

no pudiera sostenerla, ocultó la cabeza entre las manos. Yo extendí las mías. Le tenía allí, a mi merced, un reptil repugnante, que se debe aplastar. Si le golpease, su cráneo se hundiría con un chasquido y la piel macerada se mezclaría con la sangre y el pelo. El golpe sonaría, sordo. La cabeza de Goyo se doblaría sobre su pecho. Había una sombra en su nuca cubierta por un pelo rizado.

— ¡También conseguí a Aneli! ¡Fué de todos, pero también mía! ¡Se estremeció de asco, pero fué mía, porque yo tenía tu dinero!

Vi un momento sus ojos, antes que volviera a ocultarlos. Sobre la mesita estaba el gran cacharro de bronce, con las flores que madre colocaba en él todas las mañanas. Un cacharro pesado, duro, sin brillo. Le cogí y las flores cayeron al suelo. Quedaron, blancas y sencillas, entre Goyo y yo.

—Cuando Aneli estaba contigo me sentía morir. Pasé noches enteras en la Casa Rosa, con su nombre en los labios, con su sabor en los labios, hasta que los labios se me secaron. ¡Me retorcí en aquellas camas, las únicas camas a las que podía ir! Y la mujeres se burlaron de mí y los marineros bebieron con tu dinero. He gritado, borracho, como un loco, y me han echado a la calle, como se echa a un perro! Pero, poco a poco, venías a mí! Espera, me decía, espera y también a él le tratarán así, también sabrá lo que es sufrir y desear.

Tenía una cabeza redonda, oscura, sucia. Sólo su cabeza se veía, con su rostro tapado por las manos. Si le golpease, su sangre saltaría y, después, comenzaría a fluir, mansa y tranquila. Una masa blanca surgiría de la herida, una masa blanca, blanda, temblona. Y, en seguida, todo se cubriría de sangre, y el pelo de Goyo tomaría un color rojo oscuro y su cuerpo caería junto a las flores.

— ¡Y se ha ido!... ¡Hasta en esto me has hecho daño, maldito! No la supiste conservar junto a ti, junto a nosotros. Se ha ido y no volveremos a verla.

Le oí llorar. A cada sollozo, el hueco de su nuca se movía, las sombras de su nuca se movían. Parecía extremadamente frágil. No había más que golpear...

— ¡Pero mañana todo el mundo sabrá tu ruina! La gritaré por las calles, por las plazas, a las puertas de tu palacio, el palacio de Pardo, el arruinado! ¡Y todos te despreciarán y huirán de tu lado!... ¡Todos, sí! ¡Cati, tu mujer! ¡Tu hijo!

Continuaba con la cabeza baja. Hablaba entre dientes y sus palabras sonaban irregulares por eso, como dichas de lejos y por varias voces. Y todas ellas repetían:

— ¡Cati, tu mujer! ¡Tu hijo!

Alcé el cacharro. Pesaba mucho, nunca pensé que podía pesar tanto. De pronto se me escapó de las manos. Me volví, y, como quien sale de un sueño, vi a madre a mi lado. Sus pies pisaban las flores, caídas en el suelo.

IX

Se ha hablado mucho en la ciudad de la ruina de los Pardo; se habla todavía. Fué una cosa inexplicable, aunque, según supe después, todo el mundo la esperaba. Así sucede siempre. ¡Qué se le va a hacer! Los sabios — hubiera dicho Aneli — son los que saben las cosas que van a suceder; los tontos, los que saben las que han sucedido.

A juzgar por lo que dijeron, había muchos tontos en la ciudad. Tontos que menearon la cabeza, y murmuraron: "¡Ya lo sabía yo!" Tontos que sentenciaron "¡tenía que ocurrir! ¡No podía ser de otra manera!" Tontos que sonrieron malignamente y comentaron entre sí: "¡Anda, el Marqués! ¡Al dique ha ido! ¡Al dique!" Y tontos que no acababan de creerlo, y que, maliciosos y de vuelta de todo, dijeron, para su coleto: "¡Sí, arruinado, arruinado! Con lo que le quede me conformaba yo!"

Sí, se ha hablado mucho de nuestra ruina. Pero nadie sabe, en realidad, a qué se debió, ni tampoco por qué, cuando todo parecía haberse salvado, se produjo total, irremediable y tan escandalosa como un cura borracho.

Quizás una sola persona pudiera explicarla: Gerardo. Pero Gerardo no habló y estoy seguro que no hablará jamás. El gran defecto de Gerardo es no hablar, guardarse las cosas para sí y convertir en un infierno su interior sin que nadie lo sospeche. Hay personas que se quejan por todo y otras que no pueden hacerlo. Gerardo pertenece a las últimas.

Quizá por eso me sonrió, con aquella sonrisa crispada, cuando, al llegar la camilla a la machina, nos acercamos a él. Sus ojos vacilaron un momento; después, la vieja luz brilló en ellos. Cuando hablé con él supe que ya conocía, lo mismo que si se lo hubiese contado, lo que me sucedió. No en detalles, naturalmente, pero, en mi historia, los detalles cuentan poco; lo que cuentan son los hechos.

Los detalles, ¿qué detalles podría señalaros para que siguierais, hasta lo último, este caminar mío, vacilante? ¿Que crucé ante madre, con la cabeza baja y turbado aún, como cuando se ha bebido mucho; que oí retroceder a Goyo y que, después, se cerró la puerta de cristales del jardín; que madre dejó el cacharro de bronce sobre la mesita y que recogió las flores, colocándolas de nuevo; que la esperé en el rellano, y que, cuando temía una escena difícil, se limitó a decirme?

—Vete a ver a Cati. Háblala.

De entre todo lo sucedido después de mi conversación con Goyo, acaso sólo dos detalles, entre tantos, merezcan señalarse. Uno, que madre me miró con la mirada de niño, cuando parecía a punto de decirme algo, sin atreverse, por dudas sobre mi capacidad. El otro, que, en vez de hablar con Cati, continué subiendo las escaleras, remonté nuestro piso, llegué a las bohardillas y me detuve ante el cuarto donde padre solía encerrarse los últimos años de su vida, para aislarse y recordar.

Me detuve ante la puerta; una sólida puerta pintada de blanco, y baja, de modo que casi alcanzaba su dintel. Yo conocía ya, naturalmente, este cuarto de padre; el "cuarto de arriba", como le llamábamos. De pequeño le visité muchas veces y padre me contó la historia del teatrillo, la del retrato con el marco de madera, la de la lubina del Padre Damián y la de los negritos de porcelana.

—Con estas dos pistolas cruzó Max los montes de adentro. Nos detuvo una partida que mandaba tu tío Juan Carlos... (1).

Después, según fuí creciendo, padre me dió a entender que

_____

(1) Ver EL AGUA AMARGA del mismo autor, y publicada por la misma Editorial.

no le gustaba que penetrase en su santuario. Dejé de hacerlo, pues, y casi le olvidé. Algunas veces, al mirar hacia arriba, me preguntaba qué haría padre allí, entre aquel mundo de recuerdos, cara a las ventanas que daban a los pinos y al mar.

Cuando padre murió, visité el cuarto. De repente. todos aquellos objetos sobre los que se había detenido su mirada cobraban una vida nueva y un nuevo valor. Eran los objetos de padre y en ellos había algo más que su sustancia; su espíritu estaba también allí, y el de las cosas que conoció y amó. Me estremecí, asustado. El cuarto tenía silencios y resonancias en los que nunca reparé, porque creo, de todo corazón, que antes no existían. Tomé el retrato de padre y la Primera, y, tras contemplarlo, lo volví a dejar, con cuidado, sobre la mesa, en la misma postura.

Antes lo hubiese hecho sin preocuparme de ello. ¿Qué importaba que estuviese de ésta o de la otra manera? Ahora, no. Ahora, su postura era la última que él vió, y no se podía alterar, porque aquel cuarto eternizaba su recuerdo. Era como una pequeña e íntima pirámide en la que debían permanecer, para siempre, los objetos de padre.

Madre la limpió, día tras día. Cuando Esperanza se vino a vivir con nosotros, la ayudó a veces. Las dos tenían el aire cuidadoso y reverente de dos acólitos que preparan su altar. Pero, pese a sus cuidados, el cuarto fué tomando aspecto de cosa muerta, y, aunque ni un gramo de polvo quedó sobre ninguno de sus muebles, parecía que se fuese depositando lento e invisible.

Cuando, tras empujar la puerta, penetré en él, comprendí que en la vida se necesita un refugio que nos aisle de todo, incluso de aquellos que queremos. Probablemente padre conquistó su soledad al cabo de mucho tiempo, y, en un principio, sólo pensó reunir sus recuerdos en un lugar recogido, lejos de aquellos que no podían comprenderlos. Después, poco a poco, conoció la soledad y necesitó de ella. Esto es algo independiente de lo que al hombre le suceda; lo mismo importa que sea dichoso o desgraciado. Ya veis, padre era muy feliz y yo muy poco, pero los dos nos refugiamos en la soledad y encontramos placer y consuelo en ella. Es cosa que viene con la edad y sin relación directa con hechos ni sentimientos. Creo que el hombre comienza a apreciar la soledad cuando sus recuerdos pesan más en él que sus esperanzas.

La soledad del cuarto me hizo bien, ayudándome a serenarme y a poner en orden mis ideas. Había estado a punto de matar a Goyo; por lo menos, lo había deseado de todo corazón, y esto es lo que importa. Estaba convencido de que me había dicho la verdad, pero, al desear matarle, no pretendía vengarme de su traición ni de la de Aneli. No; era algo mucho más íntimo y directo. Había deseado matar a Goyo, a él, a su persona; matarle físicamente y sentir el crujido de sus huesos, el correr de su sangre, el golpe de su cuerpo al derrumbarse en el suelo. Si no llega a ser por la oportuna llegada de madre, le hubiera aplastado la cabeza, y después, como quien sale de un sueño, hubiera dicho a los jurados: "No sé lo que me sucedió. No me pude contener."

Goyo tenía una cabeza oscura y sucia. Cuando bajé la mía, mi mirada se detuvo en los dos negritos de porcelana. Tenían el color de Goyo, pero ¡cuánto más alegres! Eran dos cómicos y divertidos pilletes, desnudos como sólo la porcelana puede estar, indecentemente desnudos. Parecían burlarse de todo. Estaban llenos de vida y no parecían inmóviles, sino que se moviesen, y hasta cantaran. En un momento me pareció que me sacaban la lengua. Dos lenguas gemelas, cínicas e impertinentes, que metían en seguida, tan de prisa que no los lograba sorprender.

Creo que a ellos les debo no haber enloquecido aquella mañana. Los pensamientos comenzaban a asaltarme, tras haber permanecido algún tiempo adormecidos. No lo hacían al tiempo, sino que primero despertaba uno, y después otro, de manera que mi mente centelleaba dolorosamente, como si cada uno de mis pensamientos fuese un ascua que se encandila. Poco a poco, según el número de ascuas aumentaba, iba perdiendo conciencia de ellas, para no sentir más que un gran incendio, un fuego devorador que llenaba mi cabeza. "¡Aneli

te ha robado!" "¡Goyo te traicionó!" Y, en seguida: "¡Has
querido matarle!" "¡Has querido matarle!" Yo me sabía perdido y no me importaba. Había una especie de descanso en
este entregarse a una verdad que, en el fondo, había temido
siempre, y a la que, por tanto, siempre me negué.

Aunque mi cabeza fuese un torbellino, la actuación de Goyo
me parecía muy clara ahora. Mi encuentro con él en las escaleras de Aneli; sus viajes a París, bajo pretextos que yo creía
ideados por mí, y que, en realidad, eran sugeridos por Goyo;
sus reticencias, y, por último, su mutismo ante mi petición de
ayuda, cuando ambos caminábamos, París adelante, hacia la
iglesia de San Julián. Todo estaba claro, y hasta ordenado,
como si hubiese seguido una cronología. Desde luego, todos
se habían dado cuenta, si no concretamente de la traición de
Goyo, sí de que algo sucedía. Vi de nuevo a mi cuñado exi-
giéndome el dinero de María, y a López de Ansina hablán-
dome de intereses. ¿Cuánto tiempo haría que Pedro Quejada
no cobraba su parte de la mina? Aturdido, me llevé las manos
a la cabeza. No sólo era mi dinero el que estaba en juego, sino
el de mi madre, el de mis hermanos, y, en gran parte, el
de los primos y tíos, los "erre que erre". Yo era el gran señor
de mi familia y el testamento de padre dejó la administración
en mis manos. Además, todos confiaban en mi talento y les
resultaba fácil dejarse administrar. ¿Hasta dónde había llegado Goyo? Imaginé a los cuatro "erre que erre" volviendo
de nuevo a Torrellana y a primo Juan jugando en la venta.
Tuve la sensación de que se estaba produciendo un auténtico
cataclismo.

Intenté recobrar la serenidad, enfrentándome con los hechos. Lo primero era saber. Pero poco a poco, con fuerza irresistible, la idea se abrió paso en mí; yo no deseaba saber nada,
no deseaba enfrentarme con nada.

En este mismo cuarto, mi padre había, sin duda, hecho
frente a situaciones adversas. Mi padre era un hombre enér-
gico y directo, que llamaba al pan pan, y que se bebía el vino.
Y yo, ¿a qué rama pertenecía yo, indeciso, cobarde, y, al
tiempo, extrañamente clarividente, de tal modo que, en mi

subconsciente, adivinaba las cosas bastante antes que se hubieran producido? Yo era un Ponte más que un Pardo. Un viejo producto de viejas razas que vieron llover historia sobre las piedras románicas de una colegiata. No servimos para luchar, nosotros, los Ponte; por lo menos no en este mundo. Si lo hacíamos, era, como tío Juan Carlos, por una causa sin esperanzas, que permitiera caer bellamente. Elegir la belleza y no la eficacia puede ser también una postura en la vida.

Pero era eficacia lo que necesitaba. Miré en torno y vi de nuevo a los dos negritos, con su mueca burlona. Quedé contemplándolos, y, sin darme cuenta, sonreí. Eran irresistiblemente cómicos y simpáticos. Parecían decirme: "¡Vamos, alegra esa cara! En este mundo, nada vale la pena. Nosotros hemos visto desaparecer generaciones, cambiar vidas, llegar la miseria y la fortuna. Los hombres se han amado ante nosotros y han creído que la tierra giraba en torno a su eje sólo porque ellos la ocupaban. Y hemos reído siempre. De todo lo sucedido, sólo queda nuestra sonrisa, pese a ser tan frágil. Vamos, hombre, ¡un poco de humor!"

Aneli decía: "El humor es la gran virtud de los que no somos virtuosos."

No sentía ningún rencor hacia Aneli: no, si acaso, otra vez, pena, que ahora se mezclaba con la pena que sentía por mí. Como yo, no era más que una pobre criatura, que se debatía en vano, y que corría en pos del dinero y el tiempo. Ni ella misma se daba cuenta de cuán grande era su ambición; poseer la fortuna y la juventud. Nadie dió en el mundo cima a esta empresa y no iba a darla la pobre Aneli. Además, como Goyo me dijo, es posible que la hubiese herido muy hondamente. No lo sabía. Muchas de las cosas que hice en la vida las hice sin saberlo. Y conste que no lo digo por disculparme.

De nuevo los negritos de porcelana me hicieron un guiño. "¡No dramatices, hombre! Aneli se ha ido y es lo mejor. Guapa mujer, pero no le durará mucho. Nosotros hemos estado casi siempre, de adorno, a los pies de un espejo. La historia de las desilusiones de la humanidad está escrita en los espe-

descansaba a su lado, hizo de nuevo su aparición. Tenía una mano de Cati entre las mías y nuestros cuerpos yacían juntos. felices y sin deseo. La atmósfera era templada, como cuando se calma el viento. La llamé en voz baja.

—Cati.

—¿Qué, Arturo?

—Desearía... desearía hacerte muy feliz.

—No hay nadie más feliz que yo, Arturo.

No alzó la voz ni se movió siquiera; ni siquiera me miró. Lo dijo para sí, como si llegase a una conclusión tras haber reflexionado. Repitió:

—Sí, soy muy feliz y siempre lo he sido. Dicen que en todos los matrimonios hay momentos de amargura. En el mío, no.

Me moví despacio para verla mejor. La tenía muy cerca y veía su perfil agrandado, con los límites temblorosos, donde bailaba la luz.

—No creas que no sé apreciar tu sacrificio. ¡Una familia significa tanta carga! Te he visto trabajar hasta muy tarde, y, algunas temporadas, te has desmejorado mucho, y has estado nervioso e impaciente. Además — ¡no me interrumpas, quería decírtelo algún día, y, mira, de repente se ha presentado la ocasión! —, además, las gentes son malas y contigo lo han sido también; malas e ignorantes. Yo... bueno, algunas veces he escuchado cosas de ti... No comprendían que estabas fatigado y que necesitabas distraerte. Las noches que llegabas... tarde, me hubiese gustado que vieran como te dormías en seguida. No se puede dormir así con la conciencia intranquila.

Sonrió.

—Dormías hasta tarde y yo tenía buen cuidado de que ningún ruido te pudiera despertar. Andábamos en zapatillas y como pisando sobre huevos.

—Gracias, Cati.

—¿Qué menos podíamos hacer? Y luego, has sido tan cariñoso con los niños, con Arturito. Es un chico difícil.

—¿Quién? ¡Arturito! ¡Pero si es un niño!

—No lo creas. Es voluntarioso y tiene mucha fantasía. ¡Pero tú le llevas tan bien! ¡Eres maravilloso, Arturo!

—No lo soy, Cati. Pero bendigo al cielo por parecértelo. Y haré lo posible para que sigas estando contenta de mí.

—¿Trabajarás menos?

—Eso... no lo sé. Pero te prometo que no iré al Casino.

—¿Y por qué, Arturo? Si te distrae...

Hay algo en la bondad de los demás que nos humilla y veja. Era imposible que Cati no conociese la verdad, y, por eso, me hacía el efecto de que se estuviera burlando de mí. Me removí, inquieto.

—Dejemos eso..., Cati, ¿sabes? Todo va a ser un poco más difícil ahora.

Le expliqué lo sucedido, a grandes rasgos, sin profundizar, deteniéndome a veces, embarazado por lo espinoso de la confidencia. A medida que hablaba la sentí más alerta, como si, abandonando su descanso, se dispusiese a la lucha. Me preguntó:

—¿Se ha perdido todo?

Me acordé de los dos negritos.

—¡Oh, no hay que dramatizar! Todo no... seguramente. En realidad, no lo sé. Habrá que verlo, pero, en estos casos, nunca se gana ni se pierde tanto como se pensó. Pero tendremos que reducirnos... que tomar medidas. No sé.

—No te preocupes. Ahorrar es fácil.

Hablaba la hija de Ezequiel Ceballos, pobre y con siete hermanas solteras a su cargo. Cati nunca participó del lujo de nuestra casa y hasta diríase que la asustaba. Cuando le regalé el collar de perlas, lo miró como si cada uno de sus granos encerrase una bomba diminuta.

—Ya verás, viviremos con nada. Los colegios de los chicos, y ningún otro gasto más. Bueno, y tus trajes. Yo no. Yo tengo guardarropa hasta que me muera. ¿Qué dices? ¿No dices nada?

—Sí, Cati. Pero no exageres. Todavía podrás ser la señora mejor vestida de la ciudad.

—¡Bastante me importa! Pero ese Goyo... ¡Qué miserable! Nunca me gustó, acuérdate.

—Deja eso, Cati. Tendrá... tendrá sus disculpas. Todos las tenemos en este mundo, por mal que obremos.

— Sí, quizá tengas razón. ¡Qué bueno eres! ¡Eres demasiado bueno!

Lo creía así, y la sinceridad de su creencia me hizo mucho bien. Todo era fácil junto a Cati, sobre todo las cosas que más cuesta arriba se me habían hecho hasta entonces. Por ejemplo, confesar mi ruina a la ciudad, reducir mis gastos, soportar las miradas a hurtadillas, sentado en mi sillón del Círculo, mientras, en el salón privado, Alberdi y los suyos hacían girar la ruleta. Levantarme y cruzar ante la puerta tras la que sonaban las fichas y las voces. Subir al tílburi y animar a la vieja y cansada "Revolución" para que hiciese una salida digna, pese a la cesantía de Pitt. Mirar como la ciudad crecía, empujada por otras manos...

Para Cati todo esto carecía de importancia.

—¡Que digan lo que quieran y que piensen lo que quieran, si es que saben pensar! Nosotros, a ordenar las cosas y a trabajar después. Juntos, ¿verdad?

Había súplica en su voz. Sí, Cati debía saberlo todo; estoy seguro de que lo sabía todo.

Pero no lo dejó traslucir, ni siquiera me permitió que la hablase de ello. Aun ahora, todavía, no sé si Cati es un prodigio de inocencia para la que no existieron ninguna de mis aventuras, o si las ignoró voluntariamente, si las borró, con un ademán de su mano; aquella mano enérgica, de muñecas anchas. Lo cierto es que, si lo sabía todo, y no hay ningún motivo para dudar de ello, se portó con una astucia y una habilidad sorprendentes. Me reconfortó, y, al tiempo, llevó la conversación a su terreno de tal modo que, aunque intenté hablarle para aprovechar la oportunidad y dejar las cosas claras y en su punto, no encontré hueco para ello. Poco a poco, Aneli, Goyo, las noches de juego, hasta el cacharro de bronce que tuve, tembloroso, en mis manos, pasaron a segundo término. Cati me animaba.

—¡Pero, hombre! ¿Y lo dudas? ¡Si no hay nadie en la ciudad que pueda compararse contigo!

Goyo me decía también esto. Pero no pensé en él.

—Necesitaré ayuda, sin embargo. Claro que aun no sabemos nada... pero la necesitaré. Y es difícil... ¿Santa María quizá?

—No, tu cuñado no. No lo haría de corazón.

—¡Cati! ¿Tú crees que hay alguien que preste dinero de corazón?

—¿Por qué no? Mira, el mismo Enrique...

¡Tenía razón! Enrique del Real era el indicado. Podía fiarme de él, y, además, tenía mucha experiencia. En cuanto a crédito, era de lo más sólido de la ciudad. Debería hablar con madre, naturalmente, porque, aunque Enrique me apreciaba mucho, lo que ella le pidiese sería lo primero. Y madre me ayudaría. Aún recordaba la expresión de sus ojos cuando me arrebató el cacharro de bronce.

—¡Cati! — exclamé, inclinándome sobre ella —. ¡Eres un genio! Creo que, en efecto, las cosas se van a arreglar.

X

Hasta que llegó Gerardo no se arreglaron del todo. No quiero hacer de menos a Enrique con esto, porque me sirvió con mucha eficacia, y, lo que más importa, de todo corazón. Tenía un sentido muy claro de los negocios y me ayudó a desbrozar la maraña de los míos, doblemente enredada por la ausencia de Goyo. Desde el día de nuestro encuentro no había vuelto a saberse de Goyo. Yo pensé si no habría partido tras Aneli

No me importaba. En realidad, durante todo aquel tiempo, apenas si pude hacer otra cosa que descubrir hasta donde llegaba mi ruina, y tratar de atajarla en lo posible. Firmé un contrato con los Quejada, que dejaba el Pico en sus manos, pero que me evitaba pagarles nada de momento. Liquidé algunas acciones e hice un ostentoso regalo a la Diputación: el nuevo hospital. "El Atlántico" me lo alabó mucho y hasta "El Cantábrico" se permitió publicar un suelto en mi honor. ¡Lo que son las cosas!

Lo más peliagudo fué lo de los terrenos de junto a villa "María Rosa" y el Casino. Había mucho dinero allí, porque el barrio había crecido y prosperado, pero difícil de realizar. De nada sirve poseer el diamante mayor del mundo si no se encuentra comprador, y los que se interesan por los chalets de lujo no crecen en las esquinas. Además, quedaba lo de rendir cuentas a los tíos. Los cuatro "erre que erre" gruñían ya, abiertamente, como si las letras de sus nombres se les hubiesen enredado en la garganta.

—Verás —me dijo Enrique—. He pensado constituir otra sociedad. ¡Oh, no como la del tranvía! Desde luego a ésa hay que darle golletazo, sin más, y dedicar el túnel a atracción de turistas. Te lo digo porque la nueva sociedad tiene algo que ver con los turistas, con los veraneantes. Cada año vienen más y creo que podríamos interesar capital en el desenvolvimiento de este barrio. Construir chalets y alquilarlos; dar funciones en el Casino; hacer propaganda sobre las virtudes de los baños de mar... qué sé yo, el caso es que se hable de él. Si regalamos el palacio a los reyes, vendrá mucha gente, de esa rica y que le gusta presumir. Podrías conceder unas cuantas acciones a tus tíos y taparles la boca de esta manera.

—Sí, pero...

—Pero ¿qué?

—Padre compró estos terrenos. Eran la gran ilusión de su vida. Yo no sé...

Enrique me miró. Era ya un viejo caballero, muy tranquilo y que parecía saber mucho.

—Mira, hijo —empezó, tras unos momentos de silencio—. Lo que tu padre amaba realmente era la ciudad. No nació en ella, pero no importa. La ciudad acoge a los que llegan y los hace en seguida suyos. Aquí encontró... a tu madre. ¿Quién sabe? A lo mejor alguno de los que salieron de aquí para reconquistar España se detuvo en Torrellana. Lo cierto es que tu padre amaba la ciudad y deseaba su grandeza Pues bien...

La edad vuelve serenos a los hombres y, además, les da nobleza. Enrique del Real parecía un viejo profesor que alecciona a su discípulo.

—Pues bien, la ciudad crecerá. Tu padre solía soñarla, extendida hasta aquí, cuajada de villas y jardines. Ya lleva camino de hacerlo, pero, entre todos, conseguiremos que lo haga más de prisa. Quizá sea mejor así. Era demasiada empresa para un hombre solo.

La idea de la nueva sociedad cuajó con sorprendente facilidad. López de Ansina me felicitó por ella, rompiendo así un mutismo que arrancaba de lo de las minas del Rif. Era un rasgo ejemplar y patriótico, me dijo, con su retórica ampulosa de viejo admirador de Castelar.

Aunque perdí mucho, todo resultó más sencillo de lo que

pensaba. Villa "María Rosa", privada de parte de su jardín, dejó de lindar con el mar, pero seguía tan bella como antes; en el mirador de padre se proyectó una plaza a la que se daría el nombre de Juan Pardo; junto al hotel, que edifiqué por deseos de primo Juan, comenzó a levantarse otro, mucho mayor, al que, para señalar, sin duda, se llamó "Gran Hotel"; el Casino pasó a ser propiedad de todos y las olas mojaron a los bañistas en beneficio de la colectividad. Fué una empresa que unió a la ciudad, sin distinción de clases ni fortunas. Con decir que la Cubana era copartícipe de la ermita de San Roque, está dicho todo.

Los tíos se portaron inesperadamente bien. Los reunimos en casa y les expliqué la situación. Conservaban bastante, además, porque algo guardaron por su cuenta y porque pude responder de casi todo lo que me entregaron. Pasados los primeros apuros, Enrique y yo empezábamos a ver claro. El Círculo Mercantil nos compró el Palacio.

— ¡Déjate de tonterías! — me instó Enrique —. ¿Quién tiene dinero? ¿Los comerciantes? ¡Pues a por los comerciantes!

Fué lo más duro. Entonces comprendí que, a pesar de todo, quería al Palacio, a sus recuerdos, a sus sombras; a sus sombras también. De sus piedras surgía un niño que se asustaba al verse solo en los grandes pasillos, pero que, si era sorprendido por un criado, erguía la cabeza y ponía un gesto de orgullosa distancia.

— ¡Mirarle! Parece un principuco — decía la Cabuca.

Aquel niño asistió a la lucha entablada entre sus padres y a su gozosa reconciliación. Descubrió el amor en los brazos de la Cubana y vió morir a tío abuelo Juan, estremecido de remordimientos. Toda la vida de aquel niño giraba en torno al Palacio. La plaza que le daba frente fué mandada desecar por su padre y Enrique del Real la atravesó, llevando detenido a Gogó, el pastelero, que había matado al Mirlo. Marta ofreció profesar aquella noche.

Fué duro, no cabe duda que lo fué. Descubrir lo que se ama en el mismo momento en que debemos renunciar a ello, cuesta siempre un poco de dolor. Además, las gentes,

convencidas de que se trataba de una nueva artimaña de
los Pardo, se rasgaron las vestiduras apenas empezaron a
sospechar que lo de las dificultades iba en serio. Y la venta
del Palacio lo indicaba bien claro. Hubo comentarios para todos
los gustos.

— ¡Huy, el marqués, el marqués! — se burló el pueblo —.
¡Gana uno y gasta tres!

— ¡A los tenderos! — criticaron en la junta de damas —.
¡Venderles el palacio a los tenderos! ¡Adónde hemos llegado!

— ¡Ni un céntimo más de lo preciso! — exigió mi cuñado
Santa María en la directiva del Mercantil —. ¡Yo he sido
siempre justo e independiente! ¡Ni un céntimo más!

Nos dieron algún céntimo menos, pero en fin... La sombra
de aquel niño fué desahuciada de su palacio y no pasó más.

Gerardo intentó consolarme y yo pasé algún rato, contris-
tado, junto a él. Realmente, era un poco egoísta por parte mía,
pero Gerardo animaba el egoísmo ajeno a fuerza de preocuparse solamente de los demás. Cuando le vimos descender del
barco, tanto Cati como yo quedamos muy impresionados. Apareció en lo alto de la pasarela, sostenido por un enfermero
que le pasaba el brazo por el cuello. Se asió a la maroma y
tanteó con el pie, avanzándole, como hacen los ciegos. Después
comenzó a descender. Tenía la barba corrida y la carne arrugada, poca y seca; los ojos hundidos en las cuencas. Aunque
vestía uniforme, llevaba la cabeza descubierta. El viento le
agitaba la guerrera como si no hubiese nada dentro de ella.
Gerardo había adelgazado mucho y parecía enfermo. Al vernos
sonrió, pero no hizo gesto alguno de saludo. Continuó el des-
censo, poco a poco. Detrás de él apareció una camilla, que
aguardó que llegase al muelle para descender a su vez.

Al pisar la machina, Gerardo tomó un bastón de manos del
enfermero, y, separándose de él, se acercó a Cati y a mí. Por
un momento permanecimos inmóviles los tres, contemplándo-
nos; después Cati se arrojó en brazos de Gerardo.

— ¡Oh, Gerardo! ¡Qué alegría! ¡Tuvimos tanto miedo!

Gerardo me miró. Tenía los ojos extrañamente penetran-
tes. Mientras Cati le abrazaba permaneció inmóvil, con una

mano asida al bastón y la otra pendiente a lo largo del cuerpo. Apenas si la del bastón temblaba un poco. Yo le esperé, y,
cuando estuvo frente a mí, le tendí la mía, abierta.

—Gerardo—le dije—, ¿quieres estrecharme la mano?

Estaba muy conmovido y ésta fué la fórmula mejor que
pude hallar para pedirle perdón. Gerardo miró mi mano y
comprendió, porque vi brillar sus ojos. En seguida sonrió con
dulzura.

—Lo siento, Arturo—dijo—, pero deberás conformarte con
la izquierda.

Vaciló un momento y entregó su bastón a Cati. Después vi
avanzar su brazo izquierdo y sentí el apretón de su mano.
Estuvo algún tiempo entre la mía, caliente y un poco húmeda.

—Sí—nos explicó, ya en el coche—, me tuvieron que am-
putar el brazo. No fué agradable, no, lo confieso. Cuando llegué
al blocao había perdido mucha sangre y tenía la infección de-
clarada. ¡Si no llega a ser por Velarde! ¡Qué muchacho! Creo
que apenas si durmió una hora en toda la semana. Hacía calor, no teníamos agua, la herida olía como un estercolero. La
sentía bajo mis narices, sucia y podrida, y me hacía el efecto
de que me hubiese muerto ya. ¡Y las moscas! Se paseaban sobre
mi cara, viscosas, color de carbón. Al principio sentía sus patas; después no, ni siquiera cuando llegaban a la boca.

—¡Déjalo Gerardo!—rogó Cati—. Todo ha pasado ya.

—Sí, tienes razón. Todo ha pasado. Por lo menos... aquello.

Miró su manga. La tenía doblada y cosida al costado.

—No quería dejarme operar—explicó—. ¡Que Dios me
perdone, pero en aquellos momentos hubiera preferido morir!
El brazo, la mano; no sé si me entenderéis, pero no se puede
ser médico cuando falta un brazo desde el hombro. Y, si no
soy médico, ¿qué voy a ser?

Estaba muy desorientado. Se preguntaba ¿qué voy a ser?
con una gravedad que conmovía. Cati le acarició la... la otra
mano.

—Calla, Gerardo; no te tortures. Puedes ser médico, naturalmente que puedes serlo. ¿Es que una mano, o un brazo, son
imprescindibles?

— Lo son — dijo Gerardo —. Teóricamente no, pero lo son. Hay que palpar al enfermo, percutirle, sentir el mensaje de su carne. Hay que fundirse con él. No os lo puedo explicar, pero existe algo misterioso que une al médico y al enfermo. No se puede curar con un brazo vacío y un hombro roto y recosido, como una media. ¡Es imposible!

Callé; no encontraba palabras para consolarle. Cati sonrió.

— ¡Qué tontería! Ya verás como todo eso pasa. Sólo son imaginaciones tuyas. Por de pronto ¿quién te impide dirigir otra vez el Hospital? ¿Es que necesitas levantar pesos para hacerlo, o qué?

— Claro — dijo Gerardo —, el hospital. Tú... ¿tú crees? — se volvió a mí, sin atreverse a continuar —. ¿Tú crees que... podrás reponerme en la dirección? Perdona, pero...

— Sí, Gerardo, naturalmente. Creo — vacilé; el hospital pertenecía ya a la Diputación —, creo que sí.

La expresión de sus ojos cambió. Se volvió hacia Cati, avergonzado.

— Perdonadme — dijo —. Yo aquí, como un egoísta, hablando de mis cosas, mientras vosotros... Me lo han contado en el barco — explicó luego —. Subió gente de la tierra en Bilbao.

— Todos tenemos nuestro Gurugú, Gerardo — intenté bromear —. Pero tampoco ha sido tan grave. Ya hablaremos.

Sor Ramona recibió a Gerardo con mucho aleteo de tocas. Habló, gritó, rió, invocó cien veces a la Providencia y otras tantas a la bendita Virgen del Mar, y todo para disimular su emoción. Gerardo fué instalado en uno de los cuartos de arriba, blanco y limpio. Se detuvo en la puerta.

— Inmaculado — comentó —. A Sor Ramona debían llamarla Sor jabón. Sólo que...

Sonrió, y esta vez su sonrisa tenía mucho de la antigua de Gerardo.

— Creo que será preferible que tome un baño antes de sumirme en tanta blancura. Y que... quemen mis ropas. Con cuidado, porque andan solas.

— ¡Jesús, José y María! — se escandalizó Sor Ramona —. ¿Y qué hacían en el hospital?

—Operaban día y noche, Sor Ramona —repuso, gravemente, Gerardo—. Aquí, cuando lo del "Machuca", tampoco anduvimos muy esmerados en la limpieza.

Sor Ramona agachó la cabeza. Pese a todo, la escuchamos rezongar. "¡Esos negros!."

Recuerdo el pequeño cuarto del hospital, donde tantos horas pasé con Gerardo. La cama de hierro, pintada de blanco; el crucifijo de la cabecera; el mármol de la mesilla y las flores sobre él, renovadas cada día. Por la ventana se divisaba el sendero de grijo, los macizos y las hojas de los castaños, que le orillaban. Cruzaban los mozos, empujando grandes cestos de ropa, y los médicos, con sus batas blancas, y las hermanitas con las faldas esparcidas, anchas y muy largas. El sol recorría cada una de las paredes. El cuarto era silencioso e invitaba a descansar.

Allí hablamos los dos como dos hermanos. A veces parecía que alguien más estuviese con nosotros, la sombra de padre o la de mi hermanastro Juan, vestido de hábito y con la cabeza tonsurada.

—Lo sabía hacía tiempo —explicaba Gerardo—y si no te dije nada, fué porque lo consideraba inútil. Con Aneli si hablé muchas veces, pero sin resultado. Es inútil cuanto se intente; no lo puede remediar. Además estaba un poco... resentido contigo. Sólo cuando me fuí a Africa... ¡Si me hubieses dado pie!...

—Yo no sabía nada. Estaba ciego.

—¡Qué extraño personaje Goyo! —comentaba después Gerardo, como si hablase del de una novela—. Nos ha debido de odiar desde niño. Sí, a mí también.

Poco a poco se reponía, pero nunca perdió su gesto triste. Daba pena verle, por los jardines del hospital, con la manga de su bata metida en el bolsillo, para que el viento no se la llevase. Al principio le curaban todos los días y estremecía ver aquella gran herida, en la que resaltaban los puntos aún cogidos, con dos orificios que supuraban. El costado se le había hundido junto al muñón y parecía que tuviese aplastadas las costillas. Gerardo volvía la cabeza hacia la pared, no por el dolor, sino por no ver la falta de su brazo.

Fuí muy franco con él, le desnudé mi alma, y esto me hizo bien. También, por su consejo, me acerqué al pequeño confesonario de San Roque, y don Pascasio me dijo al terminar, con voz anónima:

—Bueno; ahora un padrenuestro y tres avemarías.

A veces, Gerardo me preguntaba:

—¿Crees que podrás aguantar? ¿Sientes muy fuertes los deseos?

—No sé, Gerardo. No sé...

Porque no se pierde un vicio porque se haya perdido una fortuna, ni los deseos mueren porque decidamos matarlos. Creo que sólo Gerardo sospechó la terrible lucha que mantenía en mi interior, mientras todos me creían preocupado por la quiebra de mis intereses. Hasta la misma Cati me preguntaba:

—¿Qué piensas? No seas tonto, Arturo. ¡Si todo va bien!

Sí, todo iba bien. Gracias a Enrique, si no multimillonario, conservaba aún lo suficiente para mantener el tipo. El Mercantil ocupaba ya los salones del Palacio y el tapiz colgaba en el rellano de villa "María Rosa". Teníamos un jardín más pequeño, es verdad, pero las hortensias seguían tan azules y las orugas caminaban, de pino a pino, con el mismo lento desenrollarse de anillos. Los cuatro "erre que erre" habían perdido parte de su facundia y los primos y primas alborotaban menos en las reuniones. No cabe duda que hasta lo de arruinarse puede tener sus ventajas.

Aunque parezca mentira, la pérdida de mi dinero me hizo ganar en consideración. Creo que el mucho que poseí les parecía ostentación y quizá fuera verdad. Además, aunque ahora llevase una vida modelo, tenía el prestigio de los arrepentidos. Si se hablaba de mujeres, no faltaba quien dijera:

—Bueno, de eso Pardo. ¡Lo que no sepa éste!

Y, cuando Alberdi, Lemor y Quejada se encerraban en el saloncito, tampoco dejaban de invitarme. Yo me negaba con un gesto. Ellos huían la mirada, porque eran jugadores y no sabían si admirarme o tenerme lástima.

¡Lástima me podían tener, sí, tanta como quisieran! En el cuarto donde padre guardaba sus recuerdos, hay uno más, traído por mí; una baraja muy usada, con los bordes de las cartas oscuros, de haberlos pasado tantas veces. Con ella entre las manos pasé horas y horas luchando con mi vicio. Al principio parecía que le hubiese olvidado y daba gracias al cielo porque así fuera. Era feliz como nunca fuí. Arturo, en trance de elegir carrera, había optado por la miltar y a su madre se le caía la baba de pensarle con el uniforme. Rosina, aunque era una mocosa, se escapaba a las tapias de la huerta para hablar con los rapaces. Y nosotros... bueno, esperábamos otro hijo.

—Es una vergüenza —decía Cati—. A la vejez, viruelas.

A madre le conmovió este embarazo tardío de Cati. Creo que vió en el resurgir de nuestro amor un reflejo de lo que a ella le sucedió con padre. Nunca volvió a hacer alusión al episodio de Goyo, pero yo sentí que mi arrebato la había impresionado: seguramente no me creyó capaz de él. Lo cierto era que me miraba, como abstraída, y que, después, comentaba:

—¡Es asombroso! ¡Cada día te pareces más a tu padre!

Debía de ser verdad, porque no era la primera vez que me lo decía. En las vidas de los hombres existen huellas paralelas, que se marcan más si se trata de padres e hijos. Aunque la reconciliación de padre y madre no tuviera otro fruto que el dar comienzo a la construcción de villa "María Rosa", el embarazo de Cati sacó a madre de su indiferencia y se ocupó de ella con muchos mimos y cuidados. ¡Era gracioso ver aumentar la gravidez de Cati y como procuraba disimularlo! Estaba avergonzada de verdad. Yo la decía:

—Te debían haber llamado Ana. Santa Ana, ya sabes...

Pero también yo estaba orgulloso de aquel hijo retrasado, que podía traernos, muy bien, un pan debajo del brazo. Evocaba mi encuentro con Cati, el día que quise matar a Goyo, y bajé después hasta nuestra habitación. Estaba medio desnuda ante el espejo. Se peinaba, lo recuerdo, y su brazo describía un arco, blanco y con la gracia de un ánfora. Su cuello era esbelto y, a contraluz, destacaban sus formas. Cati se conserva muy niña, parece que el tiempo no pase por ella. Al verla, mi sangre latió más de prisa, y sentí un impulso irresistible, semejante al que me incitó a lanzarme sobre Goyo. Era algo fuera de razón, que, como mis deseos de matar, sólo dependía del instinto. Cati dió un pequeño grito cuando la sorprendí, doblándola hacia atrás. Mis dedos sintieron su carne y los mismos deseos de apretar, apretar, que cuando tuve a Goyo a mi merced. Cati gritó otra vez y yo pegué mi boca a la suya. Y todo fué de pronto, muy suave, y, cuando abrí los ojos, vi su pelo esparcido sobre la almohada.

Vivimos una maravillosa luna de miel, retrasada y tierna, como la de dos maduros señorones que, de pronto, descubren que están enamorados como chiquillos. Fué un regalo del cielo y aún le doy gracias por él. Durante algún tiempo todo se olvidó y parecía que una vida nueva hubiese comenzado para mí. Estaba lleno de los sentimientos más puros. Cuando no de Cati, me cuidaba de mis hijos, de Arturo sobre todo. Mi pasión por él aumentó, y, en algunos momentos, me decía a mí mismo que tenía algo de morbosa. Arturo había crecido mucho; en realidad era ya un hombre, bueno y cariñoso, pero con su voluntad y su genio. Como Cati me advirtió, no era fácil de llevar. A veces yo miraba su perfil, de rasgos acusados, su barbilla saliente y el pelo rizado, que se le encrespaba sobre la nuca, y sentía una especie de doloroso arrebato, celos, casi, por lo que la vida me robaba de Arturo. Había actos, pensamientos y pasiones de mi hijo ajenas por completo a mí; aun más, ocultas por él a mi interés, especialmente. Esta parte de mi hijo, que se me escapaba, me producía un malestar casi físico, unos incontenibles deseos de escudriñar en su interior, de preguntarle:

—¿Qué hiciste ayer a las cinco? ¿Qué hiciste a las cinco? Cati se reía.

—¡Pero, Arturo! ¡Estás celoso del chico!

En cierto modo lo estaba. A veces le imaginaba realizando los mismos actos que yo a su edad, recreándose en las mismas imaginaciones, obedeciendo a los mismos instintos, y me daba pena aquella carne joven, que era la mía, y aquellas ilusiones

sin gastar, idénticas a las que alumbraron en mí. Si Arturo
se desmejoraba, si sus ojeras se marcaban más hondas, yo le
miraba, espiando un indicio que me pusiera sobre la pista del
pecado que le venció. Cuando la mirada de Arturo se volvía
lejana y ajena a nosotros, yo tenía la sensación de que el
mundo se había vaciado, de que ya nada había en él, ni siquiera aire, ni luz.

XI

Cuando los deseos renacieron en mí, me refugié en la pasión por mi hijo como un náufrago al que bate el temporal. Estaba literalmente aterrado por lo que me ocurría. Nada hacía sospecharlo y yo hablaba tranquilamente con Gerardo:

—¡Es curioso! ¡Ahora no siento el menor deseo de tocar una carta!

Fué la idea de la victoria de Alemania la que lo motivó todo. En el Círculo, el viejo Solano peroraba, según costumbre:

—¡Sí, todo lo que queráis, todo el ejército y toda la organización que queráis, pero Alemania no puede ganar la guerra! No digo que Francia llegue a vencerla sola, pero ¿qué me decís de Inglaterra? ¿Y de los Estados Unidos?

El viejo Solano tenía aire de capitán de barco. De cutis rojizo y pelo blanco, era notable por su afición a los balandros, teórica ya. Pese a sus muchos años, era capaz, todavía, de encender cualquier polémica. Defendía el poderío de los Estados Unidos con la misma fuerza con que, cuando lo de Cuba, los acusaba de no haber podido vencer "a los negros".

—Los Estados Unidos no entrarán en la guerra —opuso alguien.

—¿Que no? —se escandalizó Solano—. ¿Que no? ¡Hombre me gusta eso! ¡Te apuesto doble contra sencillo!

¡Qué gran jugada la victoria de Alemania! ¡Una jugada segura, sin pérdida posible! ¡Y había muchos que aceptarían el envite! Mientras Solano y su interlocutor continuaban dis-

cutiendo, yo veía los ejércitos avanzar, los cañones disponerse
en batería, los húsares cargar, gritando "¡Viva el Emperador!"
Francia se rendiría a ellos como a un huracán. Y, desde un
balcón de la Concordia, Guillermo II contemplaría el paso de
sus legiones, con Krupp a su derecha; ese Krupp cuyo negocio
valía millones.

Me pareció escuchar la voz de Filkenstein mientras permanecía inmóvil, deslumbrado por la oportunidad que se me presentaba. ¡Qué gran jugada! De un solo golpe recuperaría todo
lo perdido, aumentado en cantidad y en influencia. Sería como
apostar a un número que se conoce de antemano. Durante
años y años, todos los jugadores de mundo habían buscado la
combinación que les permitiera adueñarse de la fortuna; yo la
tenía ante mí, infalible y fácil, como todo lo perfecto. ¿Dónde
estaría Filkenstein? Seguramente en Passau. O, quizás, en
París...

Fué una cadena. Al principio sólo me obsesionó la idea de
recuperar mi fortuna, espectacularmente, como quien acierta
un pleno. Yo había conseguido una vida feliz y modesta, pero,
posiblemente, la modestia no cuenta para los jugadores, y
tampoco la felicidad. Mientras Solano hablaba, sentí una nueva energía nacer dentro de mí. Alemania... ¿Cómo no había
pensado en Alemania? ¡No se podía dudar!

Y así comenzó todo otra vez. Solo, más solo que nunca, me
enfrenté con mis pensamientos y comencé la gran batalla
contra ellos. El cuarto de mi padre fué el único testigo. Me
encerraba en él y el mundo que creía olvidado y vencido volvía a mí. Las sombras renacieron y cedí a su recuerdo diciéndome que a nadie hacía daño al recordar. Todo tenía el aspecto
seductor de lo que pasó. Hasta Aneli se me presentaba libre
de culpas y atractiva, como en los días primeros, porque la
imaginación es la única que puede, a voluntad, rejuvenecer
las evocaciones.

Luché y sufrí mucho. A veces, tenía la conciencia del
riesgo que corría. Todo mi esfuerzo resultaría inútil si no
me mantenía firme. Permanecí despierto muchas noches, mien-

tras Cati descansaba a mi lado y el gran silencio de los sueños se adueñaba de villa "María Rosa". La aurora apuntaba en las ventanas, como en las del casino. Me levanté y fuí hasta ellas. Las luces del Casino taladraban la noche. Cuando el haz del faro llegaba hasta él, se veían aparecer las dos torres, como dos cirios.

Si fuí derrotado, no puede decirse que me rindiera. Tuve valor, sí, pero ninguna fe en el triunfo. Combatía como los capitanes que sólo aspiran a morir con honor. Y, poco a poco, en mi interior, los recuerdos me hacían ceder, y, una vez que lo había hecho, encontraba una especie de voluptuosidad en ellos. Lo curioso es que quería a Cati con más fervor que nunca y que mi cariño por Arturo alcanzaba límites casi dolorosos. Espié su vida e imaginé que le rodeaban peligros seguramente inexistentes. Creo que encarné en él todos mis fracasados deseos de pureza, y que fuí muy egoísta al hacerlo, porque no era la suya la que pretendía defender, sino la mía.

Obré con una astucia que cualquiera hubiera calificado de ejemplar, si el fin no quitase ejemplaridad a los medios. Poco a poco, en mis conversaciones con Enrique del Real, insinué la idea de que el triunfo de Alemania podía constituir un negocio asombroso. Fué como una partida de póker, cuando, sin cartas, preparáis psicológicamente al adversario. Cualquier error, cualquier desfallecimiento, puede descubrir vuestro juego. Yo jugué esta partida con Enrique, y experimenté en ella todos los goces y todas las emociones del jugador. A lo último era Enrique quien trataba de convencerme que apostar al Kaiser constituía la más infalible combinación que jamás se ideó.

¡Pobre Enrique! Su entusiasmo le rejuvenecía, y, a veces, me parecía estar escuchando a Filkenstein.

— ¡Qué ejército, Arturo! En la última parada desfilaron por el Tiergarten. ¡Los cañones no cabían por la puerta de Brandeburgo!

Claro que la puerta de Brandeburgo no es muy ancha, pero servía bien como medida de relación. Las revistas publicaban fotografías del Kronprinz, con gorra de visera y un impermeable negro, cerrado hasta el cuello.

El preludio de mi gran jugada fué convencer a Enrique de que era necesario que volviese a París para tratar de ponerme en relación con Filkenstein. Enrique me miró dubitativo, y yo decidí tirar por la calle de en medio.

—Mira —le dije—, si me crees capaz de volver a las andadas, me quedo y en paz. Aquello está muerto, bien muerto, Enrique.

—Pero Filkenstein no estará en París...

—Quizá sí. Y, si no, estarán cualquiera de los otros Waleska, Guy, los Deplat... No seas tonto, Enrique. ¿Es que nunca vas a tener confianza en mí?

Arturo me pidió dinero aquella tarde. Le dábamos mucho, quizá con exceso, y su petición me preocupó, porque estaba convencido de que no le quería para nada bueno. Pero era inevitable. Hay que contar con las equivocaciones y los desvíos de los hijos; a lo único que podemos limitarnos es a pedir que no duren mucho y que no sean muy graves. Con dieciocho años, Arturito era ya un hombre, en muchos sentidos, incluso en el de su sentimiento y vida propia. Tenía ideas personales y era dominante y muy mimado. Tanto Cati y yo, como su abuela, estábamos pendientes de los deseos del muchacho. Él nos quería, sí, pero, últimamente, parecía como avergonzado de nosotros. Cati lo tomaba muy en serio y madre sonreía.

—Es la edad —nos tranquilizaba—; a los dieciocho años todos pensamos que nuestros padres son unos viejos equivocados.

—¡Pues maldita la gracia que tiene! —protestaba Cati, frunciendo el ceño.

Cuando nuestro milagro particular nació, hubo gran alborozo en villa "María Rosa". Le llamamos Juan. Había muchos Juanes en la familia, pero éste sería "el Juan" por antonomasia, como lo fué el abuelo materno. Era un crío muy robusto, y, según dijo Gerardo, tenía una osamenta fuera de lo normal. Llorar, lloraba con una constancia imposible de superar.

Poco después partí para París. Lo hice preocupado y con un

gran desconcierto interior. Había tenido mi primer disgusto serio con Arturo, porque me enteré que frecuentaba a una muchacha llamada Sinda, la Sinda, como en la copla nativa, en la que Sinda ya no va por agua a la fuente porque la dejó el novio. A ésta, la posibilidad de semejante abandono la preocupaba poco, porque era ella la que les daba boleta. Era una muchacha guapa y exagerada, mayor que Arturo, que vivía con su madre y una hermana en una vaquería vecina a la Quinta del tío abuelo, en el Alta. Por la ciudad se decía que las tres eran complacientes y expertas. Pero debo reconocer que la Sinda fué buena con Arturo, y que, probablemente, le querría. ¿Por qué no? En cuanto a Arturo, puso en el devaneo ese fervor de los dieciocho años, contra el que no se puede luchar. Yo empecé a sospecharlo todo, no porque se acostase tarde, sino porque se levantaba temprano y no aparecía en todo el día. Andaba más huidizo que de costumbre, y se quedaba distraído en las comidas, o sonreía al aire. Adelgazó y en su mirada había una luz más grave. Era muy guapo, y tanto su madre como yo nos sentíamos orgullosos al mirarle.

No sé quién me lo dijo, ni me importa. Probablemente alguien en el Círculo, que comentó después, como en tiempos Raquel; de casta le viene... Todos rieron, con un poco de nostalgia en el fondo, porque un cortejo a los dieciocho años es flor que todos añoramos. La triunfante y absoluta juventud de Arturo puso entre nosotros una leve gota de amargura; eso sí lo recuerdo. El Círculo quedó un momento en silencio, y Lemor evocó:

— Yo conocí otra muchacha. La llamábamos Toni...

La idea de que mi hijo anduviese en esas aventuras me hirió dolorosamente. Tenía razón Cati; en aquellos momentos sentí celos de él. Odié a aquella muchacha, y, por eso, fuí, quizá, demasiado violento con Arturo, cuando le llamé a mi despacho para decirle:

— ¡Arturo! Ven; siéntate.

— Sí...

Ambos sabíamos ya de lo que íbamos a hablar, pero no por

eso resultaba más fácil. Arturo tenía los ojos bajos y su gesto me recordaba a su madre. Así visto, parecía más niño; en él había, no sé... como una luz rosa.

—Arturo—rompí al fin—, me he enterado. Me refiero a lo de esa muchacha, la Sinda.

No lo negó, pero tampoco dijo nada. Mantenía los ojos obstinadamente apartados de mí.

—Es... es ¡una vergüenza! ¡A tus años, cuando debías estar preparándote para hacerte un hombre! ¡Y con semejante... sucia!

No había pensado decirle nada de aquello. Tampoco lo deseaba. Pero, apenas pronuncié el nombre de Sinda, las palabras acudieron en tropel a mis labios, sin que las pudiera sujetar. Sentía una gran rabia, unos invencibles deseos de insultarla, de herirla. Si no resultase ridículo, diría que deseaba irme a la greña contra ella, como las reñidoras del barrio pescador.

—¡Padre!—protestó Arturo, y su rebeldía me irritó aun más. Le corté la palabra a gritos:

—¡Calla!... ¡Es una... pécora, una moza de la calle, te digo! ¡Y tú te has manchado en esa pocilga! ¡No volverás a verla! ¡No volverás!

Arturo habló, pálido, pero tranquilo:

—No grites. ¿Quieres escucharme?

—¡No volverás! ¡Soy capaz de matarte antes que lo hagas!

La fuerza de mis sentimientos me venció. Callé y, en aquel momento, sentí que mi sangre se desbordaba, y, detrás de ella y muy lejanos, los latidos de mi corazón. El cuarto se había llenado de una especie de neblina en la que flotábamos mi hijo y yo. Aprovechando el silencio, Arturo dijo:

—Puedes matarme, como dices, pero no evitarás que vuelva. Sinda es buena y tú eres injusto con ella.

Encontré ánimos para ironizar.

—Un gran amor, ¿no?

Arturo me miró con lástima. ¡Con lástima, era el colmo!

—No, nada de un gran amor. Eso queda para... otros.—En aquel momento comprendí que Arturo lo sabía todo y su alusión redobló mi ira —. No quiero a Sinda; me gusta, sencillamente. Y no veo por qué voy a dejarla, especialmente si, en vez de explicármelo, te dedicas a insultarla.

Arturo tenía dieciocho años, pero me hablaba con la lógica y la frialdad de un abogado. Yo descubría en mi hijo una segunda naturaleza que me aterraba. Era otro Arturo, un ser lejano, con una voluntad propia, y que nos despreciaba. Sentí este desprecio de mi hijo y, al tiempo, me pareció que hubiese envejecido. También comprendí que quizá la muchacha no le importase nada, pero que le sirvió para descubrir su hombría. Busqué desesperadamente una solución y sólo encontré la de redoblar mis gritos.

—¿Cómo te atreves? —rugí—. ¡A tu padre! ¿Quién eres tú para pedirle explicaciones a tu padre?

—Tienes razón. Nadie te las ha pedido... nunca.

—¡Cállate! ¡Insolente! ¡Insolente!

Cuando mi mano chocó con su mejilla, la sentí ceder, blanda. Al tiempo, un gran calor se desprendió de ella y me subió por el brazo. Apenas le pegué, hubiera deseado arrojarme a sus pies y pedirle perdón. Hubiera llorado de buena gana, a sus pies, mientras en sus mejillas nacían cuatro barras rojizas.

Dejé caer la mano y le contemplé. Su boca formaba una línea y tenía la mirada furiosa.

—¡Nunca más harás esto! —me aseguró, con la voz contenida—. ¡Pegarme! ¿Por qué me has pegado?

—¡Vete! —ordené—. ¡Que yo no te vea más!

—No me verás —me prometió Arturo—. No te preocupes.

Abría ya la puerta, cuando le llamé. Otra vez la sangre se me desbordaba y el corazón me latía como una gran campana.

—¡Arturo! ¡Por favor, Arturo!

Apenas si le vi, como una sombra, inclinado sobre mí y con su brazo detrás de mi cuello. Después, perdí el conocimiento.

Gerardo se preocupó de verdad aquella vez. Me auscultó con mucho detenimiento y me hizo muchas preguntas sobre mis otros desfallecimientos, sobre cómo era el dolor que me subía al brazo, y sobre si había aumentado o no últimamente. Después, cuando quedamos solos, me cogió una mano.

—Arturo, viejo amigo — me dijo —, debes tener cuidado.

—¿Es muy grave, Gerardo?

—Es... grave. No te lo puedo negar. Un infarto de miocardio... creo. Has abusado un poco de tu corazón. Hay que dejarle descansar ahora, Arturo.

—¡Oh, no te preocupes! Duerme el sueño de los justos. Y, cuando no duerme, bosteza.

Me miró con preocupación. Después sonrió y guardó el fonendoscopio en el bolsillo, arreglándoselas muy bien con su única mano.

Gerardo alarmó al resto de la familia y por eso se decidió que Arturito me acompañase en mi viaje a París. Yo no me opuse; todo lo contrario. Deseaba su compañía por ver si, aprovechándola, volveríamos a ser amigos. La única noticia que sobre el devaneo de mi hijo había tenido fueron sus palabras, apenas se me pasó el arrechucho, cuando descansaba en el mirador de villa "María Rosa", con muchas almohadas a la espalda. Arturo entró y me dijo:

—Eso... ya está acabado.

—¿De verdad? Gracias, hijo. Créemelo, era por tu bien.

—Sí, te creo, padre. ¿Necesitas algo?

—No, nada. ¿Dónde... dónde vas?

—Al tenis... Puedo demostrártelo.

—¡Arturo! Que... que te diviertas, hijo.

—Gracias. Adiós.

Poco a poco, según la frialdad de Arturo se acentuaba, yo comenzaba a pensar en la muchacha que la motivó con un curioso sentimiento, en el que había mucho de simpatía y de pena compartida. Aquella muchacha sufriría también la ausencia de mi hijo. No la conocía, pero podía representarme su tipo: sana, alegre, con el cutis como la leche, bien plantada y sin nada artificial. Hay muchas mozas así en nuestra provincia y no es de extrañar que perdamos la cabeza por ellas. Ellas no complican la vida de nadie, se casan, las más, con un buen mozancón, experto en lecherías, y tienen limpio el establo y las vacas lucidas que da gusto verlas. Sí, allá en sus veinte años, hicieron latir el corazón de un señorito, nadie habla de ello, y menos el buenazo de su marido. Son idilios sin trascendencia y casi tradicionales. Solamente, pasados los años, un Lemor cualquiera comenta, ya viejo, en el Círculo.

— Yo conocí otra muchacha así. La llamábamos Toni...

Sinda tenía el pelo como las mazorcas, color de oro apagado. Era alta de pecho y firme de caderas; la color, tostada, pero no mucho. Al reir, lucía unos dientes sanos e iguales. Una joya, en fin, y simpática además, con pena todavía por el abandono de Arturito. A fuerza de pensar en ella, decidí hacer su conocimiento y una tarde me alargué hasta el Alta. Subí la cuesta lentamente, porque todavía me fatigaba, y, una vez arriba, respiré la vieja brisa de la tierra. Las vacas pacían mansamente; los burros erraban, mordisqueando el trébol; las nubes pasaban, lentas, y el mar, a lo lejos, cortaba el cielo con un gran trazo redondo. La vaquería de Sinda parecía muy blanca y diminuta, una pequeña casita colocada, al azar, por la mano de un niño.

Era vecina, frente por frente, de la quinta del tío abuelo. De nuevo la contemplé, mientras esperaba a Sinda. Una mujer había gritado:

— ¡Sinda! ¡Sinduca!

— ¿Qué?

— ¡Ándate y vente, que el señor quiere verte!

La casa del tío abuelo estaba más triste que nunca. Era ya una ruina, un viejo recuerdo que nadie se preocupaba, siquiera, de evocar. Las ventanas, parecían haber cegado, el polvo cubría sus cristales con una capa espesa; la pintura se había desconchado y los maderos del mirador pendían, como banderas sin viento. Era una casa negra, sin luz. Daba la sensación de que fuese absorbida, poco a poco, por un pantano.

Sinda se me acercó sin cortedad. Sospechaba quién era, por supuesto, aunque la inquietase a lo que iba. Apenas me vió la cara, se tranquilizó. Me dijo:

— ¿Preguntaba por mí? Soy la Sinda. ¿Y usted?

—Yo... soy el padre de Arturo.

—Ya...; lo pensé nada más verle. ¿En qué puedo servirle?

—Verás; quería conocerte, Sinda.

—Pues ya me conoció. Míreme sin miedo; no le tengo nada que ocultar.

Tomó aire e irguió su pecho. Era bonita como la naturaleza. Poco a poco, la luz de sus ojos fué cambiando.

—No pase cuidado por él—dijo a lo último—. Aquello murió para los jamases. Vino, se fué. Ésa es la historia.

Lo decía sin alarde, y, no obstante, sentí un nudo en la garganta.

—Tú le querías, Sinda.

—¡Pues claro! ¿Qué pudo pensar?

—Habrás sufrido cuando se fué. Perdona...

—¡Oh, no, señor, no me dió demasiado sufrimiento! Yo sabía que Arturo había de irse. Ya se sabe: amor y viento nunca hicieron buen cimiento. ¿Qué hacerle?

—Yo quisiera...

—¿Qué quisiera, señor?

—Hacer algo por ti. Darte... ¿No deseas nada, Sinda?

—Hable con la mi madre. Yo... desear siempre se desea algo. Todos los días y todas las noches...

Miró hacia la casa de tío abuelo y su perfil se recortó contra los campos. Había algo en Sinda que la unía a las piedras, a la yerba, a los árboles y al cielo. Dió una vuelta y entró en la casa llamando a su madre.

Muchas veces, cuando pienso en Sinda, me detengo, complacido, en el recuerdo de la muchacha. Quizá yo hubiera debido dejar a Arturo que marchase por los cauces trillados y cerrar los ojos a aquella pequeña anormalidad. Arturo hubiese subido, clandestinamente, la cuesta del Alta; después, un día cualquiera, se habría cansado. La Sinda lo decía: amor y viento nunca hicieron buen cimiento.

Aquella época me rendí por completo al imperio de Arturo y le quise más aún, con un cariño casi enfermizo a fuerza de serle sometido. Cati se preocupaba por ello. A veces suspendía el arreglo de nuestro pequeño Juan para decirme:

—Arturo, no mimes tanto al niño. Una buena azotaina es lo que necesita.

Pero Arturo no era ya un niño y semejantes remedios no contaban para él. Tomó con mucho entusiasmo la idea de nuestro viaje a París y yo me alegré por ello. Sus ojos brillaron y otra vez me sorprendió la enorme cantidad de entusiasmo que poseía.

XIII

A los pocos días partí, a fin de entrevistarme con Filkenstein, dejando a Arturo con mis amigos. Elegimos una ciudad neutra para nuestro encuentro. Saarbruken fué la elegida, y, así, nos encontramos sobre las tierras que los hulanos de Guillermo I arrebataron al débil y romántico Napoleón III, el emperador más claudicante de todos los que mezclaron el buen amor con el mal gobierno.

Encontré más pálido a Filkenstein, más espiritual. Hasta aquella facundia suya, cuando hablaba de los destinos de Alemania, había disminuído. Reposado, un poco melancólico, parecía que hubiese pasado por alguna grave experiencia. Me recibió con una alegría contenida que me conmovió.

— Venga conmigo, "mein Freund" — me dijo —. Vamos a beber juntos por nuestro encuentro.

Una vez sentados, levantó su vaso con un gesto ritual que me recordó mis épocas de Heidelberg.

— "Prosit!" — brindó —. Por nuestra suerte.

Escuchó mis proyectos otorgándoles después una grave aprobación. Sí, podía estar seguro, Alemania ganaría la guerra. Sí, desde luego se ofrecía para colocar mi capital. Sí, los beneficios serían enormes. Sí, sí...

Pasé unas horas muy agradables con Filkenstein, este Filkenstein que me mostraba un cariño nuevo, como si acabara de descubrirme. A veces quedábamos silenciosos y diríase que recordaba algún hecho anterior y que lo unía a mi presencia hasta el punto de volverlo a vivir. Dos o tres veces le vi sonreír, y una me apretó la mano, de pronto, inesperadamente, y yo quedé algo turbado por ello.

— Y... Aneli — le pregunté a lo último —. ¿Cómo está?

— Bien — fué su respuesta —. Allí sigue. En el castillo, quiero decir, con Colette y con madame Kubinye.

— ¡Famoso trío! ¿Juega?

— Sí, desde luego. La pobre Aneli es muy desgraciada.

Fué un giro extraño, pero yo le entendí muy bien. Las desgracias de Aneli son inseparables de sus pasiones.

— Muchos días no la veo siquiera. Otros, paseamos hasta el cruce de los tres ríos. Creo que le gusta Passau, las pequeñas casas y el arco con la leyenda de la Virgen. A veces en Aneli hay algo muy sencillo.

Cuando hablaba así, la expresión de Filkenstein sufría un cambio muy sutil. Todo él se volvía sereno, reflexivo, y daba la sensación de hablar de algo sucedido hacía tiempo.

— Perdóneme lo de Aneli — me dijo —. Yo sé que para usted ya no significa nada y para mí... bueno, para mí lo es todo. No estará mucho conmigo, lo sé. No me importa; no me importa nada fuera de ella. ¿Conoce usted a Goethe? "El amor aborrece todo lo que no es amor."

Filkenstein haciendo citas era un espectáculo absolutamente inédito. Filkenstein iba a ser uno de los artífices de la inevitable victoria alemana, y, sin embargo, estaba morbosamente rendido al imperio de Aneli.

— Preséntele mis respetos — le encargué, como si se tratara de una castellana, y sentí el leve taconazo de Filkenstein —. Dígale... no sé. Dígale que... lo que se le ocurra, Filkenstein. Usted me comprende.

Asintió con un gesto vago. Y, mientras aguardábamos el tren en una cervecería próxima a la estación, el sol se puso sobre los viejos tejados que cubren el camino de las invasiones.

Cuando recuerdo esta última época de mi vida, pienso de nuevo qué gran importancia tienen los pequeños detalles. Sólo los pequeños detalles superviven en mi memoria. Fué una época bella y alocada, como el vuelo de una mariposa que se acerca al fuego. Viena; la pompa de los imperios centrales; el Kronprinz, con sus gemelos de larga distancia; Eduardo de Inglaterra, tan curiosamente parecido a su primo, el zar; la Duncan; Mis-

pleto, como si quisiera desnudarle y hacerle suyo antes de perderle.

Arturo correspondió a aquella mirada. Su expresión era más turbia que la de Aneli, porque en ésta, pese a todo, había una especie de renunciación que la ennoblecía. Aneli sabía que aquello duraría muy poco, que era tan fugaz y tan único como un ciego al que se le concediese ver el resplandor de un relámpago. En cambio, en la mirada de Arturo había un bajo deseo, un deseo carnal y sin ninguna inquietud de espíritu. Sus manos apretaron las cartas, como si quisiera unirlas a su deseo.

¡Cómo odié a Aneli! El odio trascendió de mi persona y se transmitió al ambiente. Todos lo percibieron, y Colette retrocedió, como si temiera que le pegasen, y los ojos de Madame Kubinye se agrandaron todavía más. ¡Qué extraña expresión la daban estos ojos, grandes y redondos! Parecían de otra persona, que los hubiese robado a un muerto colocándolos en lugar de los suyos. En cambio, los ojos de Aneli... De nuevo la rabia que me impulsó a agredir a Goyo, que me hizo despotricar de la pobre Esperanza, hizo presa en mí. Odiaba a Aneli, la despreciaba, tenía deseos de herirla, de golpearla, de hacerla llorar conmigo la pérdida de mi hijo, la muerte de mi hijo, porque Arturo, el Arturo que nació de Cati y de mí, había muerto. Y era Aneli la que le había matado. La miré, y, poco a poco, vi aparecer el miedo en sus ojos. Madame Kubinye lanzó un pequeño grito, como de un ave que cruza. Me costó trabajo empezar a hablar, de seca que tenía la boca.

— ¡Ven! — ordené —. ¡Ven conmigo!

— ¡Oh, no! — suplicó Aneli —. ¡Por Dios!

— ¡Ven! — volví a ordenar.

Se levantó y me siguió, con los ojos siempre fijos en los míos. Dejó las cartas sobre la mesa, y vi sus uñas, que arañaron levemente la franela. Su respiración era agitada y hacía subir y bajar su pecho; me hizo recordar cuando dormía. Presa de una gran turbación, no acertaba a decir palabra, y me siguió en silencio, mientras avanzaba, por el recibidor, hacia la puerta. Los demás aguardaron, agrupados, en la del salón.

— ¡Por Dios! — volvió a suplicar Aneli —. ¡No hagas eso!

Me encogí de hombros. Ninguna súplica en el mundo bastaría a desviarme de mis propósitos; en realidad, tampoco yo obraba por mí mismo, sino como si obedeciese a una voluntad superior. Por primera vez en mi vida ni vacilaba ni tenía miedo. Mi voluntad se imponía a todos, acaso porque, como ya he dicho, no era mía. Me sentía muy sereno, aunque, al tiempo, me parecía que todo aquello estaba ocurriendo en un mundo de pesadilla. Veía los ojos de Arturo, los de Colette, los de Madame Kubinye y los de Aneli; todos estaban fijos en los míos con un miedo silencioso, que no se atrevía a gritar por no precipitar las cosas. Los de Aneli, sobre todo, tenían esa luz mortecina de los que renunciaron ya a todo y están viviendo una agonía. Volví a ordenar:

— ¡Ven! ¡No te detengas!

Escuché sus pasos bajar las escaleras detrás de mí. No necesitaba volverme para sentir muy próxima su presencia. Estábamos unidos demasiado íntimamente para que pudiera confundirse con nadie. Hasta el rumor de su respiración sonaba de otra manera, y el perfume de su cuerpo, que yo había visto al bañarse. Amaba el agua y gustaba tripular el "Valiente". Su carne tenía un brillo especial, distinto a todos. También su boca, blanda, humedecida. Me gustaba contemplar su cuerpo, acercándome, cuando dormía.

Subió a mi lado en el pescante. El coche se deslizó en silencio. Así había llegado hasta la casa de Aneli, aquella noche estrellada, tan transparente, quieta, como si la brisa no hubiese existido jamás. La ventana del cuarto de Arturo se recortaba, nítida, en la fachada de villa "María Rosa". Yo espiaba, oculto tras el macizo de hortensias. "¡Qué grande es! —recuerdo que pensé—. Nunca creí que fuera tan grande." Como siempre, estos tontos pensamientos sin importancia acudían a mi mente, aunque la tuviera ocupada por otros mucho más acuciantes y de más trascendencia. Cuando vi saltar a Arturo, me hice atrás, buscando la protección de la sombra. Se enderezó y miró en torno; después, hacia arriba. Aunque estaba lejos, yo adiviné la expresión de sus ojos al consultar mis ventanas y me dió una lástima infinita. Arturo sufría, estaba cierto de ello. Por propia experiencia sabía que no hay nada más doloroso que ceder a un vicio.

Le vi doblar la plaza y tomar el camino de la Península. Entonces, tras aguardar un rato, enganché a "Revolución" y le seguí. No necesitaba hacerlo, porque ya sabía adónde iba. Gerardo me había dado la clave de ello con la llegada de Aneli y ni por un momento dudé que se dirigiese a encontrarla. "¡Castigo de Dios! — me repetía la voz de Esperanza —. ¡Castigo!" Había algo casi bíblico en la caída de mi hijo, que era mi caída. Algo que me estremecía y me llenaba de pavor como si me encontrase ante una fuerza superior, cuyo alcance no podía prever. En realidad, no sabía qué decisión tomar, cuál podría ser mi decisión. Tampoco lo sabía cuando, con los ojos de Aneli clavados en los míos, ordené:

— ¡Ven!

Me siguió, ya lo he dicho, y tampoco entonces sabía lo que podría hacer. Y en la escalera, y cuando estuvo a mi lado en el coche, no lo supe tampoco. Puede decirse que obré a ciegas, o que, acaso, no fuí yo quien determinó mis actos. Esto pudiera parecer disculpa, pero creedme que os hablo muy sinceramente. En aquel momento sólo sabía que odiaba con todas mis fuerzas a Aneli, que hubiera hecho cualquier cosa por arrancar a Arturo de sus garras. Y nada más. Me preguntó:

— ¿Adónde vamos? Escúchame...

— ¡Calla! — dije.

Ninguno de los dos gritamos. En su voz había también miedo, y, cosa que me conmovió, dolor por haberme causado daño. "Revolución" aceleró su trote. El coche avanzaba por la noche. A veces la luz reflejaba en la calzada y diríase que un agua brillante y amarilla rielase sobre ella. Otras, las casas se apretaban, y la oscuridad era muy densa, como si penetrásemos en un túnel. Cuando avanzamos más, se fueron espaciando, y los campos hicieron su aparición, húmedos, con el pequeño rumor de la hierba, desnudos bajo la luna. Las tapias se recortaban altas, y algún arbusto, o algún árbol poco crecido, se alzaba en los límites, con las ramas en cruz, como si pretendiese detenerlos.

Nunca sentí a nadie tan mío. Sí, era carne de mi carne, entraña de mi entraña, y nunca hasta entonces lo noté de modo tan absoluto e irremediable. Sería inútil cuanto hiciese; nuestra unión no se podía quebrar. Yo quería ayudar a aquel pobre ser que estaba a mi lado, quería salvarle, pero no acertaba cómo. ¡Si hubiese una solución! De verdad que hubiera dado toda mi vida por encontrar una solución.

Cuando cruzamos cerca de villa "María Rosa", no se movió siquiera; tampoco lo hizo al pasar frente al casino. Dejamos atrás el hotel de la plaza y "Revolución" tomó un sendero que cortaba los pinares. La noche se hizo más temerosa aquí y al rumor de las olas se añadió el de las ramas y el de las pequeñas agujas de los pinos. Las últimas casas quedaron atrás y a la noche se añadió esa sensación de soledad, casi palpable, que produce el descampado. Los perros ladraban, lejos, como en una habitación vacía; la luz del faro parecía descubrir peligros que acechaban; el mar se agitaba desesperado, como si se entregase a las rocas.

Pero nada de esto me sobrecogía; casi estoy por decir que no lo notaba siquiera. Todo mi ser estaba lleno de una sola pregunta: ¿Qué puedo hacer?, ¿cómo salvar a Arturo? No hubiera retrocedido ante nada por conseguirlo. A veces me compadecía de Aneli, pero otras mi odio renacía y deseaba su muerte con tal furor que mis manos se crispaban como si tuviera su cuello entre ellas. "Revolución", sorprendida, trastabillaba un poco, para recuperar en seguida el ritmo de su trote.

Cuando llegamos al faro, me detuve. Juntos bajamos y juntos cruzamos los campos hasta la mar. Abajo estaban las rocas, arañadas por el retirarse de las olas, los remolinos, la resaca, que tiraba hacia dentro, como si no quisiera que una gota de agua quedase en la tierra. Abajo estaban las calas, quietas y frías, donde Aneli se había bañado. Todo era oscuro allí, pese al resplandor del faro, que giraba en lo alto. El viento nos batía con mucha fuerza; a veces cesaba y todo parecía tranquilo entonces, carente de sonidos.

Una gran debilidad me invadió. Hubiera deseado pedir ayu-

da a alguien, que otro resolviese por mí aquel terrible dilema
que se me había presentado; el de la salvación o la condena de
Arturo. ¿Qué podría hacer? Pregunté:

— ¡Dime! ¡Dime, por Dios! ¿No puedes renunciar? ¿No puedes vencerte? Ya sé... Yo también. Pero ¿no podrías olvidarlo
todo? Aun es tiempo. ¡Sí, aún es tiempo!

Conocía su voz. Conocía el tono de su voz, que acabó de
arrebatarme las últimas esperanzas.

— No — repuso —. No puedo...

Después añadió las palabras que yo, inconscientemente, había temido. Dijo en tono de desafío:

— Ni quiero.

Todo era inútil. Todo era absolutamente inútil. Yo sabía lo
que debía hacer. Entonces vi al profesor Groux. Le vi como si
hubiera aparecido, pero su aparición no me sorprendió. Diríase
que hubiese estado esperándome todo el tiempo, junto al trozo
de mar en que pensé cuando volvíamos juntos de Baden-Baden.
Le vi tranquilo, dulce, triste y derrotado. Y, como él, no me
moví, cuando, empujado por mis manos, el cuerpo cayó al agua.
No hizo ruido al caer, ni tampoco gritó. Todo fué extrañamente
silencioso. Yo quedé mucho tiempo inmóvil. Y el profesor Groux
siguió a mi lado, mirando también hacia la mar.

EPÍLOGO

EPILOGO

He visto amanecer sobre la ciudad. En sus confines se ha ido encendiendo una luz lechosa, que se extendió poco a poco. La ciudad ha surgido, gris, de ella, temblorosa aún y fría, como si estuviera desnuda.

Las estrellas se han apagado y el cielo se ha vuelto cada vez más azul. Los sonidos han venido, de las cuatro esquinas del paisaje, más humanos cada vez. Primero ha sido el del viento; después, los de las puertas, y los carros, al atravesar los zaguanes; más tarde, el de las voces, llamándose, muy sonoras. Por último, las campanas han ocupado el día, balanceándose en su clamor: tin, ton; tin tan; tan, ton...

En los cristales de la ventana la luz se ha diluido, y, a su través, el jardín de villa "María Rosa" ha hecho su aparición. La escarcha ha dejado los cristales húmedos e indecisos, y, cuando la luz llegó a ella, la he visto irisar, hasta que se ha evaporado, y nada se ha interpuesto ya entre mi vista y el jardín. Le he recorrido, como si por él caminase; sus macizos, sus senderos, los pinos del prado bajo, añosos ya y con las copas de un verde como el de Italia. Después, mi vista ha saltado al casino, a la plaza, a la playa, y se ha detenido en el mar.

He temblado, y no solamente de frío. Aunque mis ropas estén mojadas todavía, no es por eso por lo que he vuelto a temblar. Es la vista del mar la que lo ha producido, porque, bajo este mar, yace ahogado Arturo; mi hijo Arturo.

Le he ahogado yo. Por monstruoso que parezca, así es, y por eso tiemblo cuando miro el mar. Lo hice en el momento de mayor desesperación de mi vida, y le vi caer sin un grito, y vi las aguas cerrarse sobre él. De pronto, todas aquellas espumas que cubrían el mar tomaron un aspecto siniestro, como si cada una de ellas correspondiese a la respiración de Arturito bajo las aguas. Eran muchas, rabiosas, y cambiaban de forma, como si tuviesen vida. Cuando Arturito cayó, saltaron al aire, y no sé si llegaron hasta mis mejillas. Lo cierto es que las sentí húmedas, y que el viento me las cortaba, como trozos de hielo. El mar era muy oscuro y sólo las espumas se veían en él.

Comencé a gritar, y, gritando, me deslicé hacia las rocas. Fué un milagro que no cayese yo también, porque sólo atendía a llegar cuanto antes al borde de la mar, para ver si todavía me era posible salvar a mi hijo. Mientras los pedruscos rodaban y a mis pies se abrían insospechadas simas y cortaduras, que iba sorteando por instinto, gritaba sin cesar:

— ¡Arturo! ¡Arturo!

Diríase que hubiese despertado de un mal sueño, aunque la realidad fuéra todavía peor. Mientras llegaba al mar, me parecía que era otro el que había empujado a Arturo, arrojándole a las aguas, y que yo corría para salvarle del asesinato. Los últimos metros los recorrí casi rodando, y mis dedos se asieron a un manojo de algas. Las sentí aplastarse y su frescor me subió brazo arriba. Con ellas aún asidas, me detuve, al borde mismo de las rocas, que las últimas aguas lamían mansas, mientras, un poco más lejos, hervían desesperadas.

Todo estaba muy oscuro y el mar semejaba no tener final. En medio de aquel mar infinito, en algún pequeño lugar, flotaría Arturo. Quizá viviera aún, y luchara contra la resaca, que se lo llevaba adentro. No se podía distinguir nada, porque la noche cubría el mar. Sólo las espumas destacaban, aquí y allá, a jirones. Me pareció ver una cabeza y volví a gritar:

— ¡Arturo! ¡Arturo!

Silencio. El silencio más absoluto que escuché jamás, pese al estrellarse de las olas, a los silbidos del viento, a los mil ruidos de la noche, aumentados por una gran resonancia. Agucé el oído, con una desesperada atención, y grité otra vez:

— ¡Arturo! ¡Arturo!

Me pareció oir una voz que me respondía, y me empiné sobre las rocas, pretendiendo en vano taladrar la oscuridad. ¡Pobres ojos, inútiles y cansados, que no acertaban a ver más allá

de unos metros! Me estremecí, lleno de ira contra mi cuerpo,
que no me podía ayudar, contra mi vista, mi voz y mis fuerzas
insuficientes. La noche era un monstruo gigantesco, un gigante
dormido, al que golpeaba en vano con mi espada, porque ni
siquiera me sentía. En algún lugar de él, mínimo y tan perdido
como una gota de agua, yacía Arturo, quizá muerto ya, quizás
aún vivo, rodeado por la oscuridad, arrebatado por el agua,
dolorido y a punto de ceder. Esta vez no grité, sino que gemí,
muy bajo:

—¡Arturo! ¡Arturo!

Creí escuchar su voz de nuevo, y ya no vacilé más. Me lancé
al agua y comencé a bracear, desesperadamente, al azar, como
si fuera posible encontrarle. El agua estaba muy fría y me cortaba el aliento; los vestidos pesaban cada vez más, según se
empapaban. Si abría la boca, el agua me la llenaba de golpe,
y tenía que devolverla, a toses, mientras mis brazos se agitaban
sin control. El corazón me latía muy fuerte. Arriba brillaban
las estrellas, pero el agua las borraba al pasar sobre mí. Si me
hundía, la oscuridad aumentaba, y todo era negro en torno y
muy revuelto. Al volver a la superficie, las estrellas parecían
absurdamente cercanas. Una ola me proyectó contra las rocas;
después, al retirarse, me arrastró con ella. Todo era blanco ahora en torno mío, y la boca, además de agua, se me llenaba de
arena. De pronto me cogió un remolino, y giré y giré, rodeado
por círculos fulgurantes.

Me despertó el dolor. Estaba tendido en la arena de una
cala, y el corazón me latía de un modo tal que ni siquiera podía
respirar. Tenía el brazo inmovilizado por el dolor, y, cuando
intenté mover los dedos, vi que no era posible. Hasta el aliento
se me cortaba, y un cuchillo iba abriendo mi brazo, martirizan-
do cada nervio. Sollocé:

—¡Ay!

La cueva me devolvió mil ecos, mil ayes seguidos, que parecían correr, uno detrás de otro. Con mucho esfuerzo moví la
mano, a la busca de las cápsulas que Gerardo me había rece-
tado, y que guardaba siempre en el bolsillo del chaleco, pero
se habían aplastado con los golpes. Después, el dolor cedió,

poco a poco, y yo entorné los ojos y mi respiración se arrastró por la cueva como la de un animal que acude a su cubil para morir.

Yo también acudí al mío. Porque yo voy a morir, ahora, en seguida, y ni siquiera la luz del sol llegará a alumbrarme cuando alcance el mediodía y no proyecte sombra alguna. Yo no alcanzaré la hora del sol sin sombra. Ya os lo dije desde el principio, y esta confesión ha tenido, por ello, mucho de examen de conciencia. Minuto tras minuto, toda mi vida ha pasado ante mí. Comenzó a hacerlo ya cuando trepé los acantilados y emprendí el camino de villa "María Rosa"; pero, sobre todo, fué en el cuarto de arriba donde sus acontecimientos se hicieron más presentes. Recuerdo que subí de puntillas las escaleras y empujé su puerta como la de un refugio. Después me dejé caer en la butaca de frente a la ventana, aquélla en la que a padre le gustaba descansar.

Me sentía muy débil y una especie de velo me nublaba la vista. Mi pasado surgió así de la niebla oscilante que me rodeaba. "Arturo—repetía sin cesar mi pensamiento—, Arturo"... Pero, al tiempo, pensaba en otras cosas; si se puede pensar en varias cosas al tiempo. Pensaba que había matado a mi hijo, y que, dentro de pocas horas, Cati sufriría el dolor de haberle perdido y la angustia y la vergüenza de saber que le había matado yo. Pensaba si Aneli, Colette, y Madame Kubinye callarían, o si se verían envueltas en el escándalo. En seguida mis pensamientos volvían a Cati. ¡Pobre, pobre Cati! Y, como siempre, la eterna pregunta de mi vida tornaba a plantearse. ¿Qué podría hacer? Dios mío, ¿qué podría hacer?

El tiempo pasó lento. Yo agonizaba ante la ventana. Y la ciudad surgía de la noche, como si quisiera asistir a mi ejecución.

Desesperado, moví el brazo, y tropecé con uno de los dos negritos. El tropezón le hizo girar y, cuando descendí la mirada hacia él, vi que su mano apuntaba al mar. Estuve contemplándole algún rato, hasta que la luz se hizo en mí. ¡Claro, ahí estaba la solución! Si nos encontraban al tiempo, todavía podrían pensar en un acidente casual, sobre todo si Aneli, Colette

jos. ¡Ánimo, qué diablo! Se ha ido, y tú te has quedado. Es mejor quedarse. Nadie triunfó nunca huyendo."

Pese a su sonrisa pícara y a su aspecto de ladronzuelos de sandías, los dos negritos eran unos filósofos. Sus argumentos encontraban eco en mi interior. Sí, ¡qué diablo! Aneli se había ido y debíamos dar gracias al cielo. A través de los árboles del parque se divisaban las dos torres del Casino. ¡Qué frías y lejanas! Me parecía imposible la fiebre que me arrastraba a ellas, que seguramente, me arrastraría otra vez. Pero no; ¡el juego había terminado! Extendí una mano solemnemente, como si quisiera jurarlo sobre la cabeza de los dos negritos.

Respiré más tranquilo, aunque todavía aturdido. Desde luego, yo estaría arruinado, pero todo seguía igual, y, por esto, resultaba difícil darse cuenta de ello y hacerse a la nueva idea. Cuando lo del "Cabo Machuca" como saltó por los aires, en seguida percibimos, brutalmente, el cambio. Pero ahora nada había cambiado, aparentemente. Villa "María Rosa" estaba allí, allí el casino, el tranvía, el barco, las vagonetas del Pico, recorriendo su lejano camino... Si pidiese dinero, seguramente López de Ansina no se atrevería a negármelo. Si jugase en la Armería, o en el Círculo, podría hacerlo tranquilamente bajo palabra. Y, sin embargo, todo era diferente, y yo lo sabía. Precisamente, la diferencia estriba en que lo sabía.

Abrí la puerta y me dirigí al cuarto de Cati. Aún no estaba seguro de si hablaría o no con ella; sólo sabía que necesitaba su compañía. Empujé la puerta y la vi ante el espejo, acabando de vestirse. Me pareció joven y deseable. Como si la viera de nuevo, después de aquel período de pesadilla, y con el deseo exacerbado por la separación.

Fué algo extraordinario, asombroso, un milagro inesperado, porque ni siquiera recé por él. Mientras la tenía en mis brazos, dulcemente, como una criatura a la que castigamos sin justicia, Cati me confesó que había sido muy feliz conmigo.

¡Bendito sea Dios! Siempre tuve miedo de haberla causado dolor. Siempre, en el fondo de todas mis... debilidades, acechó, escondido, el remordimiento de lo que Cati pudo sufrir. Cuando, tras haberla amado con la fuerza de los primeros tiempos,

y Madame Kubinye callaban, como era su interés. Además, yo moriría junto a Arturo. Sin verle, sin sentirle, pero unido a él por el agua amarga de que mi padre hablaba.

Como un sonámbulo, volví a descender las escaleras y atravesé el jardín. Atrás quedaba villa "María Rosa", y cada paso que me alejaba de ella, me producía una pena infinita. Sufrí tanto en mi camino, que casi se me pueden perdonar mis pecados por ello. Mis pecados, pero no mis tonterías.

Porque éstas fueron siempre las más graves. Cuando, de pie sobre la roca que se avanzaba al mar, miré hacia atrás, me pareció verlas a todas, haciéndome gestos como en las pesadillas. ¡Qué tonto, qué pobre tonto había sido! Pero ya no había tiempo para lamentarse. Todo oscilaba en torno mío, y yo oscilaba también, a punto de caer. La sangre zumbaba en mis oídos, tan fuerte que no me dejaba escuchar nada. Pero sentía el son del viento, y, aunque, cuando mi vértigo arreciaba, tenía que cerrar los ojos, veía también las olas, las espumas y la raya del horizonte, que se encendía ya.

Sentí volver el dolor poco a poco, y le esperé, con los dientes apretados, como el que pretende ahogarse aguarda que ascienda la marea. "Todavía le puedo soportar — pensaba — todavía..." Cuando fuera insoportable, me haría caer. Y las aguas se cerrarían sobre mí, y el Marqués de Pardo tendría el fin de los marinos, que mueren una noche en el mar... en el mar... en el mar...

El agua estaba cerca, impresionantemente cerca. Quise dar la vuelta y huir, pero era tarde. Siempre ha sido tarde en mi vida...

FIN DE LA NOVELA